Économie
mondiale

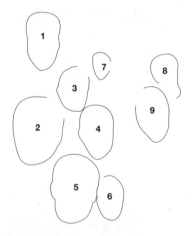

1 | **Georges AKERLOF** (1940-   ). *Né dans le Connecticut, Georges Akerlof est docteur en sciences économiques du Massachusetts Institute of Technology (MIT). Professeur à Berkeley, le prix Nobel d'économie lui a été décerné en 2001, en compagnie de Joseph Stiglitz et Michael Spence pour ses travaux sur l'asymétrie d'information et la « sélection adverse ».*

2 | **Oliver E. WILLIAMSON** (1932-   ). *Né dans le Wisconsin, Oliver E. Williamson est docteur de l'Université Carnegie-Mellon. Professeur à Berkeley, il est le fondateur de la « nouvelle économie institutionnelle », où un rôle central est attribué au concept de coût de transaction, développé dans un article célèbre du prix Nobel 1991, Ronald Coase.*
Photo : © http://groups.haas.berkeley.edu/bpp/oew/

3 | **Maurice ALLAIS** (1911-   ). *Né à Paris, Maurice Allais est sorti major de l'École polytechnique en 1933. Il a obtenu le prix Nobel d'économie en 1988. Ses travaux ont eu une influence déterminante après-guerre sur les ingénieurs-économistes français (L'Économie pure (1943) et Économie et intérêt (1947)) mais une part significative de sa réputation internationale est due aussi au « paradoxe d'Allais », remise en cause de la théorie face au risque de von Neumann et Morgenstern.*

4 | **Joseph STIGLITZ** (1943-   ). *Né dans l'Indiana, Joseph Stiglitz est, à 26 ans, professeur à l'Université de Yale. La thèse de cet ancien étudiant du Massachusetts Institue of Technology (MIT), portant sur le rationnement du crédit, est célèbre dans le monde universitaire. J. Stiglitz développera par la suite ses analyses sur l'imperfection de l'information et ses conséquences sur le fonctionnement des marchés. Chef de file des nouveaux keynésiens, il a obtenu le prix Nobel d'économie en 2001 (en même temps que G. Akerlof et M. Spence).*

5 | **Robert LUCAS** (1937-   ). *Né dans l'État de Washington, Robert Lucas enseigne depuis 1965 à l'Université de Chicago. Principal représentant de la «nouvelle macroéconomie classique», le prix Nobel d'économie lui a été décerné en 1995 pour ses travaux sur les anticipations rationnelles et leurs conséquences quant à la stabilité des modèles économétriques (Lucas's critique) et aux limites des interventions publiques (impotence result).*
Photo : © Université de Chicago

6 | **Kenneth Joseph ARROW** (1921-   ). *Né à New-York, Kenneth J. Arrow s'oriente en 1941 vers l'économie à l'Université de Columbia. Il est connu pour sa démonstration de l'existence d'un équilibre général de concurrence, ses travaux sur le risque et son « théorème d'impossibilité » (agrégation 'impossible' des préférences individuelles en une fonction satisfaisante de choix collectif). Il a obtenu le prix Nobel d'économie en 1972, avec John Hicks.*

7 | **Paul KRUGMAN** (1953-   ). *Né à New-York, Paul Krugman est diplômé du Massachusetts Institute of Technology (MIT), université où il enseigne ainsi qu'à Yale, Stanford et Princeton. Ce nouveau keynésien, défenseur du libre-échange tempéré et spécialiste de l'économie internationale, s'appuie sur l'analyse de la concurrence imparfaite pour rectifier certaines des conclusions de l'analyse néoclassique.*

8 | **Milton FRIEDMAN** (1912 – 2006). *Né à Brooklyn, Milton Friedman a enseigné à l'Université de Chicago, de 1946 à 1977. Il a été le pape du retour au libre marché, de la déréglementation et de l'abandon de la politique budgétaire au profit de la politique monétaire. Chef de file d'une véritable contre-révolution keynésienne dès les années 50, il a vu ses idées triompher dans les années 70 et a reçu le prix Nobel en 1976.*

9 | **Barry EICHENGREEN** (1952-   ). *Né en Californie, Barry Eichengreen a fait des études d'économie et d'histoire à l'Université de Yale et enseigne aujourd'hui à l'Université de Berkeley. Il a notamment fait des propositions pour construire une architecture financière internationale et une architecture financière européenne.*
Photo : © 2008 Robert Houser

Source : « L'essentiel de l'économie », in Alternatives économiques, Hors série pratique n° 21, novembre 2005.

Ouvertures Économiques

Économie
mondiale

Les règles du jeu commercial, monétaire et financier

André **Dumas**

4e édition

 de boeck

Crédits photos de couverture :
Si malgré nos soins attentifs, certaines demandes n'étaient pas parvenues aux auteurs ou à leurs ayants droits, qu'ils veuillent bien nous en tenir informés.

Pour toute information sur notre fonds et les nouveautés dans votre domaine de spécialisation, consultez notre site web : **www.deboeck.com**

© Groupe De Boeck s.a., 2009
Éditions De Boeck Université
Rue des Minimes 39, B-1000 Bruxelles

4ᵉ édition

Imprimé en Belgique

Dépôt légal :
Bibliothèque Nationale, Paris : avril 2009
Bibliothèque royale de Belgique, Bruxelles : 2009/0074/020

ISSN 2030-2061
ISBN 978-2-8041-5985-6

INTRODUCTION

Les échanges internationaux ont connu un développement considérable après la seconde guerre mondiale, puisqu'ils ont augmenté une fois et demie plus vite en moyenne que la production de richesses mondiales de 1950 à la fin des années 1980, et deux fois plus vite depuis le début des années 1990.

TABLEAU 1
Exportations rapportées au PIB mondial (Prix constants 1990, en %)

1950	1973	1990	2004
8	14,1	19,3	30,9

Source : OMC

Cet essor cache cependant des situations différentes selon les pays qui y ont participé ; il a en effet abouti à une géographie du commerce mondial dans laquelle la « triade » (P. Ohmae), constituée par l'Europe de l'Ouest, l'Amérique du Nord, et le Japon, entouré depuis quelques années par les pays émergents d'Asie (cf. encadré 1), se taille la part du lion, marginalisant les pays plus pauvres.

TABLEAU 2
Répartition du commerce mondial (en %)

Europe	45
Asie	27,5
Amérique du Nord	15,3
Moyen-Orient	3,9
Amérique latine	3,1
CEI	2,7
Afrique	2,5

Source : OMC 2004

TABLEAU 3
Les premiers exportateurs mondiaux

	En % des exportations mondiales		En % du PIB	
	1990	2005	1990	2005
Allemagne	12,2	9,3	23	31,2
États-Unis	11,4	8,7	8,6	10,5
Chine	1,8	7,3	6,2	32
Japon	8,3	5,7	12,7	12,2
France	6,3	4,4	18,1	22,7
Royaume-Uni	5,4	3,6		

Source : OMC

L'importance croissante des échanges internationaux a conduit à une mondialisation de l'économie (R. Reich). En effet, devenues largement interdépendantes, les économies nationales tendent à se fondre dans une économie mondiale au sein de laquelle les marchandises, les services, les capitaux, les technologies et les informations traversent de plus en plus facilement les frontières.

ENCADRÉ 1
Les nouveaux pays industrialisés d'Asie

1. **La première génération** (les « dragons ») des NPI d'Asie, constituée par la Corée du Sud, Taiwan, Singapour et Hong Kong, est apparue à la fin des années 1970. Bénéficiant d'un taux de croissance élevé, ces pays se sont rapidement insérés dans les courants d'échanges mondiaux. Ils ont été suivis, à la fin des années 1980, par une **deuxième génération** (les « tigres »), comprenant la Thaïlande, la Malaisie, l'Indonésie et les Philippines, puis, dans les années 1990, par la **Chine** et l'**Inde**.
2. Leur développement industriel reposait sur une stratégie volontariste de **valorisation des exportations,** dans les domaines où, grâce à leur main-d'œuvre faiblement rémunérée, ils disposaient d'**avantages comparatifs** importants face aux pays déjà industrialisés (textile, électricité, électronique…). Leur croissance était en outre liée à un **environnement favorable** (accords de coopération régionale et forte complémentarité avec le Japon, demande internationale soutenue, aides financières et technologiques japonaises et américaines) et à l'existence de certains **atouts** (engagements forts de l'État et barrières protectionnistes pour le marché interne notamment).
3. Les NPI souffraient cependant de certaines **faiblesses** : un endettement excessif et une fragilité financière qui conduisirent à une grave crise à la fin des années 1990, une dépendance très marquée à l'égard des marchés extérieurs, sans oublier une génération de travailleurs sacrifiés sur l'autel de la croissance, en l'absence d'une véritable législation sociale.

Par ailleurs, si les échanges internationaux restent toujours mesurés au niveau des États-nations (à travers leur balance des paiements), d'autres acteurs internationaux (firmes multinationales, opérateurs financiers internationaux et organisations supranationales publiques ou privées) sont apparus, s'érigeant en concurrents du pouvoir des États, avec des stratégies qui ignorent les frontières nationales (cf. encadré 2).

ENCADRÉ 2
Les acteurs de la mondialisation

1. Les « **États-nations** » constituent les acteurs les plus importants de la mondialisation. Ils sont localisés géographiquement par des frontières politiques qui déterminent un territoire à l'intérieur duquel s'exerce leur souveraineté. Malgré les différences qui peuvent exister, au plan conceptuel comme dans la réalité, entre l'État et la Nation, le terme « État-nation » signifie que la Nation constitue un espace de solidarité (historique, culturel, linguistique, social, politique, économique, monétaire…) dont l'État assure la cohésion et la pérennité en l'organisant et en le gérant. Cette approche rejoint celle de P. Hugon, lorsqu'il définit la Nation, dans sa dimension économique, par l'appartenance au « concert des Nations », ainsi que par l'existence :
   - de systèmes d'information spécifiques liés notamment au cadre statistique et comptable utilisé ou à la langue ;
   - de systèmes de prix relatifs spécifiques (concernant en particulier le travail, mais aussi certains biens ou services dont le prix n'est déterminé que sur des marchés domestiques) ;
   - d'une citoyenneté économique et sociale (fiscalité, protection sociale, code du travail…) ;
   - d'une monnaie commune dans un espace donné ;
   - d'une référence identitaire socioéconomique (normes et valeurs sociales communes) ;
   - d'un territoire dans lequel s'exercent les pouvoirs politiques et économiques de l'État.

2. Les **firmes multinationales** sont des entreprises qui, à partir d'une maison mère nationale, exercent leur activité dans plusieurs pays où elles ont, soit acquis une entreprise étrangère (investissements de portefeuille), soit créé des filiales (investissements directs à l'étranger). Les politiques commerciales que les États peuvent décider sont limitées par le fait qu'une part importante du commerce international résulte de flux croisés internes aux firmes multinationales (E. Cohen), qui constituent un commerce international « fermé » échappant aux règles de la concurrence internationale (R. Sandretto). De plus, les États sont confrontés en permanence aux stratégies de puissance des grandes firmes multinationales.

3. C'est certainement face aux **acteurs financiers internationaux**, et notamment aux investisseurs institutionnels (organismes de placement collectif, compagnies d'assurance et fonds de pension), que le pouvoir des États se révèle le plus faible (S. Strange) ; les mouvements internationaux de capitaux à court terme ignorent les frontières politiques et sont devenus d'une ampleur sans précédent, puisque les seules opérations de change journalières dépassent le stock total des réserves de changes détenues par les Banques centrales ou les besoins de financement d'un an de commerce

mondial. Déconnectée de l'économie réelle, cette masse de capitaux flottants constitue une « monnaie virtuelle » (P. Drucker) dont les États ne peuvent contrôler les mouvements, en l'absence d'une réglementation multilatérale concertée, qu'il s'agisse de
limiter la libre circulation des capitaux en taxant les opérations spéculatives, d'accroître la légitimité et les moyens du FMI, ou d'instaurer des règles prudentielles pour
limiter les risques pris par les opérateurs.

4. Les **organisations internationales publiques**, dont le nombre n'a cessé d'augmenter
depuis la Seconde Guerre mondiale, constituent une autre catégorie d'acteurs internationaux. Elles sont près de 400 à l'heure actuelle, dont la plupart dans la mouvance de
l'ONU et donc à vocation universelle, organisées selon des structures institutionnelles
différentes et exerçant des missions diverses dans l'ordre économique, financier,
social, politique ou culturel. Leur influence dans l'évolution de l'ordre économique et
politique international demeure importante. Leur poids international dépend essentiellement de leurs missions et de leur capacité à faire valoir leur point de vue dans la
mesure où ce dernier leur est propre.

5. Il existe aussi, à côté des organisations internationales publiques, des **organisations
privées** à vocation internationale, parmi lesquelles on trouve des « organisations non
gouvernementales » (associations privées à but non lucratif engagées dans des actions
humanitaires, sociales, écologiques ou politiques), des associations internationales
(consommateurs, écologistes…), des institutions religieuses ou des mouvements syndicaux internationaux. Leurs objectifs, très divers et parfois antagonistes, consistent à
faire valoir leurs points de vue relatifs à l'ordre idéologique, éthique, politique, social
ou économique international et à tenter d'influencer les décisions prises par les États
ou les organisations internationales publiques. Elles n'apparaissent donc sur la scène
internationale que comme des groupes de pression transnationaux, exprimant ainsi
l'émergence d'une société civile internationale (P. de Senarclens). Ces organisations
privées, qui se réclament le plus souvent de « l'altermondialisme », tendent à prendre
de plus en plus d'importance sur la scène internationale depuis leur apparition à
l'occasion de la conférence ministérielle de l'OMC de Seattle de 1999 qui devait fixer
l'ordre du jour d'un nouveau cycle de négociations commerciales. Depuis lors, chaque
sommet international voit se manifester (parfois violemment, comme à Gênes en
2001) des organisations privées hostiles à la mondialisation.

Le développement du commerce international et l'interpénétration croissante
des économies nationales sont dus, bien sûr, à la croissance économique d'après-guerre
ainsi qu'au progrès en matière de communication et de moyens de transport, mais ils
sont aussi le résultat de l'organisation du commerce et des paiements internationaux
mise en place au lendemain de la Seconde Guerre mondiale.

Les premières règles de cette organisation ont été établies en 1944 avec les
accords de Bretton Woods, pour ce qui concerne le jeu monétaire, et en 1947 avec les
accords du GATT pour ce qui concerne le jeu commercial international. Elles ont été
complétées et précisées ultérieurement, au fil des négociations internationales successives, en dépit de quelques échecs, comme celui du projet d'Organisation internationale
du commerce en 1948 ou celui de l'application des Accords monétaires de Washington
de 1971.

Placées sous le signe du libéralisme économique, ces règles sont définies par les grandes puissances pour servir en premier lieu leurs propres relations et leurs propres intérêts ; elles s'imposent de fait aux autres partenaires du commerce et des paiements internationaux, qui n'ont pas toujours les moyens économiques et politiques de peser sur leur définition.

Ces sont en effet les États les plus puissants, au-dessus desquels il n'existe pas d'autorité supérieure, qui organisent les relations économiques internationales (G. Kebabdjian) et qui fixent, parfois seuls lorsqu'ils sont en position hégémonique, mais le plus souvent en coopération lorsque leur puissance est comparable, les grandes règles économiques ou monétaires dans lesquelles s'inscrit le fonctionnement de l'économie et des marchés internationaux.

Certes, les organisations internationales comme l'OMC ou le FMI constituent une catégorie d'acteurs internationaux dont l'influence dans l'évolution de l'ordre économique et politique international demeure importante. Mais si les États ont besoin d'eux pour gérer cet ordre et arbitrer éventuellement leurs différends, il ne s'agit que d'acteurs « dérivés » (P. Boniface), puisque nés de la volonté des États et composés uniquement d'États. En d'autres termes, si elles acquièrent après leur création une vie propre, leur pouvoir est limité en fonction des mandats qui leur sont confiés par les États. Elles n'ont qu'une faible autonomie dans la définition de leurs programmes et demeurent dépendantes, à la fois politiquement et économiquement, des États qui les animent, les financent, et peuvent en outre invoquer leur souveraineté pour se soustraire à leurs obligations.

C'est ainsi que les États-Unis et leurs alliés exercent une influence déterminante sur la plupart des organisations internationales publiques et notamment sur les institutions financières où le système de décision repose sur des droits de vote liés à l'importance de la contribution financière des États membres. Les crises financières récentes d'Asie, d'Amérique latine, de Russie et la crise actuelle des « subprimes » ont montré les limites d'une régulation par les organisations internationales et, de façon générale, d'une « gouvernance » mondiale susceptible d'être assurée par ces dernières.

Qu'elles soient ou non librement consenties, les règles du jeu ne sont pas toujours respectées, malgré l'existence d'organes internationaux d'arbitrage, et donnent lieu parfois à des conflits entre les partenaires internationaux. Ces conflits se traduisent souvent par des représailles dont les plus faibles font généralement les frais, les organes d'arbitrage ne disposant pas toujours des moyens nécessaires pour imposer leur point de vue.

Quoi qu'il en soit, ces règles du jeu ont le mérite d'exister, même si elles sont imparfaites et même si elles ne sont pas toujours respectées. Elles permettent ainsi de définir l'ordre économique international du début du XXIe siècle.

PARTIE 1

LES RÈGLES DU JEU COMMERCIAL

Les réglementations multilatérales du commerce international ont pour objet de faciliter le développement des échanges internationaux, d'une part en réduisant les obstacles de nature protectionniste à la circulation des marchandises ou des services, qu'il s'agisse d'obstacles tarifaires (droits de douane) ou d'obstacles contingentaires (restrictions quantitatives) et, d'autre part, en luttant contre les pratiques commerciales déloyales susceptibles d'altérer le jeu concurrentiel. Le premier chapitre de cette partie a donc pour objectif de présenter les règles du jeu commercial international, telles qu'elles ont pu être définies au fil des négociations commerciales internationales, soit dans le cadre du GATT, soit dans celui de l'OMC actuelle.

Cependant, dans la mesure où la concurrence internationale est rarement parfaite, ces règles ne paraissent pas toujours équitables aux yeux des pays les plus pauvres. Ces derniers, trop faibles ou trop divisés par rapport aux géants du Nord, n'ont eu jusqu'à présent que peu de poids dans les instances de négociation internationales et sont rarement parvenus à faire valoir leur point de vue pour adapter certaines des règles à leurs spécificités. Si l'on en croit les « antimondialistes » (ou les « altermondialistes »), ils apparaissent comme les victimes d'une mondialisation que personne ne semble maîtriser et qui les marginalise. Le second chapitre de cette partie met en évidence le relatif échec des tentatives des pays les plus faibles pour amender en leur faveur, par la négociation ou dans le cadre de rapports de force, des règles jugées parfois trop contraignantes pour eux.

1

LES RÉGLEMENTATIONS MULTILATÉRALES

L'Accord général sur les tarifs douaniers et le commerce, plus connu sous son sigle en langue anglaise GATT (*General Agreement on Tariffs and Trade*), fut conclu en 1947 entre 23 pays fondateurs. Il s'est substitué au projet d'Organisation internationale du commerce (OIC) prévu par la Charte de La Havane, Charte qui n'a jamais été ratifiée et qui se heurtait à l'opposition américaine. Le GATT ne donnera naissance à une structure comparable à l'OIC que quarante-huit ans plus tard, à l'issue de l'Uruguay Round, avec la création de l'Organisation mondiale du commerce (OMC).

Le GATT avait pour ambition de lutter contre toutes les formes de protectionnisme qui s'étaient multipliées entre les deux guerres mondiales (cf. encadré 3) ou, à tout le moins, d'instaurer un « protectionnisme mutuellement acceptable » (G. Kebabdjian).

ENCADRÉ 3
Les formes classiques du protectionnisme

1. Fixe ou variable, le **droit de douane** est une taxe prélevée sur un produit importé. Les droits spécifiques représentent une somme fixe par unité de marchandise importée, alors que les droits *ad valorem* correspondent à un pourcentage du prix CAF du produit importé (le prix CAF – coût, assurance, fret – à l'importation comprend le coût de débarquement, l'assurance et le fret, mais non les frais consécutifs au débarquement comme la manutention, les coûts portuaires, le stockage… ; quant au prix FOB – franco à bord ou *free on board* –, il concerne les produits exportés une fois embarqués, non compris l'assurance et le fret).
2. Les **contingentements** sont des restrictions quantitatives (plafonnement autoritaire, en volume ou en valeur) ayant pour objet de limiter, voire d'interdire totalement dans le cas de prohibitions, l'entrée de certains biens ou services (barrière contingentaire).

La doctrine libérale, qui constituait la principale assise du GATT, préconisait le libre-échange comme moteur de la croissance économique (cf. encadré 4).

ENCADRÉ 4
Les théories classiques et néoclassiques de l'échange international

1. Les théories fondamentales de l'échange international tendent à **justifier la spécialisation et l'échange international** (division internationale du travail), en montrant dans quelles conditions la spécialisation peut être avantageuse pour les pays qui participent à l'échange international (théorie des coûts comparés de D. Ricardo), comment se répartissent entre les nations coéchangistes les gains qui en résultent (théorie des valeurs internationales de J.S. Mill) et quelle est l'origine de l'avantage acquis par la spécialisation (théorie de Heckscher-Olhin).
2. À partir d'une série d'**hypothèses** (implicites ou explicites) :
– les facteurs de production (dont le coût est mesuré en équivalent travail) sont homogènes, non spécialisés (pouvant être indifféremment utilisés pour fabriquer

n'importe quel bien), utilisés en plein emploi, disponibles en quantités fixes (hypothèse statique), mobiles à l'intérieur d'un pays et immobiles d'un pays à un autre ;
– les possibilités de production (combinaison des quantités de biens qu'un pays peut produire en utilisant tous ses facteurs) sont réalisées dans l'hypothèse de coûts d'opportunité constants (quantité d'un bien à laquelle il faut renoncer pour produire une plus grande quantité d'un autre bien) ;
– il n'existe qu'une seule technique de production pour fabriquer un bien ;
– les marchés sont concurrentiels,
RICARDO démontre que **pour que deux pays fabriquant deux biens aient intérêt à se spécialiser et à échanger, il faut, et il suffit, que leurs coûts de production comparés soient différents**.
3. À partir des mêmes hypothèses et dans le prolongement de la théorie de D. Ricardo, J.S. Mill démontre quant à lui que la répartition entre les pays coéchangistes du gain total résultant de la spécialisation et de l'échange dépend du niveau auquel se fixe le taux d'échange, lui-même fonction de la demande réciproque des pays coéchangistes. En d'autres termes, **le taux d'échange des marchandises se détermine en fonction de la demande réciproque**, entre les bornes constituées par les coûts comparés.
4. Pour E. Heckscher et B. Olhin, ce sont les différences quant aux quantités disponibles des facteurs de production dans chaque pays (résultat de l'accumulation du capital ou de l'évolution démographique par exemple) qui permettent d'expliquer l'origine de l'avantage comparatif. En effet, **tout pays tend à se spécialiser dans la production qui lui permet d'utiliser le plus le facteur de production dont il est le mieux pourvu** et à importer des produits dont la fabrication domestique aurait exigé le plus du facteur de production le plus rare.
5. Les théoriciens néoclassiques remettent en cause certaines des hypothèses ricardiennes. Par exemple, Haberler considère que les coûts d'opportunité sont croissants et non constants et montre que **les ressources détournées de la production d'un bien pour en produire un autre seront prélevées dans des proportions croissantes** et donc que la spécialisation est limitée par son coût croissant. Pour N. Stolper et P. Samuelson, l'ouverture aux échanges peut entraîner une évolution du coût relatif des facteurs ; en effet, **l'ouverture aux échanges augmente le coût du facteur qui est le plus utilisé dans la fabrication du bien dont le prix augmente** sur le marché international et diminue le coût du facteur le plus utilisé dans la fabrication du bien dont le prix diminue. Remettant en cause l'hypothèse statique ricardienne, T.M. Rybczinski montre que **l'augmentation de l'offre d'un seul facteur**, le prix relatif des biens restant constant, **entraîne l'augmentation de la production du bien qui utilise le plus de ce facteur et une diminution de la production de l'autre bien**. Quant à M.V. Posner, il montre que, parmi les avantages comparatifs qui provoquent la spécialisation et le commerce international, la détention d'une **avance technologique** (écart technologique) apparaît primordiale.

Pour un développement plus complet, voir J. De Melo et J.-M. Grether ou P. Krugman et M. Obstfeld.

Certes, les politiques protectionnistes mises en œuvre par presque tous les pays ne manquaient pas d'arguments, mais la théorie économique néoclassique (J. Viner) montrait alors que le recours aux droits de douane et, de façon générale, à toute politique protectionniste, suscitait pour la collectivité nationale une perte nette en termes de bien-être (cf. encadré 5). Il convenait donc de limiter le recours aux pratiques protectionnistes en édictant un certain nombre de principes fondamentaux.

1.1 LE GATT : PRINCIPES ET DÉROGATIONS

La libéralisation des échanges implique la mise en œuvre de principes visant à lutter contre toutes les formes de discrimination et de concurrence déloyale. Il existe cependant un certain nombre de dérogations pour chacun d'eux.

ENCADRÉ 5
Théorie du protectionnisme : les droits de douane

La théorie économique du protectionnisme montre que, dans le cadre des hypothèses retenues, l'**instauration d'un droit de douane suscite une perte nette en termes de bien-être pour la collectivité nationale**.

1) **Hypothèses**

    1. Le marché national du bien taxé est concurrentiel et le pays concerné n'est pas capable d'influencer le prix mondial (absence de pouvoir de monopsone).

    2. La collectivité nationale est constituée de trois types d'acteurs (État, producteurs et consommateurs) ayant la même importance au regard de ladite collectivité et dont les gains ou les pertes sont aussi des gains ou des pertes pour l'ensemble de la collectivité (optimum de premier rang).

2) **Démonstration**

    1. Un droit de douane spécifique (d) a pour conséquence de réduire les importations (qui passent d'une quantité AB à une quantité CD) et de renchérir le prix mondial (Pm) du produit importé (Pd =Pm+d) ; il constitue donc un coût supplémentaire pour les **consommateurs**. La rente de ces derniers, représentée par le triangle PmBPb avant l'instauration du droit de douane, va diminuer (triangle PdDPb). La **perte** des consommateurs sera donc égale à la surface PmBDPd.

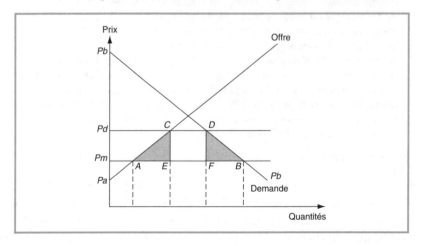

2. Un droit de douane permet aux **producteurs** nationaux d'augmenter leurs ventes sur le marché national. Leurs chiffre d'affaires, représenté par le triangle PaAPm avant le droit de douane, va augmenter (triangle PaCPd). Leur **gain** sera donc égal à la surface PmACPd.

3. **L'État** quant à lui encaisse une recette égale au produit du droit de douane d par les quantités importées CD. Son **gain** sera donc égal à la surface CDEF.

4. Au total, la somme des gains des producteurs et de l'État ne parvient pas à compenser la perte des consommateurs. **La collectivité enregistre donc une perte nette** égale à la somme des surfaces des deux triangles AEC et FBD.

3) Interprétation

Les résultats précédents dépendent des hypothèses (réductrices) retenues.

1. Le marché interne peut n'être pas concurrentiel et le pays concerné peut être capable **d'influencer le prix mondial** et de contraindre ainsi le pays concurrent, à travers l'instauration d'un droit de douane, à vendre sur son marché à un prix plus faible. Par ailleurs, le pays concurrent peut aussi être capable de « digérer » lui-même la taxe qui lui est imposée sans la répercuter sur les consommateurs.

2. Dans le cas d'une concurrence internationale imparfaite (concurrence entre oligopoles), le protectionnisme peut générer un gain pour la nation en permettant aux firmes nationales de capter une partie du profit de la firme étrangère concurrente (*profit shifting*), détériorant ainsi la position de cette dernière au profit des firmes nationales.

3. Consommateurs et producteurs peuvent ne pas avoir la même importance au regard de l'État : un euro perdu par les consommateurs peut par exemple apparaître moins important pour la collectivité qu'un euro gagné par les producteurs.

4. L'instauration d'un droit de douane peut générer des **gains sociaux indirects** (optimum de second rang) : préservation de l'emploi dans le secteur protégé, réduction du déficit commercial par exemple. Inversement, un gain net pour certains acteurs peut entraîner des pertes pour la collectivité.

5. Un droit de douane protégeant un produit protège aussi les intrants qui entrent dans la détermination de la valeur ajoutée de ce produit. Ainsi, lorsqu'un produit est protégé par un droit de douane supérieur à celui qui frappe les intrants de ce produit, le **taux de protection effective** ($Tpe = [v'-v]/v$, où v' est la valeur ajoutée après les droits de douane sur le produit fini et les intrants, et v la valeur ajoutée en l'absence de droit de douane) est supérieur au taux nominal que supportent les consommateurs (par exemple, un droit de 5 % sur l'ensemble des intrants d'un produit représentant les trois quarts de sa valeur et un droit de 10 % sur le produit lui-même, permettent un taux de protection effective de 25 %).

6. Les gains procurés par la baisse du prix mondial peuvent rendre indéterminé l'effet net de l'instauration d'un droit de douane sur le bien-être.

1.1.1 La « clause de la nation la plus favorisée »

Le principe de la « nation la plus favorisée » entend lutter contre toutes les formes de discrimination à l'égard de certains pays partenaires du commerce international ; il implique l'extension automatique et inconditionnelle à tous les partenaires des avantages ou des préférences qu'une nation peut accorder à l'un d'entre eux (principe du multilatéralisme).

Cependant, l'inconditionnalité et l'automaticité du principe précédent ne sont pas toujours respectées dans la pratique.

En premier lieu, le GATT considère comme licites les mesures sélectives d'embargo ou de boycott visant certains pays, lorsqu'elles sont décidées par le Conseil de sécurité de l'ONU pour des raisons liées à la paix et à la sécurité internationale.

Par ailleurs, la clause de la nation la plus favorisée fait l'objet une dérogation importante liée à l'existence des ententes économiques régionales (cf. encadré 6) qui se sont multipliées sur tous les continents depuis la Seconde Guerre mondiale (cf. encadré 7).

La théorie économique néoclassique montre en effet que les ententes économiques régionales ont certes pour conséquences de multiplier les échanges, mais aussi de les détourner (cf. encadré 8). De fait, les partenaires des ententes économiques régionales s'accordent entre eux des préférences qui peuvent aller jusqu'à la libre circulation des biens, des services et des capitaux, mais refusent d'étendre ces préférences aux pays tiers.

ENCADRÉ 6
Les formes d'intégration économique

B. Balassa distingue cinq formes d'intégration économique, allant de la plus faible à la plus forte :

1. La **zone de libre-échange** est caractérisée par la réduction progressive des obstacles tarifaires et contingentaires entre les pays membres, ces derniers conservant toutefois leur liberté quant à la définition de leurs politiques économiques internes et quant à la détermination de leur politique douanière vis-à-vis des pays extérieurs.
2. L'**Union douanière** est une zone de libre-échange dotée d'un tarif extérieur commun et dont les législations douanières nationales sont harmonisées.
3. Le **Marché commun** constitue une union douanière dans laquelle, outre la libre circulation des marchandises et des services, la libre circulation des facteurs de production (capital et travail) est assurée.
4. L'**Union économique** permet l'harmonisation des politiques économiques des pays membres du Marché commun.
5. L'**Union économique et monétaire** dispose d'une zone de change stable ou d'une monnaie commune (ou unique), et donc d'une Autorité monétaire supranationale.

ENCADRÉ 7
Expériences d'intégration économique

1. Les expériences d'intégration régionales se révèlent très différentes les unes des autres, dans la mesure où elles poursuivent des objectifs différents et où elles obéissent à des logiques différentes. Leurs résultats varient aussi selon leur nature ou leurs caractéristiques propres.

2. L'expérience la plus importante et la plus achevée reste certainement celle de la **Communauté économique européenne**, créée par le traité de Rome en 1957 (Allemagne de l'Ouest, Italie, Belgique, Pays-Bas, Luxembourg et France) et devenue l'Union européenne, après l'adhésion de l'Irlande, du Danemark et du Royaume-Uni (1973), de la Grèce (1981) puis du Portugal et de l'Espagne (1986), de la Suède, de l'Autriche et de la Finlande (1995), de l'Estonie, la Lettonie, la Lituanie, la Pologne, la République tchèque, la Slovaquie, la Hongrie, la Slovénie, Chypre et Malte (2004) et enfin de la Bulgarie et de la Roumanie (2007). L'Union européenne à 27 constitue aujourd'hui un marché unique à l'intérieur duquel quinze pays disposent d'une monnaie unique (l'euro).

3. En Amérique du Nord, le Canada, les États-Unis et le Mexique ont constitué une zone de libre-échange en 1992 (*North America Free Trade Agreement*), au sein de laquelle les droits de douane et les contingentements sont progressivement abolis. Depuis 1998, des négociations sont en cours pour étendre la zone de libre-échange à l'ensemble des Amériques, excepté Cuba *(Free Trade Area of Americas).*

4. L'Amérique latine a connu de nombreuses expériences depuis les années 1960 (l'Association latino-américaine de libre-échange, l'Association latino-américaine d'intégration, le Marché commun d'Amérique centrale, le Marché commun des Caraïbes, le Marché commun andin…). L'expérience la plus récente est celle de **Mercosur**, associant depuis 1991 l'Argentine, le Brésil, le Paraguay et l'Uruguay, auxquels se sont rajoutés le Chili et la Bolivie. La plus grande partie du commerce intra-régional n'y subit plus de barrières protectionnistes et un tarif extérieur commun a été mis en place en 1995.

5. Très nombreuses, les tentatives africaines disparaissent parfois et se recréent ensuite, se chevauchant et se superposant les unes les autres : l'Union douanière et économique de l'Afrique centrale (1964), la Communauté est-africaine (1967), la Communauté des États de l'Afrique de l'Ouest (1975), la Communauté économique des États d'Afrique centrale (1983), l'Union du Maghreb arabe (1989), la Communauté de développement de l'Afrique australe (1992), le Marché commun de l'Afrique orientale et australe (1993), l'Union économique et monétaire ouest-africaine (1994), la Communauté économique et monétaire de l'Afrique centrale (1994).

6. En Asie, on peut citer le Conseil de coopération des États arabes du Golfe (1981), l'Association pour la coopération régionale de l'océan Indien (1997), l'Association pour la coopération régionale en Asie du Sud (1985). L'Association des Nations de l'Asie du Sud-Est, regroupant une dizaine de pays, constitue l'une des expériences les plus anciennes de zone de libre-échange du continent asiatique. Au-delà de cette zone de libre-échange, le Forum de coopération Asie-Pacifique tente de construire une zone de libre-échange encore plus vaste avec 18 pays situés autour

du Pacifique, parmi lesquels se trouvent les pays d'Amérique du Nord et du Sud, l'Australie, la Nouvelle-Zélande, la Chine, le Japon, ainsi que les nouveaux pays industrialisés d'Asie.

7. Les expériences précédentes ont connu des **résultats différents, selon leur nature et selon les pays concernés**. Ces résultats se sont par exemple révélés limités lorsque les intégrations concernaient des pays en développement. Elles se sont en effet heurtées à de nombreux obstacles :

– absence ou insuffisance de volonté politique, elle-même liée aux égoïsmes nationaux, à l'instabilité politique et aux faiblesses de la démocratie ;

– hétérogénéité économique et sociale (inégalités de développement) ou hétérogénéité géographique (absence de continuité territoriale) ;

– tendances hégémoniques des pays les plus puissants et insuffisance des moyens disponibles pour assurer une solidarité régionale en faveur des pays les plus pauvres ;

– faiblesse des complémentarités économiques.

D'aucuns estiment que ces ententes ne respectent pas les conditions exigées par le GATT qui, dans son article 24, reconnaissait leur existence à condition qu'elles aient « pour objet de faciliter le commerce entre les territoires constitutifs et non d'opposer des obstacles au commerce d'autres parties contractantes avec ces territoires ». Pour eux, seules les zones de libre-échange seraient conformes aux règles du GATT, alors que les formes plus poussées d'intégration provoqueraient des détournements de trafic au détriment des pays tiers et entraîneraient des conséquences négatives pour la libération globale des échanges internationaux, dans la mesure où les préoccupations régionales l'emportent toujours sur les préoccupations multilatérales et où les préférences communautaires tendent à exclure les pays tiers.

Cependant, de nouveaux échanges peuvent se développer avec des pays non membres d'une union douanière (création de courants d'échanges externes) dans le cadre d'un « régionalisme ouvert ». L'adoption d'un tarif extérieur commun ne signifie pas nécessairement des droits de douane plus élevés que dans le cadre d'une zone de libre-échange, mais simplement une gestion commune des tarifs douaniers, que, par ailleurs, les négociations successives dans le cadre du GATT tendent à réduire.

En outre, la lenteur et les difficultés des négociations multilatérales conduisent souvent les partenaires commerciaux à des accords bilatéraux de plus en plus nombreux qui ne sont pas nécessairement étendus à l'ensemble des partenaires.

Enfin, l'expérience européenne montre que les flux d'échanges créés par la mise en œuvre du traité de Rome ont été très largement supérieurs aux flux détournés, y compris à l'extérieur du marché commun. Si l'on considère le taux de pénétration des importations (rapport entre les importations et la consommation totale), il apparaît que l'Union européenne a, depuis sa création, considérablement augmenté son ouverture aux importations non européennes et qu'elle est aujourd'hui largement plus ouverte que le Japon ou les États-Unis.

ENCADRÉ 8
Théorie économique des unions douanières

Selon J. Viner, la création d'une union douanière a deux effets opposés sur le commerce international : **elle crée des échanges supplémentaires et elle détourne certains échanges**.

1) Hypothèses

1. Le marché interne d'un pays A est caractérisé par une concurrence pure et parfaite pour un produit qui fait par ailleurs l'objet d'un droit de douane d lorsqu'il est importé.

2. L'offre étrangère, élastique par rapport au prix, émane de deux pays B et C, le prix du produit exporté par le pays B (Pb) étant inférieur au prix du même produit exporté par le pays C (Pc).

3. Aucun des trois pays ne dispose de pouvoir de monopsone.

2) Démonstration

1. Compte tenu de l'hypothèse 2 précédente, seul le produit du pays B a accès au marché interne du pays A au prix (Pb+d), le prix du produit provenant du pays C étant trop élevé (Pc+d). Le pays A importera donc une quantité DE du produit en provenance du pays B.

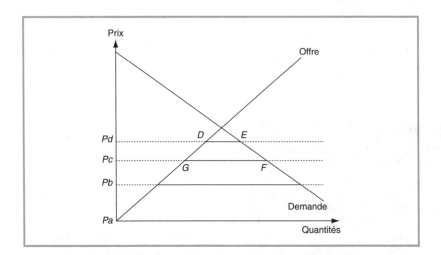

2. Si les pays A et C décident de construire ensemble une union douanière, le produit en provenance du pays C ne sera plus soumis au droit de douane et son prix Pc sera donc moins élevé que le prix du produit exporté par le pays B (Pb+d) qui, lui, reste taxé. Le pays A importera donc une quantité FG du produit en provenance du pays C.

3. Les importations ont augmenté par rapport à la situation précédente (création d'échanges) et proviennent d'un pays différent du précédent (détournement d'échanges).

4. Si l'on raisonne en termes de surplus, pour déterminer l'effet de la création d'une union douanière sur le bien-être de la collectivité A, il est possible de constater que la perte de l'État (qui n'encaisse plus de droits de douane sur les importations venant de C) et la réduction du chiffre d'affaires des producteurs nationaux ne peuvent être compensées par l'augmentation de la rente des consommateurs (qui paient moins cher le produit importé de C) que si le pays C est capable de satisfaire entièrement la demande d'importation de A. En tout état de cause, l'amélioration du bien-être collectif sera inférieure à celle qui aurait pu être obtenue si la baisse des droits de douane concernait tous les pays partenaires (B et C).

3) Interprétation

Les résultats obtenus dépendent bien entendu des hypothèses retenues. Leur remise en cause est susceptible de modifier les résultats.

En fait, la « préférence européenne » s'étend au-delà des frontières de l'Union européenne grâce aux accords passés avec l'Europe centrale et orientale (Accords de libre-échange), les Balkans (Accords de stabilisation et d'association), le Bassin méditerranéen (Processus de Barcelone et projet d'Union pour la Méditerranée visant à instaurer une zone de libre-échange), l'Amérique latine (Mexique, Chili et Mercosur), l'Afrique du Sud (Accord bilatéral sur le commerce, la coopération et le développement) et l'ensemble des pays d'Afrique, des Caraïbes et du Pacifique (ACP) signataires des Conventions de Lomé et de Cotonou (cf. encadré 9).

ENCADRÉ 9
Les Conventions de Lomé et de Cotonou

1. La Convention de Lomé 1, adoptée en 1975, succédait aux deux Conventions de Yaoundé (1964 et 1969) qui organisaient les relations d'association (institution progressive d'une zone de libre-échange) entre les pays de la Communauté économique européenne signataires du traité de Rome en 1957 (Allemagne de l'Ouest, Belgique, France, Italie, Luxembourg et Pays-Bas) et leurs anciennes colonies.
2. La Convention de Lomé 1 organisait de nouveaux rapports entre la CEE, élargie au Danemark, à l'Irlande et au Royaume-Uni, et les pays d'Afrique, des Caraïbes et du Pacifique liés autrefois aux pays de la CEE et notamment au Royaume-Uni. Outre la mise en place d'institutions nouvelles (Conseil des ministres et Comité des ambassadeurs), la Convention de Lomé 1 prévoyait :
   – le libre accès des produits exportés par les ACP vers l'Europe (avec un certain nombre de réserves) sans réciprocité ;
   – l'adoption d'un programme de coopération technique, industrielle et financière ;
   – la mise en place d'un **système de stabilisation des recettes d'exportation** des pays ACP pour 12 produits de base d'origine agricole (**Stabex**).

3. La Convention de Lomé 1 fut renouvelée en 1979 (Lomé 2, avec la création du **Sysmin**, mécanisme de stabilisation des recettes d'exportation de produits miniers), 1984 (Lomé 3) et 1990 (Lomé 4 étant prévue pour dix ans), associant les pays de l'Union européenne à 70 pays ACP. La Convention de Lomé 4 était quant à elle caractérisée par :

   – l'insertion d'un dispositif d'appui aux politiques d'ajustement structurel proposées par le FMI ;
   – la rénovation du Stabex (48 produits) et du Sysmin (11 produits).

4. Le Stabex, comme le Sysmin, repose sur la définition de deux seuils, le **seuil de dépendance** (les recettes d'exportation du produit concerné doivent représenter un certain pourcentage du total des recettes d'exportation) et le **seuil de déclenchement** (les recettes d'exportation de l'année considérée doivent avoir diminué au-delà d'un certain pourcentage par rapport à la moyenne des recettes des six années précédentes, desquelles sont exclues l'année la plus favorable et l'année la plus défavorable). Les transferts dont bénéficient les pays ACP, non remboursables depuis Lomé 4, représentent la différence entre la moyenne calculée comme précédemment et les recettes de l'année considérée.

5. La Convention de Lomé 4 venant à expiration en 2000, l'Accord de Cotonou, signé en juin 2000 entre l'Union européenne et 78 pays ACP (48 pays d'Afrique subsaharienne, 15 pays des Caraïbes et 14 pays du Pacifique), a été conclu pour une durée de 20 ans et est révisable tous les 5 ans. Ses objectifs principaux sont :

   – rétablir les équilibres macroéconomiques fondamentaux (ajustement structurel) ;
   – favoriser l'intégration régionale et l'insertion dans les courants d'échanges mondiaux (accords de partenariat économique, compatibles avec les règles de l'OMC).

   La poursuite de ces objectifs implique une aide accrue de l'Union européenne (stratégie de coopération nationale) permettant de :

   – développer le secteur privé et renforcer les capacités de production ;
   – lutter contre la pauvreté ;
   – mieux impliquer les autorités politiques et la société civile locales.

Les partisans de la mondialisation des échanges estiment cependant que les accords préférentiels liant l'Union européenne à 78 pays d'Afrique, des Caraïbes et du Pacifique dans le cadre des Conventions de Lomé et de Cotonou, sont contraires à la clause de la nation la plus favorisée et discriminatoires à l'égard des autres pays en développement (de fait, la Convention de Cotonou a été déclarée non conforme aux règles de l'OMC et le régime préférentiel concerné n'est plus applicable depuis le 1er janvier 2008).

L'extension de la Convention de Cotonou à tous les pays pauvres permettrait de lever cette objection, mais l'Union européenne estime ne pas en avoir les moyens financiers et les pays ACP craignent de voir diminuer les avantages que la Convention leur procure, en partageant avec l'ensemble des pays pauvres les ressources financières qu'y affecte l'Union européenne.

1.1.2 *Le principe du « traitement national »*

Le principe du « traitement national » concerne l'interdiction de toute discrimination entre produits nationaux et produits étrangers concurrents. Dès qu'ils ont pénétré sur un marché national, ces derniers doivent donc être soumis à la même réglementation fiscale, commerciale ou administrative que les produits nationaux, de façon à ce que ces derniers ne soient pas injustement favorisés et que la concurrence entre eux ne soit pas faussée.

Un exemple de discrimination entre produit étranger et produit national peut être fourni par les difficultés d'accès au marché japonais des pellicules photographiques américaines, Kodak accusant le système de distribution japonais de privilégier Fuji (qui représente 70 % du marché japonais contre 10 % à Kodak) et d'entraver la distribution de ses films au Japon.

Le principe du traitement national exclut donc, non seulement l'existence de taxes spéciales pénalisant les seuls produits étrangers, mais aussi toutes les mesures spécifiques susceptibles d'affecter le transport, la commercialisation, la distribution ou l'utilisation des produits étrangers.

Les mesures nationales de protection de la santé, de la moralité ou de la sécurité publiques, ainsi que les mesures de protection des consommateurs, du patrimoine culturel ou de l'environnement qu'autorisait l'article 20 du GATT (lorsqu'elles sont limitées au strict nécessaire et qu'elles n'ont pas d'incidences commerciales) ne doivent pas privilégier de façon injustifiée les produits nationaux au détriment des produits étrangers concurrents. De la même façon, les marchés publics ne doivent pas être réservés aux seuls fournisseurs nationaux.

Il reste cependant que des droits de douane subsistent toujours, pénalisant les produits étrangers par rapport aux produits nationaux ; ils constituent une forme de discrimination, même si les négociations multilatérales et les concessions tarifaires réciproques ont pour objet de les réduire progressivement jusqu'à leur suppression. Certains pays peuvent en effet légitimer le recours aux droits de douane par la nécessité de protéger, au moins provisoirement, certaines de leurs activités de la concurrence étrangère :

– protéger des activités qui n'ont pas encore atteint une taille qui leur permettrait de produire à des coûts compétitifs (industries naissantes) ;
– protéger des industries fondamentales dont le développement conditionne la survie d'autres activités situées en aval (industries de base) ;
– limiter la dépendance à l'égard d'un approvisionnement extérieur (énergie, armement, alimentation…) ;
– protéger des activités en cours de restructuration susceptibles d'être tentées de se délocaliser vers des zones à bas salaires et dont il faut protéger l'emploi (industrie textile, industries équipementières…) ;

   – corriger un déficit du commerce extérieur excessif (pays « contraints »), en ralentissant le flux des importations en provenance de pays bénéficiant d'excédents systématiques (pays « non contraints »).

Les justifications de ces formes de protectionnisme procèdent de l'observation (E. Helpman et P. Krugman) selon laquelle la concurrence internationale est très souvent imparfaite (marchés oligopolistiques ou monopolistiques, barrières à l'entrée liées à la taille des entreprises, existence d'économies d'échelle…, cf. encadré 10).

ENCADRÉ 10
Les théories contemporaines de l'échange international

1. Les théoriciens contemporains de l'échange international estiment que les marchés internationaux sont caractérisés par une **concurrence imparfaite** dont les éléments-clés sont les suivants :
   – des rendements d'échelle croissants ;
   – le développement commerce intra-branches ;
   – l'activité des firmes multinationales.
2. L'essentiel du commerce international est réalisé par des firmes en situation d'oligopole dont la taille, liée à l'existence de rendements d'échelle croissants, s'avère déterminante pour limiter l'entrée sur le marché de concurrents potentiels (**barrières à l'entrée**) et expliquer la spécialisation internationale. Les rendements croissants dus au développement des exportations conduisent en effet à une concentration des firmes, qui bénéficient ex-post d'un avantage comparatif.
3. Par ailleurs, le commerce international se développe essentiellement entre nations industrialisées dont les dotations factorielles sont peu différentes et porte sur les mêmes types de biens (**commerce intra-branches**), conduisant les firmes en situation d'oligopole à différencier (différenciation subjective et objective) les biens substituables qu'elles produisent.
4. Enfin, une grande partie des échanges internationaux sont constitués par des flux internes à une même firme lorsqu'elle dispose d'un réseau de filiales installées dans des pays différents. Pour pénétrer des marchés étrangers, les firmes multinationales en question ont le choix entre plusieurs stratégies : l'exportation, l'installation sur place (investissements directs à l'étranger), le recours à la sous-traitance ou les accords de coopération internationale ; elles choisiront une stratégie en fonction des avantages qui peuvent en résulter par rapport à leur coût (**avantages spécifiques transférables** propres à chaque firme en situation d'oligopole).

Pour un développement plus complet, voir J. De Melo et J.M. Grether ou P. Krugman et M. Obstfeld.

Les droits de douane perçus par les pays en développement peuvent aussi permettre de compenser les inégalités de l'échange commercial Nord-Sud (principe de « l'inégalité compensatoire »). C'est dans cet esprit que fut adopté en 1968, par la Conférence des Nations unies sur le commerce et le développement (CNUCED) de New Delhi, le Système des Préférences Généralisées qui permet aux pays du Sud d'exporter en franchise vers le Nord et de maintenir leurs propres droits de douane sur les produits venus du Nord (absence de réciprocité).

Si le principe est simple, son application concrète s'est révélée plus difficile : à partir de quel niveau de développement un pays ne peut-il plus bénéficier du système (cas des nouveaux pays industrialisés d'Asie pour lesquels les États-Unis ont décidé de supprimer les avantages tarifaires en 1988) ? Le Nord peut-il protéger son marché intérieur en refusant l'entrée en franchise de certains produits jugés « sensibles » (cas de nombreux produits agricoles par exemple) ? Comment éviter les détournements de trafic (cas de produits fabriqués pour l'essentiel au Nord et transitant par un pays en développement pour revenir en franchise dans un autre pays du Nord) ? Comment éviter les traitements différenciés (exclusion de certains pays du Sud pour des motifs politiques notamment) qui dérogent au principe de la non-discrimination et sont introduits unilatéralement par certains pays pour protéger leurs intérêts propres au nom de critères plus ou moins arbitraires ? Comment évaluer les « préjudices graves » invoqués par certains pays pour appliquer des mesures restrictives ?

De fait, le SPG a connu des applications variées selon les pays du Nord ou selon le contexte économique ou politique international du moment.

Par ailleurs, les pays en développement font parfois référence à des arguments qui leur sont plus spécifiques.

C'est ainsi que le protectionnisme peut accompagner la mise en œuvre d'une stratégie d'industrialisation de type « import-substitution ». Il s'agit, dans le cadre de cette politique, de développer des industries dont la production, destinée à la satisfaction des besoins internes, a pour ambition de se substituer aux importations et de limiter ces dernières aux biens d'équipement et à la technologie nécessaire à l'industrialisation. Une telle stratégie, dont l'expérience latino-américaine des années 1970 a montré les limites, implique cependant l'existence d'une demande interne solvable suffisante pour que les industries nationales protégées puissent atteindre rapidement une taille suffisante.

Plus prosaïque est l'argument protectionniste des pays pauvres pour lesquels les perceptions douanières sont une source importante de recettes budgétaires dans la mesure où les rentrées fiscales sont limitées par la faiblesse des revenus (impôts directs) ou de l'activité économique (impôts indirects)

Les pays les plus puissants utilisent quant à eux les droits de douane (pics tarifaires notamment) comme moyens de représailles contre des partenaires accusés de concurrence déloyale. Là encore, la communauté internationale n'a pas toujours les moyens d'éviter ce type de comportement.

1.1.3 *L'interdiction des restrictions quantitatives*

Les restrictions quantitatives (contingentements) ont pour objet de limiter, voire d'interdire totalement dans le cas de prohibitions, l'importation de certains biens ou services. Elles se présentent concrètement sous la forme d'un plafonnement autoritaire (en volume ou en valeur) de l'entrée de certaines marchandises, permettant ainsi aux pouvoirs publics nationaux de maintenir le prix intérieur du bien contingenté à un niveau supérieur au prix mondial (cf. encadré 11).

ENCADRÉ 11
Théorie du protectionnisme : le contingentement

À l'instar des droits de douane, si l'on pose les mêmes hypothèses que précédemment, le contingentement des importations entraîne le **maintien du prix du produit contingenté à un niveau supérieur au prix mondial** et **une perte nette en termes de bien-être pour la collectivité** qui l'institue.

1. Le graphique 3 montre que, sans contingentement, le niveau du prix mondial Pm d'un bien quelconque se traduit par une importation égale à AB. L'adoption d'un contingentement fixe le volume des importations à un certain niveau (par exemple CD). L'offre sur le marché domestique sera donc représentée par la droite O' (égale à CD+O), pour un prix d'équilibre Pc, supérieur à Pm et inférieur au prix d'équilibre en marché fermé Pe. À ce nouveau prix, les quantités disponibles sont égales à PcD, dont PcC d'origine domestique et CD importées.

2. La rente des consommateurs a été réduite de la surface PcDBPm et les producteurs nationaux ont augmenté leur chiffre d'affaires de la surface PcCAPm. La surface CDFE représente la rente de contingentement dont bénéficient les exportateurs étrangers (qui peuvent vendre au prix Pc ce qu'ils vendaient auparavant au prix Pm). L'État peut tenter de récupérer cette rente en vendant des licences d'importation ; s'il y parvient, la perte nette de la collectivité à la suite de l'adoption d'un contingentement sera au mieux équivalente à la surface des triangles ACE et DFB, comme dans le cas d'un droit de douane.

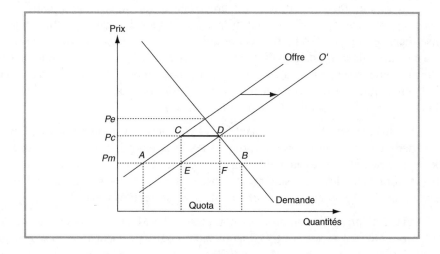

3. Le raisonnement présente les mêmes limites que celui de la théorie des droits de douane. Il est possible cependant de faire deux remarques supplémentaires :

– l'évolution de la demande (augmentation du pouvoir d'achat, changement des goûts des consommateurs, phénomènes de mode…) se traduit par un glissement vers la droite de la courbe de demande. Si ce glissement n'a aucun effet sur la perte nette de la collectivité lorsque la protection résulte de l'adoption d'un droit de douane (l'ajustement se faisant par une augmentation des quantités importées), il entraîne une augmentation du prix de vente des volumes importés (qui restent inchangés) dans le cas d'un contingentement ;

– on peut supposer, qu'une fois le volume importé écoulé, les producteurs domestiques se retrouveront dans la situation d'économie fermée qui précédait l'adoption du contingentement, et qu'ils pourront donc vendre leur produit à un prix plus élevé (le prix d'équilibre du marché domestique fermé).

Ces pratiques protectionnistes sont donc interdites par le GATT, encore qu'il soit aisé de détourner cette règle en faisant appel à la nécessité de sauvegarder la sécurité des utilisateurs (exemple des jouets chinois), la santé des consommateurs (exemple de certains produits agricoles), la morale publique (exemple de l'alcool dans les pays musulmans), l'environnement (exemple des cultures OGM) ou la culture (exemple de l'exception culturelle européenne). Certains pays invoquent parfois des normes techniques (normes de fabrication par exemple), ou, plus simplement, opposent aux exportateurs étrangers de multiples freins administratifs de caractère discriminatoire (procédures d'homologation, de certification, de dédouanement…).

Les partisans du libre-échange craignent en effet que certaines des mesures de sauvegarde prises par les États afin de protéger leurs consommateurs, leur environnement ou leur culture ne constituent en fait des prétextes pour mettre en place des barrières protectionnistes non tarifaires.

Au-delà du recours aux mesures précédentes, lorsqu'elles sont justifiées et qu'elles reposent sur des critères scientifiques, les seules dérogations officiellement admises dans le cadre du GATT sont celles qui résultent de clauses de sauvegarde (en cas de menace sur la sécurité nationale, de « pénurie de produits alimentaires ou d'autres produits essentiels » ou de déficit commercial grave), dans la mesure où ces clauses sont appliquées de façon temporaire et non sélective, ou qui résultent de négociations internationales, comme l'accord multifibres (AMF).

L'AMF, conclu en 1974 pendant le Tokyo Round, avait pour objet de limiter l'entrée dans les pays industrialisés de produits textiles à bas prix venus de certains pays en développement. La nécessité de limiter les licenciements dans l'industrie textile en déclin au Nord, la faiblesse des salaires et l'absence de législation sociale au Sud expliquaient la fixation de quotas à l'importation de produits textiles venus du Sud.

Censé n'être qu'un compromis à court terme, l'AMF a été prolongé jusqu'à ce que l'Uruguay Round décide en 1993 d'augmenter progressivement les quotas de façon à ce que l'accord disparaisse au 1er janvier 2005. C'est ainsi que les pays industrialisés importateurs, qui ne s'étaient pas suffisamment préparés, se sont trouvés brutalement confrontés dès le début de 2005 à une invasion de textiles à bas prix venus essentiellement de Chine et d'Inde. L'Union européenne et les États-Unis ont dû rétablir certains quotas en juin 2005 pour limiter leurs importations jusqu'à fin décembre 2007.

1.1.4 *L'interdiction du dumping*

Le dumping est une pratique commerciale qui consiste à vendre un produit sur les marchés étrangers à un prix inférieur à sa valeur normale (article 6 du GATT de 1947) ou à un prix inférieur au prix pratiqué sur le marché national du pays exportateur. Il s'agit souvent, pour ce dernier, d'écouler les excédents de production que la demande domestique ne parvient pas à absorber (cf. encadré 12).

Ce type de discrimination spatiale par les prix, traditionnellement considéré comme une forme de concurrence déloyale dans le commerce international (*Mémorandum* de J. Viner à la Société des Nations en 1926), est réprimé par le code antidumping (adopté en 1968 et complété ultérieurement en 1979 et en 1994) qui autorise les pays touchés par le dumping à instaurer des droits compensateurs sur les produits concernés, à condition cependant qu'ils puissent démontrer la réalité et l'importance du préjudice subi. C'est ainsi que les nouveaux pays industrialisés d'Asie ont souvent été accusés par les États-Unis de pratiquer le dumping et ont fait l'objet de mesures de rétorsion (droits compensateurs antidumping).

Cependant, certains théoriciens contemporains du commerce international, qui estiment que la concurrence internationale est loin d'être parfaite, pensent que l'abus fréquent des politiques antidumping, détournées de leur objectif initial pour constituer de véritables mesures de protection, est encore plus « déloyal » que le dumping lui-même.

Pour d'autres, le dumping ne serait en fait qu'une stratégie de prix des firmes induite par le caractère imparfait de la concurrence internationale. Les entreprises déjà présentes sur les marchés nationaux ont souvent, en effet, des pratiques anticoncurrentielles (stratégies d'entente, cartels, abus de position dominante) qui constituent autant de barrières artificielles à l'entrée pour les entreprises étrangères qui veulent y pénétrer et qui n'ont d'autre choix que de pratiquer le dumping.

1.1.5 *L'interdiction des subventions publiques*

Les subventions publiques, à l'exception des aides publiques à la recherche, au développement régional ou à la protection de l'environnement, sont elles aussi interdites par le GATT, qu'il s'agisse des subventions à la production nationale ou des subventions aux exportations versées aux producteurs nationaux. Toutes deux sont considérées comme des pratiques déloyales dans le commerce international, dans la mesure où elles influencent directement la compétitivité des bénéficiaires.

Les premières conduisent en effet à une réduction des importations concurrentes des produits nationaux subventionnés (cf. encadré 13). Les secondes favorisent les

ENCADRÉ 12
Le dumping

1. Considéré comme une forme de **discrimination spatiale des prix**, le dumping suppose, pour être efficace, une différence d'élasticité-prix de la demande étrangère (élastique) par rapport à la demande interne (inélastique). Le graphique 1 montre que les pertes de vente éventuelles liées à une augmentation du prix interne sont très largement compensées par l'augmentation des quantités vendues sur le marché étranger où le prix a été artificiellement baissé.

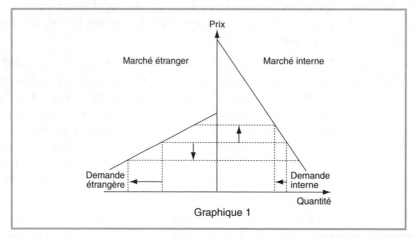

Graphique 1

2. Considéré comme une **stratégie des entreprises pour maximiser le profit**, le dumping peut être illustré par le graphique 2 qui montre que, le profit étant maximum lorsque la recette marginale est égale au coût marginal, le prix sur le marché extérieur (Pe) est inférieur au prix sur le marché intérieur (Pi) si la demande étrangère est plus élastique que la demande interne.

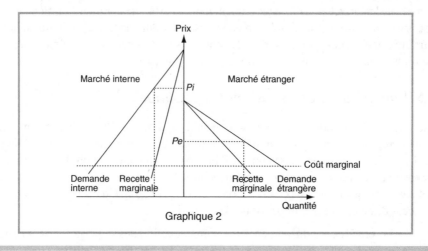

Graphique 2

produits nationaux sur les marchés internationaux au détriment des produits étrangers concurrents ; c'est notamment le cas des produits agricoles dont les subventions à l'exportation ont constitué par exemple l'un des piliers de la Politique agricole commune européenne (PAC).

Comme pour le dumping, les subventions publiques sont réprimées par un code anti-subventions qui autorise les pays estimant subir un préjudice à imposer des droits compensatoires à l'entrée des produits incriminés. Les États-Unis ont largement utilisé cette procédure à l'encontre de l'Europe, non seulement à propos de ses exportations agricoles, mais aussi à propos de l'acier.

ENCADRÉ 13
Théorie du protectionnisme : les subventions à la production

1. Dans le cadre des hypothèses classiques de la théorie du protectionnisme, il est possible de montrer qu'une subvention publique aux producteurs nationaux entraîne une **diminution des importations concurrentes**.

2. En effet, une subvention s permet aux producteurs nationaux d'offrir une quantité de produits plus importante (OC au lieu de OA), ce qui se traduit par un glissement vers la droite de la courbe d'offre, et de percevoir un prix Ps pour les produits vendus, alors que les consommateurs ne payent qu'un prix Pm. Les importations, qui étaient, avant la subvention, égales à AB (pour un prix Pm payé par les consommateurs) sont réduites à CB (pour le même prix Pm).

3. Par ailleurs, la perte nette supportée par la collectivité est inférieure à celle d'un droit de douane. En effet, la rente des consommateurs n'est pas réduite puisqu'ils payent toujours le produit au prix mondial Pm. La perte nette de la collectivité n'est plus que la différence entre le montant de la subvention (rectangle PsDEPm) et l'augmentation du chiffre d'affaires des producteurs nationaux (trapèze PsDFPm), soit le triangle DEF.

4. Si la subvention a pour origine un prélèvement fiscal sur les consommateurs, elle représente une redistribution interne à la collectivité au profit des producteurs et au détriment des consommateurs.

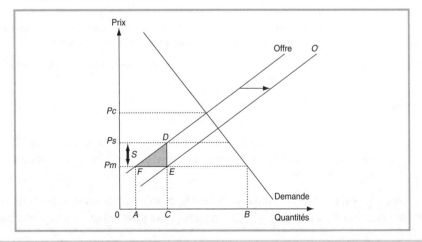

1.2 LES NÉGOCIATIONS DANS LE CADRE DU GATT

Les négociations relatives à la libéralisation des échanges internationaux se sont déroulées dans le cadre de huit Rounds organisés par le GATT.

1.2.1 *Des premières négociations à l'Uruguay Round*

Les premiers Rounds ont essentiellement porté sur l'abaissement des barrières quantitatives héritées du protectionnisme de l'entre-deux-guerres qui freinaient le développement du commerce international des produits industriels, puis sur l'abaissement progressif des droits de douane sur ces mêmes produits. Les négociations étaient essentiellement bilatérales, les concessions obtenues dans ce cadre étant étendues à l'ensemble des pays participants par le jeu de la clause de la nation la plus favorisée.

TABLEAU 4
Les négociations commerciales internationales du GATT

Rounds	Domaines	Résultats
Genève, 1947 23 pays	Tarifs douaniers	Réduction tarifaire moyenne de 35 % pour la moitié du commerce international
Annecy, 1949 13 pays	Tarifs douaniers	Réduction tarifaire moyenne de 8 %
Torquay, 1950-1951 38 pays	Tarifs douaniers	Réduction tarifaire moyenne de 25 %
Genève, 1956 26 pays	Tarifs douaniers	Réduction tarifaire moyenne de 8 %
Dillon Round, 1960-1962 26 pays	Tarifs douaniers	Réduction tarifaire moyenne de 8 %
Kennedy Round, 1964-1967 62 pays	Tarifs douaniers et mesures antidumping	Réduction tarifaire moyenne de 35 %, Code antidumping, système des préférences généralisées
Tokyo Round, 1973-1979 102 pays	Tarifs douaniers et mesures non tarifaires	Réduction tarifaire moyenne de 34 %, Code anti-subventions

Source : GATT

La première rencontre réunit à Genève, d'octobre 1947 à juin 1948, les 23 pays fondateurs qui adoptèrent 45 000 concessions tarifaires portant sur un montant d'échanges de 10 milliards de dollars.

Au cours du Round d'Annecy, en 1949, 5 000 concessions supplémentaires furent adoptées, cependant qu'une dizaine de nouveaux pays adhéraient aux accords du GATT.

Le Round de Torquay se tint de septembre 1950 à avril 1951, avec 38 pays participants, et permit l'adoption de 8 700 nouvelles concessions tarifaires. Les droits de douane furent ainsi réduits de 25 % par rapport à leur niveau de 1948.

Le quatrième Round, auquel participa le Japon, eut lieu à Genève en 1956 et entérina une nouvelle baisse tarifaire portant sur un montant d'échanges de 2,5 milliards de dollars.

Au cours du Dillon Round, qui se tint à Genève de septembre 1960 à juillet 1962, de nouvelles concessions tarifaires furent adoptées, portant sur presque 5 milliards de dollars. Par ailleurs, la Communauté économique européenne, qui s'était constituée trois ans auparavant, accepta de diminuer d'un peu plus de 6 % le Tarif extérieur commun (TEC) qu'elle avait constitué en remplacement des anciens tarifs douaniers nationaux.

Le Kennedy Round, qui se tint de mai 1964 à juin 1967, fut plus important que les précédents du point de vue des résultats obtenus et du nombre des nations participantes (48 pays), même si les négociations relatives à la Politique agricole commune de la CEE n'aboutirent pas. Les protections tarifaires furent en effet diminuées de 35 % en moyenne sur la quasi-totalité des produits industriels (à l'exception notable des produits textiles) pour un montant d'échanges de 40 milliards de dollars. Par ailleurs, un Code antidumping y fut adopté.

Le Tokyo Round, qui se déroula de septembre 1973 à novembre 1979, fut aussi une négociation internationale importante, faisant intervenir 102 pays. Les droits de douane y furent réduits de 30 % en moyenne pour les produits industriels sur un montant d'échanges de 300 milliards de dollars. En outre, un régime préférentiel fut approuvé pour les pays en développement.

L'Uruguay Round s'est quant à lui ouvert en 1986 à Punta Del Este avec 123 pays et un « ordre du jour » très chargé puisque devaient faire l'objet de négociations le commerce international des produits agricoles, celui des services, ainsi que les problèmes relatifs aux droits de la propriété intellectuelle. Les négociations dureront sept ans et se révèleront particulièrement difficiles dans le domaine du commerce international des produits agricoles.

1.2.2 *La négociation agricole*

Les Rounds précédents n'avaient traité des produits agricoles que superficiellement bien que les échanges internationaux de produits agricoles aient représenté dans les années 1950 la moitié des exportations mondiales. Les États-Unis, qui dominaient largement le marché international, avaient d'ailleurs demandé dès 1947 que les produits agricoles ne soient pas soumis aux règles du GATT.

En effet, le marché international des produits agricoles était considéré comme un marché résiduel par rapport aux marchés nationaux, un marché essentiellement destiné à écouler les excédents de production une fois la demande domestique satisfaite (exception faite des produits dits tropicaux).

TABLEAU 5
Les exportations agricoles par rapport à la production (en %)

Riz	3
Viande	9
Lait	10
Blé	19
Sucre	20
Coton	27
Café	86
Caoutchouc	85
Cacao	82

Source : OMC

Par ailleurs, la part relative des produits agricoles dans les échanges mondiaux ne cessait de diminuer face à la croissance des exportations de biens manufacturés : au début des années 2000, les exportations de produits agricoles représentaient moins de 10 % des exportations mondiales alors que les produits manufacturés étaient passés, au cours de la même période, de 38 à 74 %.

Enfin, les marchés nationaux étaient fortement protectionnistes, pour des raisons économiques (limiter les fluctuations des cours et des revenus agricoles), sociales (limiter l'exode rural), environnementales (entretenir l'espace rural) ou politiques (encourager la production afin d'éviter une rupture de l'approvisionnement alimentaire).

TABLEAU 6
Part des différents produits agricoles dans les échanges mondiaux (en %)

Matières premières agricoles	25
Céréales	12
Fruits et légumes	11
Viande	10
Produits oléagineux	8
Produits tropicaux	8
Autres	26

Source : OMC

Le protectionnisme était constitué, d'une part, par des barrières tarifaires ou contingentaires à l'entrée des produits étrangers concurrents et, d'autre part, par un soutien interne à l'agriculture (subventions à la production et aux exportations, politique des prix).

TABLEAU 7
Le soutien à l'agriculture (en % de la valeur de la production, moyenne 1986-1989)

Pays	Soutien
Suisse	79 %
Japon	75 % (soit 13 720 euros/an/agriculteur ou 10 670 euros/an/hectare)
Suède	54 %
Autriche	48 %
CEE (12)	45 % (soit 11 890 euros/an/agriculteur ou 838 euros/an/hectare)
Canada	44 %
États-Unis	36 % (soit 30 340 euros/an/agriculteur ou 150 euros/an/hectare)
Nouvelle-Zélande	15 %
Australie	12 %

Source : OCDE

Les années 1970 avaient été particulièrement fastes pour l'agriculture américaine qui faisait face, en l'absence de concurrence sérieuse, à une demande mondiale soutenue. Grâce à l'importance de leur surface agricole (400 millions d'hectares), à la prépondérance des grandes exploitations (10 % des exploitations occupaient plus de la moitié des terres), au niveau élevé des investissements (*agro-business*) et à leur politique de soutien des prix (cf. encadré 14), les États-Unis assuraient à la fin des années 1970 environ 75 % des exportations mondiales de maïs, 70 % de celles de soja et 30 % de celles de blé.

ENCADRÉ 14
La politique agricole américaine

1. Le système de régulation du marché reposait sur le *loan rate*, prêt accordé aux agriculteurs par l'État pour stocker leurs excédents à un prix garanti et attendre le moment opportun pour vendre. Si le prix du marché restait inférieur au *loan rate*, le producteur pouvait abandonner sa production à la *Commodities Credit Corporation* et ne remboursait pas son emprunt. Si le prix du marché était supérieur au *release price* (prix de déblocage), le producteur pouvait récupérer sa récolte pour la vendre sur le marché. Si le prix du marché était supérieur à un certain seuil (*call price*), l'agriculteur récupérait obligatoirement sa production. Dans ces deux derniers

cas, il devait rembourser son emprunt ainsi que les primes de stockage qu'il avait pu percevoir.

2. Le dispositif précédent était complété pour la production céréalière par le système des **deficiency payments** (paiements compensatoires) dont bénéficiaient les agriculteurs qui avaient accepté d'adhérer à un programme de réduction des terres cultivées (*Acreage Reduction Program*). Si le prix du marché était supérieur au *loan rate*, les paiements compensatoires étaient égaux à la différence entre le *target price* (prix cible) et le prix du marché. Si le prix du marché était inférieur au *loan rate*, les paiements compensatoires correspondaient alors à la différence entre le prix cible et le *loan rate*.

3. Enfin, dans le cadre du Food Security Act (1986), les États-Unis subventionnaient certaines exportations agricoles (Export Enhancement Program). Quant au Trade Act, il permettait à l'État de limiter temporairement les importations de produits concurrents.

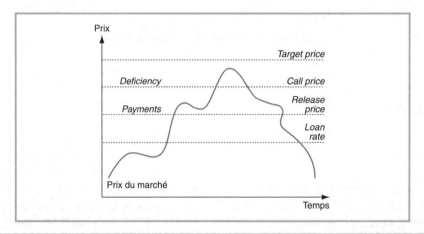

Mais au début des années 1980, la demande mondiale apparut saturée face à une surproduction structurelle et un protectionnisme croissant, rendant difficile l'écoulement des excédents.

TABLEAU 8
Le recul des exportations agricoles américaines sur les marchés mondiaux

En millions de tonnes	1981-1982	1985-1986
Marché mondial du blé (dont exportations US)	100,7 (49,3)	95,0 (31,5)
Marché mondial des céréales fourragères (dont exportations US)	96,6 (58,6)	100,5 (49,6)
Marché mondial du soja (dont exportations US)	29,2 (25,3)	25,9 (20,5)

Source : KROLL JC., *Politique agricole et relations internationales*, Syros, 1987.

Non seulement l'agriculture américaine connaissait des difficultés internes (baisse des prix agricoles, augmentation des coûts de production, endettement des agriculteurs, effondrement du prix des terres, apparition d'excédents importants), mais elle subissait aussi la concurrence de l'Europe qui, devenue progressivement autosuffisante puis excédentaire grâce à sa Politique agricole commune (PAC), protégeait son agriculture par un système de barrières à l'entrée et subventionnait ses exportations (cf. encadrés 15 et 16).

Les États-Unis exigèrent alors que la libéralisation du commerce international des produits agricoles soit inscrite à l'ordre du jour de l'Uruguay Round, accusant la politique agricole de l'Europe d'être à l'origine des problèmes que connaissait le marché mondial des produits agricoles.

Dès le début des négociations, les États-Unis et le Groupe de Cairns (qui comprend aujourd'hui 17 pays agro-exportateurs, avec notamment l'Argentine, l'Australie, le Brésil et le Canada) demandèrent la suppression de toute forme de protectionnisme (« option zéro ») :

ENCADRÉ 15
La Politique agricole commune européenne

1. En 1962, la production agricole de la Communauté économique européenne des Six (Allemagne de l'Ouest, Italie, Belgique, Pays-Bas, Luxembourg et France) ne permettait pas de satisfaire l'ensemble des besoins internes. La CEE mit alors en place la PAC, dont les objectifs étaient déjà prévus dans le traité de Rome de 1957 :
   - accroître la productivité ;
   - assurer un niveau de vie équitable aux agriculteurs ;
   - stabiliser les marchés ;
   - garantir la sécurité des approvisionnements ;
   - assurer des prix acceptables pour les consommateurs.

2. Pour atteindre ces objectifs, il fut décidé :
   - de supprimer les barrières douanières internes et d'harmoniser les normes techniques et sanitaires (unicité du marché) ;
   - d'instaurer des mécanismes régulateurs concernant les prix ;
   - de favoriser la préférence communautaire pour l'achat des produits agricoles ;
   - d'affecter les contributions des pays membres à des dépenses communes (solidarité financière).

3. La PAC fut réformée ultérieurement :
   - en 1972, pour améliorer les structures productives (équipement des exploitations et formation des agriculteurs) ;
   - en 1984, pour résorber les excédents (contrôle quantitatif de certaines productions) ;
   - en 1988, pour contrôler les dépenses agricoles liées aux achats publics d'excédents ;
   - en 1992, pour réorienter les aides agricoles (soutien aux revenus et non plus aux prix agricoles) et protéger l'environnement.

ENCADRÉ 16
Le protectionnisme agricole européen

1. La Politique agricole commune fut mise en œuvre à partir de 1962 pour augmenter la production et la productivité agricoles, de façon à assurer l'approvisionnement du marché européen et un niveau de vie suffisant aux agriculteurs.

2. Dans cette perspective, la PAC a consisté d'abord à assurer la libre circulation et l'unicité des prix des produits agricoles (**unicité du marché**). Un mécanisme de soutien des prix intérieurs fut mis en place, la Communauté rachetant les récoltes lorsque le prix du marché était inférieur au « prix d'intervention » (environ 90 % du « prix indicatif », prix idéal censé garantir la parité de pouvoir d'achat entre agriculteurs et non-agriculteurs).

3. Le marché européen était par ailleurs protégé de la concurrence étrangère (**préférence communautaire**) par un mécanisme de compensation comprenant des « **prélèvements** » ou des « **restitutions** » et reposant sur la définition d'un « prix de seuil » (prix minimum d'importation). Les « prélèvements » effectués à l'entrée des produits étrangers étaient égaux à la différence entre le « prix de seuil » et le prix mondial. Quant aux « restitutions », égales à la différence entre le « prix d'intervention » et le cours mondial, elles constituaient des primes à l'exportation pour les producteurs européens.

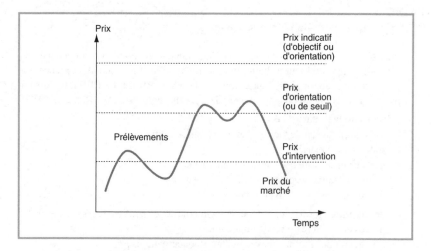

4. Le financement de la PAC était assuré par le **Fonds européen d'orientation et de garantie agricole** (FEOGA) créé en 1962. La section « orientation » finançait la politique structurelle européenne dans le domaine de la production, de la transformation et de la commercialisation des produits agricoles. La section « garantie », qui représentait l'essentiel des dépenses du FEOGA, finançait les interventions européennes destinées à garantir les cours et à assurer la préférence communautaire.

5. La PAC a ainsi permis de moderniser les moyens de production et de rendre l'Europe autosuffisante en une dizaine d'années. La productivité agricole a plus que doublé en vingt ans.

- d'abord, il s'agissait de transformer les prélèvements à l'entrée (variables selon le niveau des prix mondiaux) en droits de douane fixes (tarification) dont le niveau serait négocié de façon à faciliter l'accès aux marchés internes ;
- deuxièmement, les États-Unis demandaient que les diverses formes de soutien interne à l'agriculture susceptibles d'altérer directement le marché et les prix (*red box*) soient supprimées, que les aides transitoires au revenu agricole destinées à limiter la production soient négociées (*yellow box*), et enfin que les aides financées par l'impôt et relatives aux calamités agricoles, à la formation professionnelle ou à la protection de l'environnement puissent être maintenues dans la mesure où elles n'avaient pas d'effets directs sur le marché (*green box*) ;
- enfin, toutes les subventions publiques à l'exportation devaient être supprimées.

À cette position maximaliste des États-Unis, l'Union européenne opposait le gel de la situation protectionniste existante et une révision progressive de son niveau.

Dès le début de l'Uruguay Round, la situation se révéla bloquée par ces positions opposées et, semblait-il, inconciliables. Il fallut attendre 1989 pour que les États-Unis et l'Union européenne s'accordent sur la nécessité de ne pas dépasser les niveaux de protection et de soutien d'alors. Mais les négociateurs ne parvenaient toujours pas à s'entendre sur la réduction du soutien interne et des subventions à l'exportation de l'Europe, les États-Unis refusant quant à eux de négocier au sujet des « *deficiency payments* ».

La lenteur et les difficultés de la négociation euro-américaine conduisirent A. Dunkel, directeur général du GATT, à proposer en 1991 un compromis suggérant trois propositions pour la période 1993-1999 : baisse de 20 % des soutiens internes, diminution de 36 % des subventions à l'exportation complétée d'une réduction de 24 % des exportations subventionnées et diminution des barrières à l'entrée pour faciliter l'accès aux marchés.

Estimant que le compromis Dunkel faisait la part trop belle aux États-Unis, l'Union européenne rejeta ses propositions, mais engagea cependant une réforme de la PAC qui répondait à certaines de ses exigences. Cependant les États-Unis estimèrent insuffisantes ces mesures et, sous la pression du lobby des agriculteurs du Middle West, menacèrent de surtaxer à titre de représailles (200 %), dès la fin de l'année 1992, leurs importations de certains produits agricoles européens (vin blanc et huile de colza notamment), représentant un montant de 300 millions de dollars.

Divisés dans leurs intérêts, les pays européens acceptèrent de reprendre les négociations avec les États-Unis, négociations qui aboutirent en novembre 1992 au préaccord de Blair House à Washington qui se révélait finalement assez proche du compromis Dunkel.

Les principales dispositions du préaccord étaient les suivantes :

- concernant l'accès aux marchés, les prélèvements variables, qui dissuadaient en Europe les importations et garantissaient la « préférence communautaire », devaient être remplacés par des droits de douane fixes, réduits de 36 % à l'horizon 1999 par rapport à la moyenne 1986-1988. Par ailleurs, une clause d'« accès minimum » devait ouvrir les marchés intérieurs aux produits agricoles étrangers, avec un tarif douanier réduit (32 % du tarif de base), à raison de 3 % de la consommation intérieure (calculée sur la base de la moyenne 1986-1988) ; après six ans, l'accès minimum devait être porté à 5 % de la consommation intérieure ;

– les différentes formes de soutien interne devaient être traduites en « Mesure globale de soutien », elle-même réduite de 20 % par rapport à la période 1986-1988, à l'exception des aides directes liées à des mesures de restriction de la production (gel des terres à leur niveau de 1992) ;

– pour ce qui concerne les exportations, les subventions devaient être réduites pour chaque produit de 36 % en six ans à partir de la moyenne 1986-1990. D'autre part, le volume des exportations de produits agricoles non transformés et subventionnés (à l'exception de l'aide alimentaire) devait être réduit de 21 % en six ans, toujours sur la base de la moyenne 1986-1990 ;

– par ailleurs, l'Union européenne devait limiter la culture des oléagineux à 5,128 millions d'hectares (moyenne des surfaces plantées en 1989-1991) et appliquer à cette surface un taux de jachère au moins égal à 10 % (les terres en jachère pouvant être utilisées pour produire des oléagineux à usage non alimentaire à concurrence d'environ 2 millions de tonnes de graines) ;

– enfin, une « clause de paix » donnait l'assurance que les termes de l'Accord de Blair House ne pourraient être remis en question pendant six ans.

TABLEAU 9
Les étapes de la négociation agricole

Domaine	Dunkel	Blair House	Accord final
soutien interne	– 20 % sur toutes les formes d'aide	– 20 %,	– 20 % aides possibles sous condition
exportations subventionnées	– 24 % en volume par produit – 30 % en valeur	– 21 % en volume par produit – 36 % en valeur	*idem* par famille de produits
droits de douane	tarification – 36 % de baisse	tarification – 36 % de baisse	*idem*
accès au marché	3 % puis 5 % par produit	3 % puis 5 % par produit	*idem* par famille de produits
oléagineux	néant	–10 % surface gelée	*idem*, plafond à 5,128 millions d'hectares

L'accord de Blair House fut cependant très contesté, notamment en France où le Gouvernement le jugea incompatible avec la PAC, estima que certains termes (notion de « produit ») posaient des problèmes d'interprétation et refusa de le ratifier, malgré la pression des États-Unis et de ses partenaires européens, peu soucieux de subir des représailles américaines. La France parvint cependant à convaincre les autres pays européens (Conseil Jumbo de septembre 1993), sinon de renégocier l'accord, du moins de demander aux États-Unis de le « clarifier ».

Après avoir refusé, pour des raisons de politique intérieure, les États-Unis finirent par accepter de rediscuter de quelques points litigieux de l'accord. Les négociations aboutirent, avant la date butoir du 15 décembre 1993 (Fast Track Autority, liée au mandat donné au Président par le Congrès américain pour négocier et de soumettre l'ensemble de l'Accord final à leur approbation), à certains aménagements de l'accord de Blair House :

– les divers engagements précédents concerneront chaque famille de produits et non plus chaque produit ;

– la période de référence pour le calcul des moyennes pourra être variable selon les produits (ce qui permettra une certaine souplesse dans l'application des accords).

En définitive, les États-Unis sont parvenus à imposer assez largement leur point de vue sur le commerce international des produits agricoles. Cependant, le coût de l'accord pour la France n'était pas aussi exorbitant qu'on voulait le laisser croire et ne représentait qu'une perte de 0,34 % du total des exportations françaises d'alors (soit environ 640 millions d'euros). En effet, sur un total de 190 milliards d'euros d'exportations françaises en 1992, les exportations agricoles représentaient 30 milliards d'euros, dont 37 % hors Union européenne (8,1 milliards d'euros) ; seuls 38 % de ces dernières étaient subventionnées (soit un peu plus de 3 milliards d'euros) et devaient faire l'objet d'une réduction de 21 %, suscitant ainsi une perte de chiffre d'affaires de 640 millions d'euros que les gains résultant de la baisse des droits de douane frappant les exportations françaises de produits agricoles non subventionnées pouvaient assez aisément compenser.

1.2.3 *Le commerce des services*

L'Uruguay Round a permis d'inclure les services (GATS) dans les règles de fonctionnement du GATT, distinguant quatre types de prestation de services : les services qui traversent les frontières sans déplacement de personnes (télécommunications…), les services consommés par des étrangers sur un territoire national (tourisme, banques, assurances…), les services proposés par des firmes étrangères installées dans un territoire national (agences bancaires, agences de voyages, agences de publicité ou compagnies d'assurance étrangères) et les services fournis par des personnes physiques séjournant temporairement à l'étranger (cf. encadré 17).

> **ENCADRÉ 17**
> Les modes d'échange de services
>
> 1. **Fourniture transfrontalière de services** sans déplacement de personnes (transport de marchandises, télévision par satellite, télécommunications…).
> 2. **Consommation de services à l'étranger** (tourisme, banque, assurance…).
> 3. Fourniture de services par la présence commerciale **d'un fournisseur étranger installé sur le territoire national** (agences bancaires, agences de voyages, compagnies d'assurances…).
> 4. Fournitures de **services assurées dans un pays par des ressortissants étrangers** (relation personnalisée entre le fournisseur et son client).

Le commerce des services, qui représente aujourd'hui plus de 20 % du commerce mondial, se heurtait à de nombreux obstacles naturels ou réglementaires.

Les premiers résultaient, et résultent toujours, des coûts liés à la distance géographique entre les offreurs de service et les utilisateurs. Dans la mesure où ils ne sont pas stockables, les services exigent la simultanéité de la production et de la consommation. Les offreurs doivent donc, ou bien déplacer leur offre vers le lieu où se trouve l'utilisateur (ce dernier se déplaçant plus rarement vers le lieu où se trouve l'offreur), ou bien utiliser des réseaux internationaux de distribution (télécommunications par exemple).

En outre, les différences culturelles, linguistiques ou juridiques existant entre les pays limitaient l'offre mondiale des fournisseurs de services ; aussi, la demande interne de chaque pays était-elle, et reste-t-elle toujours, satisfaite en premier lieu par les fournisseurs locaux.

À ces obstacles naturels, que le progrès technologique dans le domaine des communications tendait à réduire, s'ajoutaient des obstacles artificiels, souvent discriminatoires à l'égard des concurrents étrangers (restrictions concernant le volume ou la valeur des transactions autorisées, protections tarifaires ou administratives des marchés, fixation de normes contraignantes, restrictions concernant l'accès aux achats publics) ou parfois non discriminatoires (limitation du nombre d'offreurs sur un marché par exemple).

À l'issue de l'Uruguay Round, le commerce des services était donc en principe soumis aux mêmes règles que le commerce des marchandises (Accord général sur les services), à l'exception de l'audiovisuel, des services à propos desquels il était impossible de parvenir à un accord, ainsi que des services liés à l'ordre public comme la santé et la sécurité publiques.

C'est ainsi que les États-Unis ont pu obtenir en leur faveur une dérogation, en principe limitée dans le temps, concernant les services financiers (services bancaires et assurances essentiellement). Leur marché restait de la sorte fermé à certains pays, notamment asiatiques, dont le marché était jugé par les États-Unis insuffisamment ouvert pour eux-mêmes.

Il en fut de même en ce qui concerne les transports maritimes et les télécommunications, pour lesquels les États-Unis voulaient maintenir leurs mesures protectionnistes et pour lesquels les négociations devront se poursuivre après la clôture de l'Uruguay Round.

Une troisième dérogation importante a été obtenue par l'Europe, au titre de « l'exception culturelle », dans le domaine de l'audiovisuel (télévision, radio, cinéma, vidéo). En effet, sous la pression des lobbies concernés, les États-Unis exigeaient l'application des règles du GATT, considérant que la création culturelle audiovisuelle n'était en fait qu'une activité économique destinée au « divertissement » des consommateurs et qu'elle devait être soumise aux lois du marché.

Le marché européen, qui constituait 36 % du marché mondial, mais qui était protégé par un système de quotas pour préserver la production audiovisuelle, représentait en effet pour les États-Unis des possibilités de profits très importantes. Lors des négociations en 1992, les recettes américaines en Europe étaient de 3,67 milliards de dollars, alors que les recettes européennes aux États-Unis ne dépassaient pas 290 millions de dollars, soit un déficit européen de 3,37 milliards de dollars.

À l'ouverture de l'Uruguay Round, les Européens avaient accepté que les principes généraux du GATT s'appliquent à l'audiovisuel, mais avec un statut spécifique (« spécificité culturelle »). Ce n'est que tardivement, à l'approche de la clôture de l'Uruguay Round, que les Européens, devenus conscients du danger que pouvait représenter pour la création audiovisuelle (et plus largement la culture européenne) l'invasion de la production américaine, abandonnèrent le concept de « spécificité culturelle » et obtinrent, au grand dam des industries américaines concernées, l'exclusion de l'audiovisuel des règles du GATT, dans le cadre d'une « exception culturelle ». L'Europe pouvait ainsi maintenir les diverses formes de soutien public à la création culturelle et protéger cette dernière de la concurrence américaine.

L'exception culturelle européenne reste cependant menacée. Elle l'est d'abord en son sein même par certains pays qui, sous la pression de leurs propres consommateurs, souhaitent une plus grande libéralisation des échanges dans le domaine culturel.

TABLEAU 10
Les échanges audiovisuels entre les États-Unis et l'Europe (1992)

Recettes américaines en Europe (en millions de dollars)		Recettes européennes aux États-Unis
cinéma	853	74
télévision	1 648	95
vidéo	1 162	119
Total	3 663	288

Source : *L'Express*, 14 avril 1994

Elle l'est aussi par le développement des nouvelles technologies (Internet, télévision par satellite, bouquets numériques…) qui limitent l'efficacité des mesures protectionnistes dans le domaine audiovisuel. Elle l'est enfin par tous ceux qui pensent que l'on ne peut exclure les biens culturels de la sphère de l'économie de marché.

Ces derniers estiment, par exemple, que les produits textiles ou agroalimentaires ne sont pas exclus de la sphère marchande, alors que les habitudes vestimentaires ou alimentaires font partie de la culture de chaque société. En fait, ce n'est pas la culture que l'on échange, mais les biens qui véhiculent la culture et qui restent des marchandises. Dès lors, il n'y a aucune raison pour exclure du GATS les biens qui constituent un support culturel, comme les films, les vidéos, les disques, les livres ou les tableaux…

Si l'Europe reste persuadée que les lois du marché ne permettent pas de préserver la diversité et la richesse culturelles et que la création culturelle ne doit pas devenir l'objet d'enjeux commerciaux, les États-Unis et les industries audiovisuelles américaines estiment toujours que derrière l'exception culturelle se cachent des intérêts économiques et ne renoncent pas à imposer la liberté de circulation des produits audiovisuels.

1.2.4 *Les autres résultats de l'Uruguay Round*

Les négociations de l'Uruguay Round ont par ailleurs abouti à un accord permettant de protéger les droits liés à la propriété intellectuelle, qu'elle soit artistique (droits d'auteur), industrielle (brevets d'invention) ou commerciale (marques déposées, appellations d'origine), malgré les réserves des pays en développement qui craignaient qu'il ne conduise à un renchérissement des transferts de technologie Nord-Sud : l'Accord sur les droits de la propriété intellectuelle relative au commerce (ADPIC).

Cet accord oblige les partenaires du commerce international à une harmonisation minimale des normes et des procédures judiciaires nationales en matière de propriété intellectuelle. Il protège par ailleurs les brevets relatifs aux produits et aux procédés de fabrication pendant une durée de vingt ans. Enfin, il interdit sous peine de sanctions les contrefaçons des marques de fabrique et les diverses formes de piratage de la propriété intellectuelle, évaluée à l'heure actuelle à 10 % environ du commerce mondial.

Par ailleurs, les produits textiles exclus du GATT depuis le début des années 1960 (accord multifibres) devront y être réintégrés au 1er janvier 2005. En contrepartie, les pays à bas salaires se sont engagés, malgré l'opposition de l'Inde et du Pakistan, à améliorer leurs conditions de travail (en particulier celles des enfants largement exploités chez eux), à renoncer aux contrefaçons et à ouvrir leur propre marché aux productions textiles étrangères.

TABLEAU 11
Principaux produits contrefaits ou piratés sur le marché européen

Produits	Origine
Musique, logiciels, vêtements, articles de sport, jouets, parfums, cigarettes	Brésil
CD, DVD, vidéos, vêtements, chaussures, montres, jouets, pièces détachées automobiles, maroquinerie	Chine
Musique, films, logiciels, CD, DVD, vidéos, vêtements	Thaïlande
CD, DVD, vidéos, logiciels, produits de luxe, chaussures	Corée du Sud
Films, musique, logiciels, accessoires vestimentaires et automobiles	Indonésie
Musique, médicaments, boissons, aliments	Russie
CD, logiciels, vêtements, cigarettes, alcools, aliments	Ukraine
CD, vidéos, vêtements, chaussures, maroquinerie, accessoires et pièces automobiles	Turquie

Source : Commission européenne, 2003

TABLEAU 12
L'évolution des tarifs douaniers moyens dans les pays industrialisés

Années	En % de la valeur des échanges
1940	40
1950	25
1960	17
1970	12
1980	8
1990	5
1997	4

Source : OMC

Un accord a pu être aussi obtenu à propos des restrictions imposées par certains pays aux investissements étrangers ayant un impact sur le commerce (*Trade Related Investment Measures*). Toutefois, cet accord ne concerne qu'une partie des problèmes posés par les investissements internationaux et l'activité des firmes multinationales ; aussi les négociations devront-elles se poursuivre au-delà de l'Uruguay Round.

Citons aussi l'accord sur les mesures sanitaires et phytosanitaires (accord SPS) qui prévoit que chaque État puisse déterminer le niveau de protection qu'il juge approprié en matière de protection des consommateurs et de l'environnement, mais à condition que ce dernier repose sur des critères scientifiques, ne soit pas plus restrictif que nécessaire et n'introduise pas de discriminations. L'accord admet cependant (article 5.7) que les États puissent prendre des mesures de protection sanitaire ou phytosanitaire contre un risque dont les conséquences sont encore incertaines, compte tenu des preuves scientifiques disponibles, mais à condition que les mesures prises soient provisoires, conformes aux normes internationales du *Codex alimentarius* de la FAO et qu'elles s'accompagnent de la recherche d'une « évaluation plus objective du risque… dans un délai raisonnable ».

Enfin, il a été décidé au cours de l'Uruguay Round de remplacer le GATT par une véritable institution internationale, l'Organisation mondiale du commerce, futur arbitre des règles du jeu commercial international.

1.3 L'ORGANISATION MONDIALE DU COMMERCE

À la suite des travaux du Groupe de négociations sur les aspects institutionnels du GATT, l'Acte final qui clôturait les négociations de l'Uruguay Round le 15 décembre 1993, et qui fut signé par les nations participantes à Marrakech le 15 avril 1994, prévoyait la création de l'OMC à partir du 1er janvier 1995.

Véritable institution internationale, alors que le GATT n'était qu'un accord international, l'OMC est chargée :

– de mettre en œuvre les résultats obtenus au cours des cycles de négociation précédents ;

– de poursuivre les négociations sur les points qui n'ont pas abouti lors de l'Uruguay Round et de poursuivre le processus d'abaissement des droits de douane, non seulement pour les produits industriels, mais aussi pour les produits agricoles et les services, intégrés au GATT depuis l'Uruguay Round ;

– d'ouvrir de nouveaux cycles de négociation s'ils s'avèrent nécessaires ;

– de veiller à la loyauté de la concurrence internationale et d'arbitrer les différends éventuels entre les partenaires du commerce international, à travers l'Organe de règlement des différends (ORD).

L'organe suprême de décision de l'OMC est constitué par la Conférence ministérielle, composée de représentants de tous les pays membres, disposant chacun d'une voix, et réunie au moins une fois tous les deux ans. C'est elle qui désigne le directeur général de l'OMC. En dehors des sessions de la Conférence ministérielle, l'OMC est dirigée par un Conseil général, instance exécutive composée aussi de représentants des pays membres disposant chacun d'une voix. Le Conseil général constitue en outre l'Organe de règlement des différends, et l'Organe d'examen des politiques commerciales auquel chaque pays doit soumettre ses programmes de politique commerciale.

Cet exécutif est assisté d'un Secrétariat et de trois Conseils : celui du commerce des marchandises, celui du commerce des services et le Conseil des aspects des droits de la propriété intellectuelle qui touchent au commerce (ADPIC).

Les Conseils sont eux-mêmes assistés par une série de Comités spécialisés, dont certains ont été explicitement prévus par l'Accord final de l'Uruguay Round (Comité du commerce et du développement, Comité des restrictions appliquées pour des raisons de balance des paiements et Comité du budget, des finances et de l'administration), les autres étant créés par l'Exécutif en fonction de ses besoins (Comité de l'agriculture, Comité des pratiques antidumping, groupes divers de négociation, groupes de travail…).

La première conférence ministérielle de l'OMC s'est tenue en décembre 1996 à Singapour, réunissant 119 pays membres et 39 pays observateurs (depuis 2002, l'OMC compte 144 pays membres). Il s'agissait d'évaluer la mise en œuvre des accords précédents, de faire le bilan des négociations en cours, de préparer les négociations ultérieures et d'étudier les demandes d'adhésion de nouveaux membres, et en particulier de la Chine.

1.3.1 *La poursuite des négociations*

Dans la continuité du GATT, l'OMC est devenue « l'enceinte pour les négociations entre ses membres au sujet de leurs relations commerciales multilatérales », pour reprendre les termes de l'Acte final de l'Uruguay Round. Le traité de Marrakech prévoyait ainsi la poursuite des négociations concernant le commerce international des produits agricoles et des services. Ces négociations permanentes pourront en outre être ponctuées de Rounds, au cours desquels seront lancées des négociations portant sur d'autres sujets.

Les négociations, qui ont repris dès 1996 à l'occasion de la première conférence ministérielle de l'OMC à Singapour, concernaient les domaines qui n'avaient pu faire l'objet d'accords au cours de l'Uruguay Round.

En ce qui concerne les services, l'Uruguay Round n'avait pu qu'établir un cadre global pour ouvrir les services à la concurrence internationale, les pays participants n'ayant présenté à leur sujet que des listes d'engagement restreintes. Les discussions dans ce domaine se sont donc poursuivies dans le cadre de l'OMC. Elles ont abouti notamment au début de l'année 1997 à la signature par 68 pays d'un Accord de libéralisation des télécommunications et d'un Accord sur les technologies de l'information (39 pays représentant 90 % des échanges étaient concernés par l'ATI).

Les négociations sur les services financiers furent plus difficiles ; sous la pression des États-Unis, les pays émergents, et en particulier les pays asiatiques, ont finalement accepté d'ouvrir leurs marchés, permettant ainsi d'aboutir à un accord en décembre 1997 couvrant pratiquement 95 % des échanges internationaux de services financiers.

Par contre, les négociations n'ont pas permis de parvenir à un accord sur le transport maritime (accès au trafic de ligne international et aux infrastructures portuaires notamment, à propos duquel les États-Unis s'opposent à une libéralisation pour protéger leur flotte de cabotage), sur les aides nationales à l'industrie aéronautique ou à la sidérurgie, ainsi que sur l'ouverture des marchés publics nationaux à la concurrence internationale.

Dans d'autres domaines, les négociations ont été aussi décevantes ; il en est ainsi, par exemple, des négociations concernant les incidences du libre-échange sur la protection des consommateurs, de l'environnement ou du travail (problème de la définition de normes sanitaires, écologiques ou sociales internationales).

Les partisans du libre-échange craignaient en effet que certaines des mesures prises par les États dans le domaine sanitaire afin de protéger les consommateurs ne constituent en fait des prétextes pour mettre en place des barrières protectionnistes non tarifaires. Leurs adversaires craignaient quant à eux que, sous la pression des lobbies de producteurs, le développement des échanges internationaux ne se réalise au détriment de la protection des consommateurs.

Si la protection des consommateurs opposait surtout les États-Unis et l'Europe, la protection de l'environnement opposait les pays industrialisés aux pays en développement (cf. encadré 18).

Les questions qui se posaient à ce niveau étaient multiples. Comment concilier la concurrence et la libération croissantes des échanges avec la préservation de l'environnement ? Comment éviter que les mesures nationales de protection de l'environnement ne constituent des obstacles protectionnistes déguisés au libre-échange (« protectionnisme vert »), en l'absence de normes environnementales communes au plan international ? Comment éviter que certains pays ne sacrifient leur environnement pour produire plus et être plus compétitifs sur les marchés internationaux, notamment en surexploitant leurs ressources naturelles ou en accueillant certaines industries polluantes venues des pays riches ? (Cf. encadré 19)

Ces questions furent d'abord posées au sein de la Commission de l'ONU sur l'environnement et le développement et furent évoquées en 1992 au Sommet de la Terre de Rio dans le cadre de la notion « d'éco-développement ». Les conséquences de la croissance des échanges internationaux sur la déforestation, la surexploitation des océans ou la pollution pétrolière y ont par exemple été abordées. Mais le problème des relations entre mesures commerciales et mesures environnementales ne s'est réellement posé au niveau des négociations commerciales internationales qu'à la fin de l'Uruguay

---

ENCADRÉ 18
Les pays en développement

1. Les pays en développement constituent un **ensemble hétérogène**, regroupant des pays d'Afrique, d'Amérique latine et d'Asie. Très divers quant à leurs caractéristiques géographiques, sociologiques ou économiques, ils répondent cependant à un certain nombre de **symptômes communs**.

2. Sur le plan économique, ils sont caractérisés, d'une part par un **revenu par habitant mesuré en parité de pouvoir d'achat** inférieur à 750 dollars pour les économies à faible revenu, compris entre 750 et 6 000 dollars pour les économies à revenu intermédiaire et, d'autre part, par **une répartition très inégalitaire des revenus.** Par ailleurs, la part du secteur primaire dans la répartition sectorielle de la population active y est supérieure à 50 %, alors qu'elle est inférieure à 5 % dans les pays industrialisés.

3. Les **caractéristiques démographiques** des pays en développement demeurent encore **différentes** de celles des pays industrialisés, malgré la transition démographique qui en rapproche certains d'entre eux : les taux de fécondité, de natalité, de mortalité infantile et d'accroissement naturel y sont plus élevés, l'espérance de vie à la naissance y est plus faible et la répartition par âge y est différente (avec une proportion de jeunes plus élevée et une proportion de personnes âgées plus faible).

4. Par ailleurs, les pays en développement sont caractérisés par un taux d'**analphabétisme** élevé et une insertion insuffisante des jeunes dans le processus éducatif. Ils souffrent en outre d'un **état sanitaire défectueux**, lié à la faiblesse de l'encadrement et de l'équipement médicaux, aux difficultés d'accès à l'eau potable, aux soins et aux médicaments et à une **alimentation insuffisante ou déséquilibrée.**

5. Des indicateurs composites, comme **l'indicateur de développement humain**, qui tient compte à la fois du revenu par tête, de l'espérance de vie, du taux d'analphabétisme des adultes et du taux de scolarisation des enfants, permettent de mesurer l'insuffisance de développement.

6. Parmi les pays en développement, les « **pays les moins avancés** » (PMA) apparaissent les plus pauvres. Si l'on en comptait 25 en 1971, ils sont aujourd'hui une cinquantaine, dont les trois quarts se trouvent en Afrique.

Round, lorsque fut créé en 1995, au sein de l'OMC, un Comité du commerce et de l'environnement chargé d'étudier les interactions commerce-environnement et notamment, d'une part, de déterminer si certaines mesures de protection de l'environnement ne dissimulent pas des politiques commerciales protectionnistes et, d'autre part, de favoriser une harmonisation des règles multilatérales de protection de l'environnement.

Mais, souvent accusés d'« eco-dumping » dans la mesure où ils sacrifient leur environnement, soit en exploitant à outrance leurs ressources naturelles, soit en attirant

ENCADRÉ 19
Libération des échanges et environnement

La libération des échanges permet la protection de l'environnement.	La libération des échanges entraîne une dégradation de l'environnement.
L'accroissement de la production et du revenu mondiaux permet de dégager des ressources supplémentaires qui pourront être affectées à la protection de l'environnement.	L'accroissement de la production mondiale s'accompagne d'une augmentation des nuisances et il n'est pas certain que les ressources supplémentaires dégagées soient affectées à la protection de l'environnement. Un développement durable (« *sustainable* ») implique une croissance qui permette de satisfaire les besoins humains fondamentaux, en préservant l'environnement pour ne pas compromettre la capacité des générations futures à satisfaire les leurs.
La suppression des barrières protectionnistes permet d'éviter la surexploitation des ressources naturelles nationales.	Dans les pays du Sud, l'intensification des méthodes d'exploitation des produits de base et la mise en valeur de nouvelles ressources liées à la spécialisation et aux échanges internationaux conduisent à la réduction des surfaces agricoles consacrées aux cultures vivrières, à la dégradation de l'environnement sylvicole (déforestation) et à l'épuisement des ressources naturelles.
La libération des échanges favorise le développement économique qui, à partir d'un certain niveau, permet de réduire la pollution (inversion de la relation entre l'augmentation du niveau de vie et l'augmentation du niveau de pollution).	L'observation ne semble pas confirmer dans tous les pays l'idée selon laquelle la pollution augmente au cours des premières étapes du développement, mais tend à diminuer à des niveaux de développement plus élevés.
La concurrence internationale suscite un alignement des procédés de production sur ceux qui offrent les meilleures performances environnementales.	Les différences d'exigence dans les législations nationales en matière d'environnement entraînent des délocalisations des activités les plus polluantes vers les pays du Sud dont la législation apparaît plus laxiste.

des industries plus ou moins polluantes tentées de se délocaliser pour profiter de réglementations plus laxistes, les pays du Sud craignaient que la définition de normes communes trop contraignantes ne menace leur développement et ne serve aux pays riches qu'à justifier l'établissement de mesures discriminatoires à leur encontre.

Par ailleurs, l'une des discussions les plus vives au cours de la première session de l'OMC, en 1996 à Singapour, a concerné les droits et les conditions de travail ainsi que la reconnaissance des syndicats (« clauses sociales ») dans les pays à bas salaire et en particulier dans les nouveaux pays industrialisés. Les pays riches à hauts salaires accusaient ces derniers de « dumping social » ou de « protectionnisme social », ce qui constituait pour eux une forme de concurrence déloyale, dans la mesure où les charges sociales supportées par les entreprises et le prix du travail sont différents : de nombreux pays n'ont aucune protection sociale et ne reconnaissent pas, ou ne respectent pas, les droits syndicaux ; certains pays ont en outre recours à de la main-d'œuvre carcérale gratuite ou au travail des enfants, recours que ne cesse de dénoncer le Bureau international du travail. Les différences de coût du travail entraînent des mouvements de délocalisation des activités fortement utilisatrices de main-d'œuvre vers les pays à bas salaires et remettent en cause le système des échanges internationaux dans son ensemble (rapport sur le développement dans le monde de la Banque mondiale en 1995).

Certains pays industrialisés, et notamment les États-Unis et les pays membres de l'Union européenne, souhaitaient donc une égalisation des conditions de concurrence, à travers la réduction des disparités en matière de droits du travail et de charges sociales, et proposaient de négocier au sein de l'OMC des normes sociales minimales que tous les pays devraient respecter pour pouvoir exporter, sous peine de sanctions commerciales.

Les pays du Sud ont refusé que la question soit abordée dans le cadre de l'OMC, estimant que d'éventuelles discussions dans ce domaine devaient se tenir dans le cadre de l'Organisation internationale du travail (OIT). Mais l'OIT n'a pas les moyens de faire respecter d'éventuelles normes sociales minimales destinées à lutter contre l'exploitation des travailleurs afin d'obtenir un avantage comparatif commercial, compte tenu de ses pouvoirs actuels qui ne lui permettent que des « recommandations » non assorties de sanctions.

Ils arguaient par ailleurs que le faible coût de leur main-d'œuvre constituait le seul avantage comparatif dont ils pouvaient bénéficier face aux pays riches et craignaient que ces derniers n'utilisent cet argument comme prétexte pour mettre en place des mesures de protection déguisées, anéantissant ainsi leurs efforts de développement et d'insertion dans le commerce international. Ils estimaient enfin que la politique sociale relevait de la souveraineté nationale des États, lesquels ne sauraient se voir imposer des normes internationales, fussent-elles minimales.

1.3.2 *L'arbitrage des différends*

L'arbitrage des différends entre les partenaires du commerce international est assuré par l'Organe de règlement des différends (ORD).

Le mécanisme de règlement de l'ORD prévoit que, si les procédures de conciliation n'aboutissent pas avant deux mois, un jury de trois membres choisis dans une liste internationale de plus de 200 noms (« panel ») sera constitué qui devra fournir son avis sur la question dans un délai de six à neuf mois. Ses « recommandations », adoptées automatiquement, sauf accord des parties concernées pour les rejeter, peuvent faire l'objet d'un appel dans les trois mois qui suivent leur adoption. Les recommandations définitives, émises par un nouveau « panel » de trois membres choisis sur une liste de sept personnes, devront ensuite être mises en œuvre par le pays concerné dans un délai fixé en accord avec ce dernier. En cas de non-application, l'OMC pourra autoriser le pays plaignant à appliquer des mesures de rétorsion.

Dès sa création, l'ORD s'est trouvé très sollicité, même si la plupart des procédures ont abouti à un accord entre les partenaires en conflit (cf. encadré 20). Les différends les plus importants ont surtout concerné le « bras de fer » qui oppose les États-Unis à l'Europe dans un certain nombre de domaines.

L'Europe a par exemple soumis à l'arbitrage de l'ORD les lois américaines Helms-Burton (*Cuban Liberty and Democratic Solidarity Act*) et D'Amato-Kennedy (*Iran and Libya Sanctions Act*) qui, depuis 1996, autorisaient les États-Unis à décider unilatéralement de mesures de représailles (recours en indemnisation, refus de délivrer des visas d'entrée aux États-Unis, refus de crédit par une banque américaine, interdiction de transfert technologique, refus d'importer les produits de l'entreprise sanctionnée…) à l'encontre des entreprises nationales ou étrangères qui investiraient à Cuba ou

---

ENCADRÉ 20
Typologie des conflits commerciaux

1. **Conflits liés aux limitations de l'accès aux marchés**
   Au-delà des droits de douane qui subsistent pour certains produits, les conflits de ce type concernent les mesures protectionnistes non tarifaires destinées à freiner de façon artificielle les importations de produits étrangers concurrents (freins administratifs, recours abusif à des normes sanitaires, environnementales ou techniques…). Ils représentent environ 40 % des conflits soumis à l'ORD.

2. **Conflits liés aux pratiques commerciales déloyales**
   Les conflits de ce type concernent des pratiques qui entraînent des distorsions de concurrence : la corruption (pots-de-vin) dans les transactions internationales, le piratage et les contrefaçons, les ententes illicites entre entreprises, ainsi que le dumping social (faibles coûts salariaux et non-respect de normes sociales minimales), écologique (non-intégration des coûts environnementaux dans les coûts de production) ou monétaire (manipulations monétaires). Ces conflits représentent environ 10 % des plaintes.

3. **Conflits liés à l'utilisation abusive de mesures de défense commerciale**
   Certains pays peuvent utiliser de façon abusive des mesures destinées à lutter contre des pratiques commerciales qualifiées de déloyales : droits compensateurs antidumping ou anti-subventions publiques et mesures de sauvegarde temporaires invoquées abusivement. Ces conflits semblent être les plus nombreux puisqu'ils représentent 48 % des plaintes.

4. **Conflits de nature géopolitiques**
   Il s'agit de conflits liés à l'adoption par certains pays de lois internes à vocation extraterritoriale (lois américaines Hems-Burton ou D'Amato-Kennedy par exemple). Ce type de conflit est cependant relativement rare (moins de 2 % des plaintes).

dans d'autres pays qualifiés d'« États terroristes » (Libye et Iran). L'objectif de ces lois était *a priori* politique, mais elles dissimulaient aussi des préoccupations économiques dans la mesure où les États-Unis craignaient que des entreprises étrangères ne supplantent les entreprises américaines dans les pays concernés.

L'Union européenne estimait quant à elle, d'une part, que ces lois n'étaient pas conformes au Droit international du fait de leur caractère extraterritorial et, d'autre part, qu'elles se révélaient incompatibles avec les règles de l'OMC. Elle a donc déposé une plainte auprès de l'ORD dès 1996, tout en prévoyant la mise en place de mesures de protection de ses entreprises et des mesures de représailles à l'encontre des États-Unis. Dans le même temps, la firme Total signait avec l'Iran un contrat gazier de 2 milliards de dollars, s'exposant ainsi aux représailles américaines. Ce n'est qu'en 1998 que les États-Unis et l'Union européenne sont parvenus à un accord permettant aux entreprises européennes de bénéficier d'une dérogation permanente.

Les contentieux euro-américains les plus importants ont concerné, et concernent toujours les produits agricoles.

L'un d'entre eux portait sur le refus européen d'importer de la viande bovine américaine du fait du recours aux hormones dans l'élevage bovin aux États-Unis, alors que ce dernier est interdit en Europe pour des raisons de santé publique.

Soumise en 1996 à l'arbitrage de l'Organe de règlement des différends par les États-Unis, qui nient la nocivité de l'utilisation des hormones et qui estiment les restrictions européennes contraires aux règles du commerce international, l'Union européenne fut condamnée par l'ORD en première instance en mai 1997 aux motifs que la décision européenne de refuser d'importer de la viande bovine américaine ne reposait pas sur une évaluation scientifique des risques, qu'elle se révélait discriminatoire et qu'elle constituait une restriction déguisée au commerce international.

La décision du premier panel fut confirmée en appel dans ses grandes lignes en janvier 1998, aux motifs qu'en l'état actuel des connaissances scientifiques le caractère néfaste de la consommation des produits litigieux n'était pas démontré et qu'en conséquence l'Europe ne pouvait invoquer l'accord sur les mesures sanitaires et phytosanitaires conclu au cours de l'Uruguay Round. En juillet 1999, les États-Unis furent alors autorisés à surtaxer certains produits agricoles, d'ailleurs essentiellement français (foie gras, roquefort, jambons, fromages…), produits dont la liste était renouvelée tous les six mois, pour un montant global de 116,8 millions de dollars par an. Les décisions américaines suscitèrent alors en 1999, dans une Europe traumatisée par les affaires de la vache folle (1996) et des poulets à la dioxine (1999), des réactions violentes contre la « malbouffe » américaine, symbolisée par la firme multinationale d'origine américaine Mac Donald.

L'accord SPS prévoit en effet que chaque État peut déterminer le niveau de protection qu'il juge approprié pour protéger la santé des consommateurs ou l'environnement, mais à condition que ce dernier soit fondé sur des « principes scientifiques »,

n'établisse pas de « discrimination arbitraire et injustifiée » entre les pays et ne constitue pas « une restriction déguisée au commerce international ». « Dans le cas où les
preuves scientifiques pertinentes sont insuffisantes », la protection doit être temporaire
et le pays concerné doit « procéder à une analyse plus objective du risque [...] dans un
délai raisonnable ».

Sur cette base, les États-Unis et l'OMC considèrent donc que, tant que la nocivité d'un produit n'a pas été scientifiquement prouvée ou tant que le niveau du risque
semble acceptable, toute mesure de protection des consommateurs ou de l'environnement est injustifiée.

Par contre, l'Europe estime, en vertu du « principe de précaution », qu'un produit ne peut être commercialisé si les risques concernant sa dangerosité sont considérés
comme trop importants par la communauté scientifique.

Le principe de précaution européen a d'abord été défini dans le cadre des politiques environnementales. Il s'agissait de permettre aux pouvoirs publics de prendre des
décisions en avenir incertain, face à un risque potentiel sur lequel les scientifiques ne
pouvaient se prononcer. L'une des définitions de ce principe peut être fournie par une
loi française de 1995 (loi Barnier) : « L'absence de certitudes, compte tenu des connaissances scientifiques et techniques du moment, ne doit pas retarder l'adoption de mesures effectives et proportionnées visant à prévenir un risque de dommages graves et
irréversibles… »

Le principe a par la suite été étendu aux domaines de la sécurité alimentaire et
des risques sanitaires, de façon à « limiter, encadrer ou empêcher certaines actions
potentiellement dangereuses, sans attendre que ce danger soit scientifiquement établi de
façon certaine » (O. Godard).

Ainsi, pour les Européens, un produit dont on doute des qualités ne doit pas être
commercialisé, alors que pour les Américains, il faut apporter la preuve scientifique de
sa dangerosité pour ne pas le commercialiser. En bref, l'approche américaine favorise
les intérêts des producteurs, alors que l'approche européenne privilégie ceux des consommateurs. Dans la mesure où jusqu'à présent les scientifiques n'ont apporté aucune
preuve irréfutable concernant, soit l'existence de risques liés à la consommation de
viande aux hormones, soit l'innocuité totale du produit en question, les deux approches
apparaissent irréductibles.

Une autre plainte des États-Unis contre l'Union européenne dans le domaine du
commerce international des produits agricoles a concerné le refus de l'Union européenne, depuis 1998, d'importer des organismes génétiquement modifiés (OGM) destinés à la consommation humaine ou animale. Dans ce domaine encore, et pour les
mêmes raisons (absence de preuve scientifique de la dangerosité des produits concernés), l'ORD a condamné l'Union européenne au début de l'année 2006.

Les OGM sont des organismes vivants dont on a modifié le patrimoine génétique en manipulant son ADN, afin de les doter de propriétés particulières. Apparus dans

le domaine agricole en 1994, les OGM sont constitués essentiellement par le soja (63 % des surfaces plantées en OGM), le maïs (19 %), le coton (13 %) et le colza (5 %).

Les OGM offrent une meilleure conservation et une meilleure résistance aux maladies et aux insectes nuisibles que les produits naturels, permettant ainsi, non seulement de diminuer le coût des traitements phytosanitaires, mais aussi de limiter les risques de pollution liés à l'utilisation abusive d'insecticides, d'herbicides, de pesticides et autre produits chimiques. Ils permettent en outre d'adapter les cultures à leur environnement climatique ou géologique et d'améliorer leur qualité nutritionnelle, constituant ainsi pour les populations du tiers-monde souffrant de malnutrition ou de sous-alimentation un espoir certain. Ils ouvrent aussi la voie à la recherche d'alicaments, aliments modifiés susceptibles de présenter des qualités médicamenteuses. Ils constituent donc de façon générale un enjeu économique énorme.

Cependant on connaît mal les incidences à long terme des manipulations génétiques sur la santé des consommateurs (risques de déficiences organiques et immunitaires) et sur l'environnement (dissémination dans la nature par pollinisation et croisements inter-variétaux des caractères transplantés, résistance des plantes sauvages aux herbicides et des insectes aux insecticides, toxicité pour les insectes utiles, réduction de la biodiversité…) (cf. encadré 21).

L'Agence française de sécurité sanitaire des aliments a estimé en 2004 qu'« aucun problème de santé, qu'il s'agisse de toxicité ou « d'allergénicité », n'a pu être spécifiquement attribué à un OGM mis sur le marché ». Pour elle, « cela n'exclut pas qu'il puisse exister un risque, mais celui-ci ne peut être ni précisément identifié, ni *a fortiori* quantifié ».

Concernant les incidences sur l'environnement, les risques semblent plus importants, mais tout aussi difficiles à évaluer. En fait, les conséquences sur la santé et l'environnement ne pourront être évaluées qu'à moyen ou à long terme.

TABLEAU 13
Répartition des surfaces ogm dans le monde

Pays	Pourcentage
États-Unis	63
Chine	14
Argentine	11
Canada	10
Australie	1
Mexique	1

Source : OMC

ENCADRÉ 21
Avantages et risques des OGM

Avantages attendus concernant l'environnement	Risques possibles concernant l'environnement
1. Préservation et amélioration de l'écosystème : – maintien d'espèces végétales en voie de disparition ; – création d'espèces utiles à l'équilibre de l'écosystème ; – amélioration des qualités existantes ou introduction de qualités nouvelles ; – adaptation des cultures à leur environnement climatique ou géologique. 2. Protection de l'environnement : – augmentation de la résistance aux maladies ou aux parasites des plantes destinées à l'alimentation humaine ou animale ; – limitation des risques de pollution liés à l'utilisation abusive de produits phytosanitaires, d'insecticides, d'herbicides, de pesticides et autres produits chimiques ; – assainissement des sites contaminés et restauration de la qualité des sols.	1. Dissémination de gènes et croisements inter-variétaux : – transmission de gènes de résistance à des espèces non désirées ; – prolifération anarchique de certaines espèces ; – création d'espèces artificielles ; – disparition de certaines espèces et réduction de la biodiversité. 2. Toxicité pour les insectes utiles et apparition d'insectes résistants aux insecticides.
Avantages attendus concernant la production et la consommation	**Risques possibles concernant les consommateurs**
1. Diminution du coût des traitements phytosanitaires et plus largement des coûts de production. 2. Amélioration de la conservation et de la qualité nutritionnelle des produits. 3. Développement de la production agricole, notamment dans les pays en développement souffrant de déficits alimentaires.	1. Déficiences organiques et immunitaires. 2. Allergies alimentaires. 3. Résistance à certains antibiotiques.

Dans ces conditions, l'Europe a décidé, en 1999, de limiter la production d'OGM, leur utilisation dans l'industrie agroalimentaire et leur commercialisation ; elle impose en outre l'étiquetage des produits alimentaires comportant plus de 0,9 % d'OGM, afin de pouvoir assurer le suivi de la chaîne alimentaire, c'est-à-dire identifier les différentes étapes de l'élaboration des produits alimentaires, depuis les matières premières d'origine jusqu'à leur commercialisation (autrement dit, déterminer leur « traçabilité »).

Cependant, les États-Unis estiment que l'étiquetage ne serait justifié que « si les produits transgéniques étaient substantiellement différents de leurs équivalents

naturels », ce qui pour eux n'est pas le cas. Par ailleurs, la traçabilité aurait pour conséquence d'augmenter le coût des produits alimentaires et, en matière d'OGM, constitue-
rait une publicité négative pour les producteurs. Ces derniers estiment en outre que
même un étiquetage négatif (« ce produit ne contient pas d'OGM ») se révèlerait inu-
tile, puisque, aujourd'hui, la majorité des produits alimentaires contient des OGM.

Un accord a bien été adopté en janvier 2000 à Montréal (Protocole de Cartha-
gène sur la biosécurité), mais pas dans le cadre de l'OMC. Cet accord permet aux pays
de s'opposer à l'importation d'OGM s'ils sont jugés dangereux pour la santé ou l'environnement, sans avoir à prouver scientifiquement leur nocivité (principe de précaution).
Cependant, les exportateurs ne sont pas tenus de préciser la nature et l'importance des
OGM qu'ils vendent (leur seule obligation est d'indiquer que leurs produits « peuvent
contenir des OGM »), ce qui ne permet pas de déterminer leur traçabilité.

L'accord en question ne concerne pas l'OMC en tant que telle et ne constitue
pas pour l'instant une règle officielle du jeu commercial international, contrairement à
l'accord SPS de l'Uruguay Round. Ce dernier exige la preuve scientifique de la dangerosité des produits, soit qu'ils aient eux-mêmes des effets négatifs sur la santé ou l'environnement, soit que les méthodes de production (en l'occurrence la manipulation
génétique) aient modifié les produits de façon telle qu'ils soient devenus dangereux. En
outre, la règle du « traitement national » implique l'absence de discrimination entre
produits nationaux et produits étrangers « identiques » et il n'est pas prouvé que la
manipulation génétique ait modifié le caractère « identique » des produits sans et avec
OGM, ce qui interdit de discriminer les seuls produits importés en leur imposant un étiquetage OGM spécifique, qu'il s'agisse d'un étiquetage positif ou négatif. De fait,
l'ORD a condamné en 2006 la position européenne.

Malgré cela, à la suite de l'avis de la Haute Autorité provisoire sur les OGM
créée par le « Grenelle de l'environnement » en 2007, le Gouvernement français a interdit la culture en plein champ du maïs transgénique de la firme Monsanto, dans l'attente
d'une expertise supplémentaire sur les effets sanitaires et environnementaux de ce produit à long terme (6 pays sur 27 dans l'Union européenne ont adopté la même attitude).
Pourtant, de nombreux scientifiques européens estiment qu'il n'y a pas de « doutes
sérieux », mais simplement des « interrogations » et la polémique entre les pro- et les
anti-OGM n'est pas près de finir.

Un autre problème de sécurité alimentaire se profile à un horizon relativement
rapproché. Les États-Unis ont autorisé en 2008 la production et la vente de viandes
d'animaux clonés (sauf ovins). L'Union européenne autorisera-t-elle l'importation de
ces produits ? Les avis des experts européens concernant les risques relatifs à la santé
des consommateurs divergent : l'Autorité européenne de sécurité des aliments juge
« très improbable » qu'il y ait un risque, alors que le Groupe européen d'éthique « ne
voit pas d'arguments justifiant la production de viandes issues de clonés ».

Un autre arbitrage de l'ORD a tranché (une première fois en 1997 et ensuite en
1999) en faveur des États-Unis, érigés en porte-parole des pays latino-américains pro-

ducteurs de bananes (en fait, trois entreprises multinationales d'origine américaine étaient essentiellement concernées : Dole, Chiquita et Del Monte), dans le différend qui les opposait à l'Europe à propos du régime communautaire d'importation de bananes.

TABLEAU 14
Les exportations mondiales de bananes (en 2004, en %)

Équateur	32,4
Amérique centrale	30,6
Philippines	17,4
Colombie	10,7
Cameroun	1,9
Côte-d'Ivoire	1,7
Autres pays	5,3
Soit pour l'Amérique latine	*83,7*

Source OMC

En effet, dans le cadre de l'Organisation commune du marché de la banane, adoptée en 1993, l'Europe réservait un tiers environ de son marché (le plus important au monde, avec 34 % des importations mondiales) aux bananes provenant des Canaries, de la Guadeloupe et des pays d'Afrique-Caraïbes-Pacifique (exemption de droits de douane) alors que les bananes-dollars originaires d'Amérique latine, qui représentent plus des trois quarts des exportations mondiales, étaient soumises à un quota d'importation.

Les conclusions de l'ORD, qui évaluait à quelque 191 millions de dollars par an le préjudice subi par les firmes nord-américaines, remettaient donc en cause la « préférence communautaire ». Estimant insuffisantes les mesures prises par l'Europe (suppression de licences d'importation) pour se conformer à la décision de l'ORD, les États-Unis ont à nouveau décidé de mesures de rétorsion contre l'Europe en surtaxant certaines de leurs exportations à destination du marché américain. Les surtaxes américaines relatives à ce différend ne furent levées qu'en 2001 (accord de Bruxelles), l'Europe ayant accepté de se conformer aux exigences de l'OMC en supprimant, le 1er janvier 2006, les quotas réservés aux pays ACP.

Au-delà des produits agricoles, les grands conflits euro-américains ont concerné le système américain d'allègements fiscaux (subventions déguisées dont bénéficiaient les exportations américaines grâce aux « *Foreign Sales Corporation* », sociétés-écrans, filiales d'entreprises américaines basées dans des paradis fiscaux), les surtaxes américaines sur les importations d'acier ou le reversement aux entreprises américaines plaignantes des surtaxes antidumping prélevées par l'Administration américaine (Amendement Byrd).

Suite à l'action intentée par l'Union européenne, le système américain des FSC fut condamné par l'ORD en 1999. Comme les États-Unis n'avaient pas modifié leur système de façon substantielle, l'ORD réitéra sa condamnation en 2001 et en appel en 2002, estimant à 4 milliards de dollars le préjudice annuel subi par l'Europe et autorisant l'Union européenne à prélever des droits de douane sur des produits américains pour compenser le préjudice subi.

Quant aux surtaxes antidumping concernant l'acier, elles furent aussi condamnées par l'ORD en 2003, à la suite de la plainte de l'Union européenne et de plusieurs autres pays exportateurs d'acier. La décision de l'ORD a été confirmée en appel et l'Union européenne a menacé les États-Unis de sanctions commerciales à hauteur de 2,2 milliards de dollars si les surtaxes n'étaient pas supprimées, ce que firent les États-Unis en décembre 2003.

Le rôle de l'ORD apparaît cependant de plus en plus contesté. Demeurent en effet quelques doutes sur l'efficacité du système et sur la capacité de l'OMC d'imposer des mesures de rétorsion, notamment si ces dernières doivent être mises en œuvre par des petits pays à l'encontre de grandes puissances. En outre, l'ORD est suspecté de toujours trancher en donnant la priorité à la libre circulation au détriment de la santé publique et de la protection de l'environnement. Enfin, certains conflits peuvent résulter de choix idéologiques et culturels, à la marge du commerce international (le refus d'importer certains produits alimentaires pour des raisons religieuses par exemple) ; la mise en œuvre éventuelle de sanctions autorisées par l'ORD risquerait alors d'avoir un coût politique supérieur au préjudice économique subi par le pays plaignant.

1.3.3 *L'ouverture d'un nouveau cycle*

L'ouverture d'un nouveau cycle de négociation s'est avérée particulièrement difficile. À la suite d'une décision de la deuxième conférence ministérielle (Genève, 1998), un nouveau Round de négociations multilatérales réunissant les 135 pays membres de l'OMC devait s'ouvrir en 2000 (le Millenium Round).

Les travaux préparatoires de la troisième conférence ministérielle de Seattle à la fin du mois de novembre 1999 furent marqués, d'une part, par la présence d'organisations internationales privées (ONG notamment) qui manifestaient leur hostilité à la mondialisation et à l'OMC (cf. encadré 22) et, d'autre part, par la difficulté de fixer un ordre du jour des négociations. La réunion de Seattle s'est d'ailleurs terminée sur un constat d'impuissance à ce sujet, reportant à une date ultérieure l'ouverture du cycle de négociation.

De nombreuses organisations représentant l'opinion publique mondiale ont en effet exprimé à Seattle pour la première fois leurs préoccupations, parfois contradictoires, relatives à la protection des consommateurs, de l'environnement ou de l'identité culturelle face à la concurrence que se livrent les États dans le cadre de la mondialisation. Elles ont aussi dénoncé les inégalités d'accès aux richesses créées par la croissance économique et le développement des échanges internationaux.

ENCADRÉ 22
La mondialisation remise en cause

Effets positifs (libéraux)	Effets négatifs (altermondialistes)
— Elle favorise l'efficience productive grâce à la spécialisation des partenaires commerciaux dans les productions où ils disposent d'un avantage comparatif.	— Elle encourage la surexploitation des ressources naturelles de la planète.
— Elle permet l'augmentation de la production de richesses et l'élévation du niveau de vie des nations participant aux échanges internationaux.	— En opposant des pays n'ayant pas le même niveau de développement, elle creuse les écarts de développement entre le Nord et le Sud (entre 1960 et 2000, la croissance par tête a été de 2,1 % par an en moyenne au Nord contre 0,2 % dans les PMA) ; en outre, elle détériore la qualité de vie en négligeant la protection des consommateurs et de l'environnement (à travers le refus du principe de précaution) et en mettant en danger les spécificités culturelles nationales.
— Elle permet le développement des gains mutuels liés à l'échange international.	— Elle suscite des inégalités dans le partage des gains de l'échange et paupérise les populations du Sud à travers l'instabilité des cours des produits de base et les difficultés d'accès aux marchés des pays du Nord.
— Elle diffuse le progrès technique et plus largement le progrès économique.	— Elle entraîne des restructurations ou des délocalisations industrielles qui génèrent du chômage.
— Elle favorise la circulation des capitaux des pays les mieux pourvus vers les pays les moins bien pourvus.	— Elle favorise l'instabilité économique et financière, les excès de la spéculation suscitant des crises financières difficilement contrôlables.

Concernant l'agenda des négociations, l'OMC prévoyait d'aborder, parmi de nombreux sujets, la poursuite de la libéralisation du commerce international des produits agricoles et des services, l'adaptation de ses règles au cas des pays en développement et l'instauration de normes sociales minimales.

Si l'ensemble des pays industrialisés avaient des points de vue proches en ce qui concernait la libéralisation du commerce international des services (sauf sur l'exception culturelle européenne et les services publics) et la définition de clauses sociales minimales (réduction des disparités en matière de droit du travail et de charges sociales afin d'égaliser les conditions de concurrence), les États-Unis et l'Europe s'opposaient sur les modalités de la poursuite de la libéralisation des échanges agricoles.

L'accord agricole de l'Uruguay Round avait certes été respecté dans ses grandes lignes :

– le soutien des prix avait été remplacé par un soutien direct des agriculteurs ;
– les restrictions quantitatives avaient été supprimées ;
– les droits de douane étaient devenus fixes et avaient été diminués de 36 % ;
– les subventions publiques avaient effectivement été diminuées comme prévu.

Mais les droits de douanes moyens étaient encore très largement supérieurs à ceux des produits industriels (60 % contre 4 %) et le soutien public à la production restait encore élevé. En outre, les restrictions quantitatives avaient été remplacées par des tarifs douaniers pénalisants, par des quotas tarifaires (droits réduits pour une certaine quantité et plus élevés au-delà) ou par des restrictions liées à des normes nationales sanitaires, environnementales ou culturelles contraignantes.

Par ailleurs, l'Europe considérait que l'agriculture était multifonctionnelle dans la mesure où elle assure non seulement une fonction productrice, mais aussi des fonctions d'aménagement du territoire et d'entretien de l'espace, de préservation de l'environnement, de contribution à la diversité des écosystèmes et de maintien de l'emploi, autant de fonctions qui n'ont pas nécessairement de caractère commercial et qui impliquent un traitement particulier.

Quant aux pays en développement, qui s'estimaient écartés des discussions qui se tenaient en coulisse entre pays riches alors qu'ils représentent plus des deux tiers des membres de l'OMC, ils contestèrent vivement les méthodes de travail de l'OMC et dénoncèrent leur marginalisation dans le processus de négociation.

De fait, les pays en développement n'avaient eu jusqu'à présent que peu de poids dans les négociations internationales, n'obtenant que quelques rares succès. Le

TABLEAU 15
Droits de douane moyens sur les importations de produits agricoles
(en 2004 et en %)

Inde	37,4
Chine	16,2
Brésil	10,3
Japon	7,3
États-Unis	6,8
Union européenne	5,9

Source : OMC

GATT et l'OMC étaient restés une affaire de pays riches dans laquelle les États-Unis, l'Europe et le Japon, qui représentent les trois quarts des échanges mondiaux, avaient largement décidé entre eux, et pour leur propre profit, des règles du commerce mondial.

À Seattle, comme précédemment à Singapour, les pays du Sud exigèrent un accès plus facile de leurs produits agricoles sur les marchés des pays industrialisés. Ils insistèrent en outre pour que ces derniers les aident à remplir leurs engagements contractés lors de l'Uruguay Round. Enfin, ils refusèrent catégoriquement que les normes sociales (qui pour eux ne peuvent s'améliorer que dans le cadre d'une meilleure croissance économique) ou la protection de l'environnement puissent faire l'objet d'une négociation qui risquerait de les priver des avantages concurrentiels dont ils disposent face aux pays riches et de retarder leurs efforts de développement.

À la suite de l'échec de Seattle, la quatrième conférence ministérielle de l'OMC réunit en novembre 2001 à Doha (Qatar) les pays membres, dont la Chine (cf. encadré 23) et Taiwan qui venaient d'y adhérer, afin de relancer le Millénium Round, rebaptisé « Programme de Doha pour le développement ».

Le programme établi à Doha prévoyait de relancer les négociations sur l'accès aux marchés et sur les questions dites « de Singapour », prescrivant l'incorporation systématique du « traitement spécial et différencié » en faveur des pays en développement pour toutes les négociations, et fixant à la fin de l'année 2004 la date limite pour l'achèvement des négociations.

Les questions de Singapour concernaient essentiellement la sécurisation des investissements à l'étranger, la lutte contre les restrictions nationales relatives à la concurrence dans certains secteurs (transports, télécommunication, électricité…) et la transparence des marchés publics, mais, devant les difficultés de la négociation, elles furent retirées de l'agenda à la demande des pays en développement.

L'accès aux marchés devait concerner la poursuite de la libéralisation des échanges agricoles et des échanges de services, l'élargissement ou les aménagements de l'Accord sur les droits de la propriété intellectuelle (y compris les appellations géographiques des vins, alcools et autres produits agricoles), la réduction des pics tarifaires industriels, ainsi que l'amélioration des politiques antidumping. Par contre, la conférence ministérielle renonça à ouvrir des négociations sur le principe de précaution européen et sur les normes sociales.

Concernant le commerce international des produits agricoles, l'Union européenne refusait toujours, au nom du caractère multifonctionnel de l'agriculture, l'élimination totale et immédiate des subventions publiques exigée par les États-Unis et le Groupe de Cairns. Quant aux pays en développement, ils reprochaient toujours aux pays riches de ne pas tenir suffisamment compte de leurs préoccupations spécifiques et exigeaient un meilleur accès de leurs produits aux marchés des pays industrialisés.

ENCADRÉ 23
La Chine dans l'OMC

1. Membre observateur du GATT depuis 1982, la Chine s'était vu refuser son adhésion en 1986 et n'avait pu de ce fait devenir membre fondateur de l'OMC, comme elle l'aurait souhaité. Elle adhérera finalement à l'OMC en 2001, après quinze ans de négociations. Pour obtenir cette adhésion, la Chine a engagé dans les années 1980 une série de réformes destinées à instaurer une « économie socialiste de marché ». Elle a du en outre s'engager à respecter au plus tard en 2006 les règles du libre-échange, d'une part en ouvrant plus largement ses marchés (suppression des contingentements et baisse de 17 à 8,9 % des droits de douane sur les produits industriels, ouverture du secteur tertiaire aux capitaux étrangers, réduction de son niveau de protection agricole), et d'autre part en respectant l'Accord sur la propriété intellectuelle. La Chine devait en outre abandonner son système de double change et assurer la convertibilité du Yuan.

2. Dès les premières réformes, la Chine a connu une croissance rapide (plus de 7 % par an entre 1980 et 2002), grâce au développement de ses industries manufacturières à forte intensité en travail (industries d'assemblage notamment, souvent liées à une segmentation internationale des processus de production, dans les secteurs des textiles, des jouets, de l'électricité, de l'électronique…), à un afflux de capitaux étrangers et à son insertion dans les échanges internationaux. Ses exportations, constituées pour un tiers par des produits électriques et électroniques, et pour un quart par des produits textiles, représentent presque le quart de son PIB. Elles ont augmenté de 12 % par an au cours des années 1990, passant de 2 % des exportations mondiales en 1980 à plus de 7 % en 2002.

3. La Chine contemporaine souffre toutefois de certaines faiblesses parmi lesquelles on peut citer l'obsolescence des entreprises publiques, le sous-développement de l'agriculture, la fragilité du système bancaire et financier et le développement des inégalités sociales.

S'agissant des services, le cycle de Doha décida d'exclure de la négociation les services qui relèvent des compétences gouvernementales et ne sont pas soumis à concurrence (police, justice, défense…), mais les États-Unis souhaitèrent que soient soumis à négociation les services publics de transport, de fourniture énergétique, de santé ou d'éducation, que l'Europe pour sa part refusait d'ouvrir à la concurrence étrangère.

Pour ce qui concerne les droits de la propriété intellectuelle touchant au commerce (ADPIC), la principale revendication des pays en développement concernait l'accès aux médicaments essentiels à un coût abordable. L'ADPIC protège en effet les brevets relatifs aux produits et aux procédés de fabrication pendant 20 ans afin de rentabiliser les coûts de la recherche ; mais il accorde de ce fait un monopole aux firmes concernées et les prix pratiqués sont souvent trop élevés pour les pays en développement.

Les pays industrialisés ont accepté à Doha, sous la pression de l'opinion publique internationale, le principe selon lequel les pays en développement confrontés à de graves problèmes de santé publique puissent avoir accès à des médicaments génériques copiés à partir de médicaments trop chers car protégés par des brevets. L'année 2000 avait en effet été marquée par l'émotion suscitée dans l'opinion publique mondiale par le procès engagé par des firmes pharmaceutiques occidentales contre l'Afrique du Sud qui, comme le Brésil, avait décidé de fabriquer des médicaments génériques pour lutter contre le sida (la même année, les États-Unis avaient menacé la firme allemande Bayer de copier le Cipro, antibiotique destiné à lutter contre la maladie du charbon, s'ils l'estimaient nécessaire…).

Les premières négociations entamées à Genève en 2002 concernèrent les droits de la propriété intellectuelle de l'industrie pharmaceutique et la protection des brevets relatifs à la fabrication de médicaments. Mais, malgré l'engagement précédent des pays industrialisés, les négociations de Genève ne purent aboutir au cours de l'année 2002, du fait de l'opposition des États-Unis, de la Suisse et du Japon. Il faudra attendre août 2003 pour qu'un accord permette aux pays du Sud de fabriquer des médicaments génériques, en cas de situation d'urgence, afin de pouvoir lutter efficacement contre les grandes pandémies (sida, malaria, tuberculose notamment). Cependant, l'accord ne permet pas aux pays en développement qui disposent d'une industrie pharmaceutique d'exporter librement, vers les pays qui n'en ont pas, leurs médicaments génériques postérieurs à 1995.

La cinquième conférence ministérielle de Cancún, en septembre 2003, devait faire le point sur les négociations lancées à Doha ; elle se termina sur un nouveau constat d'échec et dut repousser la date limite des négociations du cycle de Doha (qui, d'abord fixée à fin 2004, fut reportée à juillet 2006, puis à juillet 2008).

Réunis dans le cadre du G22 et emmenés par les géants que sont l'Inde, la Chine et le Brésil, certains pays en développement exigèrent l'élimination totale des subventions agricoles dans les pays riches et un accès plus facile à leurs marchés, sans proposer de contrepartie, entraînant ainsi le blocage des négociations. Le G22 et le G90 (qui regroupait quant à lui les pays en développement les plus pauvres, notamment africains) refusèrent par ailleurs de négocier sur les questions de Singapour, arguant du fait qu'ils ne parvenaient déjà pas à appliquer leurs engagements de l'Uruguay Round.

Il faudra attendre le mois d'août 2004 pour que les négociateurs parviennent à Genève à un préaccord sur le volet agricole. À la demande du G22, les subventions sur les exportations agricoles devront être supprimées et les soutiens internes réduits afin de lutter contre les distorsions de concurrence ; pour faciliter l'accès aux marchés, les droits de douane seront réduits, excepté pour certains produits « sensibles » (comme le riz au Japon ou le sucre dans l'Union européenne). En contrepartie, les pays en développement accepteront de diminuer leurs tarifs douaniers sur les produits industriels.

La conférence de Hong Kong de décembre 2005 a précisé le contenu du préaccord précédent. L'Union européenne a accepté de réduire ses subventions aux exportations agricoles à partir de 2010 et de les supprimer totalement à l'horizon 2013 (comme le prévoyait d'ailleurs l'accord européen de Bruxelles de 2003 relatif à la PAC). Les

États-Unis ont, quant à eux, accepté de supprimer leurs subventions aux exportations de coton (mais en maintenant toutefois leurs aides directes aux producteurs), à la demande des pays africains qui pourront par ailleurs exporter leur production en franchise vers les pays développés à partir de 2008. Aucun compromis n'a pu être adopté quant à la réduction des droits de douane.

L'accord de Hong Kong prévoyait par ailleurs la poursuite des négociations sur le commerce des services avec les 50 pays intéressés, les résultats auxquels ils pourraient aboutir étant automatiquement étendus à tous par le biais de la multilatéralisation.

L'accord de Hong Kong est donc demeuré relativement modeste, mais il a évité les conséquences d'un échec supplémentaire après ceux de Seattle et de Cancún et a permis la poursuite des négociations. Cependant, malgré les efforts du Directeur Général de l'OMC pour rapprocher les positions des pays industrialisés avec celles du G22 concernant la réduction du soutien à l'agriculture et la diminution des tarifs douaniers industriels et agricoles, les négociations ont cessé en juillet 2008 à Genève sans parvenir à un accord. En fait, ces dernières ne pourront reprendre qu'en 2009, après les élections présidentielles américaines.

Sept ans après son ouverture, le cycle de Doha semble donc à l'heure actuelle dans l'impasse.

Longtemps marginalisés dans les négociations du GATT, les pays du Sud, qui représentent 80 % des membres de l'OMC, mais seulement 25 % des échanges mondiaux, semblent avoir acquis aujourd'hui, essentiellement grâce à leur importance démographique et à la présence récente de la Chine, un poids plus important, puisqu'ils sont parvenus à bloquer les négociations jusqu'à ce que l'Europe et les États-Unis cèdent dans le domaine agricole ou dans celui de la propriété intellectuelle des firmes pharmaceutiques.

Pourtant, le G22 réunit des pays dont les intérêts sont souvent divergents, même s'ils sont masqués par une unité de façade. En outre, ils sont soutenus par des ONG dont les propositions sont souvent contradictoires. Enfin, ils risquent de transformer l'OMC en forum politique et d'inciter les pays riches à privilégier leurs relations bilatérales ou régionales, au détriment des relations multilatérales. Ceci illustre bien la difficulté des pays en développement à obtenir dans les négociations commerciales internationales des aménagements des règles du jeu commercial mondial qui tiennent réellement compte de leur spécificité.

Quant aux autres instances de négociation, comme la CNUCED (Conférence des Nations unies sur le commerce et le développement), elles n'ont pas non plus permis aux pays du Sud de transformer fondamentalement l'ordre économique international construit par les pays du Nord.

RÉSUMÉ DU CHAPITRE

Au lendemain de la Seconde Guerre mondiale, les nations commerçantes, décidées à lutter contre le protectionnisme, ont fixé dans le cadre du GATT, et au fil des négociations internationales successives (Rounds), un certain nombre de règles destinées à favoriser la concurrence internationale. Les plus importantes sont constituées par la clause de la nation la plus favorisée, le principe du traitement national, l'interdiction des restrictions quantitatives à l'importation, ainsi que l'interdiction du dumping et des subventions publiques à l'exportation. Depuis 1995, l'Organisation mondiale du commerce est chargée de faire appliquer les règles précédentes, d'arbitrer les différends éventuels entre les nations et d'assurer la poursuite des négociations.

MOTS CLÉS (VOIR LEXIQUE)

Accord sur les droits de la propriété intellectuelle relative au commerce • Accord multifibres • Accord sanitaire et phytosanitaire • Altermondialisme • Clause de la nation la plus favorisée • Contingentement • Conventions de Lomé et de Cotonou • Droit de douane • Dumping • Exception culturelle • Firmes multinationales • GATS • GATT • G22 • Intégration économique • Libéralisme économique • Mondialisation • Nouveaux pays industrialisés • Organe de règlement des différends • Organisation mondiale du commerce • Organisations non gouvernementales • Organismes génétiquement modifiés • Pays en développement • Politique agricole commune • Principe d'inégalité compensatoire • Principe de précaution • Principe du traitement national • Protectionnisme • Round • Système des préférences généralisées.

TESTEZ VOS CONNAISSANCES

- Quels sont les principaux acteurs de la mondialisation ?
- Que signifie la mondialisation de l'économie ?
- Quelles sont les formes du protectionnisme ?
- Quels sont les objectifs et les limites de la clause de la nation la plus favorisée ?
- Quelles sont les modalités de l'intégration économique régionale ?
- Quels sont l'objet et le contenu des Conventions de Lomé et de Cotonou ?
- Quels étaient la stratégie, les atouts et les limites de l'industrialisation des nouveaux pays industrialisés d'Asie ?
- Quels sont l'objet et les limites du principe du traitement national ?
- Quels sont l'objet et les modalités du système des préférences généralisées ?
- Pourquoi les nations décident-elles parfois de restrictions quantitatives à l'importation de produits étrangers ?
- Quel était l'objet de l'accord multifibres ?
- Qu'appelle-t-on le « dumping » ?
- Pourquoi les subventions publiques à l'exportation sont-elles interdites par le GATT ?

- Comment le protectionnisme se manifeste-t-il dans le domaine de l'agriculture ?
- Quelles sont les formes de soutien interne à l'agriculture en Europe ?
- Quelles ont été les principales étapes de la négociation agricole dans l'Uruguay Round et quels en ont été les résultats ?
- Quel est le contenu de l'accord sur les mesures sanitaires et phytosanitaires ?
- Quels sont les modes d'échange de services au plan international ?
- Quels sont les obstacles au commerce international des services ?
- Quels sont les principaux résultats de l'Uruguay Round dans le domaine des services ?
- Quel est le contenu de l'Accord sur les droits de la propriété intellectuelle relative au Commerce ?
- Quelles sont les missions de l'OMC ?
- Quels sont les types de conflits commerciaux susceptibles d'être soumis à l'arbitrage de l'OMC ?
- Comment fonctionne l'Organe de règlement des différends ?
- Quels ont été les principaux différends entre les États-Unis et l'Europe en matière de commerce international de produits agricoles depuis la fin de l'Uruguay Round ?
- Quels sont les avantages et les risques des OGM ?
- Quelles sont les causes de l'échec du Millenium Round ?
- Qu'en est-il aujourd'hui du Round de Doha ?

POUR ALLER PLUS LOIN DANS LA RÉFLEXION

- Pourquoi et comment la mondialisation est-elle remise en cause par les altermondialistes ?
- Comment démontrer que la mise en œuvre d'une politique protectionniste nationale (droits de douane ou contingentements) entraîne une perte nette en termes de bien-être pour la collectivité concernée ?
- La Convention de Cotonou est-elle contraire à la clause de la nation la plus favorisée ?
- Les imperfections de la concurrence internationale permettent-elles de justifier le protectionnisme ?
- Quels sont les effets de la création d'ententes économiques régionales sur le commerce international ?
- Dans quelle mesure l'intégration économique régionale contrevient-elle aux règles du GATT ?
- Dans quelle mesure est-il possible de justifier les restrictions quantitatives à l'importation de produits étrangers ?
- Comment démontrer que le dumping et les subventions publiques à l'exportation constituent des pratiques commerciales déloyales ?

- Pourquoi les subventions publiques aux producteurs nationaux entraînent-elles la diminution des importations concurrentes ?
- Quelles sont les origines et les conséquences de la crise de l'agriculture américaine du début des années 1980 ?
- Quelles sont les modalités du protectionnisme agricole européen et peut-on aussi parler de protectionnisme à propos de la politique agricole américaine ?
- Les résultats de la négociation agricole de l'Uruguay Round sont-ils favorables aux États-Unis et défavorables à l'Europe ?
- Le libre-échange est-il compatible avec la protection des consommateurs ?
- Dans quelle mesure les décisions des États dans le domaine sanitaire peuvent-elles constituer des formes de protection commerciale déguisées ?
- Le libre-échange est-il compatible avec la protection de l'environnement ?
- Dans quelle mesure les décisions des États relatives à la protection de l'environnement peuvent-elles constituer des obstacles protectionnistes déguisés au libre-échange ?
- Comment éviter que certains pays ne sacrifient leur environnement pour produire plus et être plus compétitifs ?
- Pourquoi ne parvient-on pas à définir des normes sanitaires, environnementales ou sociales au plan international ?
- Quelles peuvent être les conséquences de la libération des échanges et de la croissance du commerce international sur l'environnement ?
- L'« exception culturelle » européenne est-elle justifiée ?
- Le libre-échange est-il compatible avec la protection du travail ?
- Dans quelle mesure l'exploitation abusive du travail constitue-t-elle une forme de concurrence déloyale dans le commerce international ?
- La mondialisation tend-elle à imposer un modèle social unique ?
- Peut-on imaginer des normes sociales minimales internationales dans le domaine de la rémunération du travail et de la protection sociale des salariés ?
- Quels sont les problèmes posés par l'aménagement des droits de la propriété intellectuelle en faveur des pays en développement ?
- Dans quelle mesure le caractère multifonctionnel de l'agriculture peut-il freiner la libéralisation des échanges agricoles ?
- Dans quelle mesure l'accord SPS de l'Uruguay Round est-il incompatible avec le principe de précaution ?

RÉFÉRENCES BIBLIOGRAPHIQUES

ADDA J., *La Mondialisation de l'économie*, Paris, La Découverte, 2001, tomes 1 et 2.

BALASSA B., *Theory of economic integration*, Londres, Allen & Unwin Ldt, 1961.

BARTON J.H. *et al.*, *The evolution of the trade regime*, Princeton N.J., Princeton University Press, 2006.

BAUCHET P., *Concentration des multinationales et mutation des pouvoirs de l'État*, Paris, Éditions CNRS, 2003.

BERTHELOT E., *La Communauté européenne et le règlement des différends au sein de l'OMC*, Paris, Éditions Apogée, 2001.

BERTRAND A. et KALAFATIDES L., *OMC, le pouvoir invisible*, Paris, Fayard, 2002.

BHAGWATI J., *Protectionnisme*, Paris, Dunod, 1990.

BLIN O., *L'Organisation mondiale du commerce*, Paris, Ellipses, 1999.

BLOCK F., *The vampire state and others stories*, New York, New Press, 1996.

BONIFACE P., *Relations internationales*, Paris, Dunod, 1995.

CEPII, *L'économie mondiale 2007*, Paris, La Découverte, 2006.

CHAVAGNEUX C., *Économie politique internationale*, Paris, La Découverte, 2004.

DE MELO J. et GRETHER J.-M., *Commerce international : théories et applications*, Bruxelles, De Boeck, 1997.

DRUCKER P., *The global economy and the Nation-State*, Foreign Affairs, sept. 1997.

DUMAS A., « Politiques nationales et mondialisation », in VAN CROMPHAUT M. (coord.), *Quel État-nation à l'heure de la mondialisation ?*, Paris, L'Harmattan, 2003.

GODARD O., *Le Principe de précaution dans la conduite des affaires humaines*, Paris, Maison des Sciences de l'Homme, 1997.

GUILLOCHON B., *Le Protectionnisme*, Paris, La Découverte, 2001.

HELPMAN H. et KRUGMAN P., *Market structure and foreign trade*, Cambridge, Mass., MIT Press, 1985.

HUGON P., *Économie politique internationale et mondialisation*, Paris, Économica, 1997.

KEBABDJIAN G., *Les Théories de l'économie politique internationale*, Paris, Seuil, 1999.

KRUGMAN P. et OBSTFELD M., *Économie internationale*, Bruxelles, De Boeck, 2001.

MUCCHIELLI J.-L., *Relations économiques internationales*, Paris, Hachette, 2001.

OHMAE K., *L'Entreprise sans frontières : nouveaux impératifs stratégiques*, trad. de l'américain par Alain Mreiden, Paris, InterÉd, 1991.

PANTZ D., *Institutions et politiques commerciales internationales*, Paris, A. Colin, 1998.

PAULET P., *La Mondialisation*, Paris, Armand Colin, 2002.

RAINELLI M., *Le GATT*, Paris, La Découverte, 1993.

RAINELLI M., *L'Organisation mondiale du commerce*, Paris, La Découverte, 2004.

REICH R., *L'Économie mondialisée*, Paris, Dunod 1993.

SENARCLENS P. de, *Mondialisation, souveraineté et théorie des relations internationales*, Paris, Armand Colin, 1998.

STRANGE S., *The Retreat of the State ; the diffusion of power in the world economy*, Cambridge, Cambridge University Press 1996.

TENIER J., *Intégrations régionales et mondialisation*, Paris, La Documentation française, 2003.

VINER J., *The customs union issues*, Londres, Allen&Unwin Ldt, 1950.

2

LA CONTESTATION DES RÈGLES DU JEU COMMERCIAL

Les règles du jeu commercial international et, plus largement, la mondialisation sont souvent contestées par les pays en développement qui les jugent trop contraignantes compte tenu de leur situation économique particulière, et qui considèrent qu'ils ne tirent que peu de profit d'une mondialisation qui sert d'abord les intérêts des pays les plus riches. En effet :

- leur part dans les échanges mondiaux reste limitée au tiers de ces derniers, comme en 1950, avec de très fortes inégalités selon les pays : la part de l'Amérique latine est passée de 12,3 % à 5,2 %, celle de l'Afrique est passée de 7,3 % à 2,3 % (cf. encadré 24) et celle des 50 pays les moins avancés (PMA) ne représente plus que 0,5 % du commerce international ;
- l'augmentation en volume du commerce extérieur des pays en développement est essentiellement due aux pays émergents d'Asie ; seuls ces derniers ont pu depuis les années 1980 s'insérer dans les courants d'échanges mondiaux et bénéficier d'une croissance rapide ;
- les échanges entre pays en développement restent limités malgré les tentatives d'intégration régionale (8 % des échanges mondiaux) ;
- les inégalités de développement tendent à s'accentuer (cf. encadré 25).

Certes, l'OMC reconnaît que les pays en développement nécessitent un « traitement spécial et différencié » et leur accorde des allègements dans l'accomplissement de certaines de leurs obligations, à des degrés divers selon leur niveau de développement. Les accords commerciaux comportent en effet des dispositions spéciales en leur faveur : délais pour l'application de certains accords, autorisations de restrictions quantitatives à l'importation ou de subventions publiques à la production et à l'exportation (pour certains produits et dans certaines circonstances) et octroi d'une assistance technique.

Mais, de façon générale, les pays en développement n'ont eu jusqu'à présent que peu de poids lorsqu'ils ont voulu obtenir des aménagements des règles du jeu commercial dans les négociations internationales, malgré la constitution de groupes de pression, au sein de la Conférence des Nations unies sur le commerce et le développement (CNUCED) à partir de 1964, ou, plus récemment, au sein de l'OMC (cf. encadré 26).

ENCADRÉ 24
Les obstacles au commerce extérieur de l'Afrique

1. **Une diversification insuffisante** de ses exportations et la faiblesse des exportations industrielles : les exportations africaines sont en effet souvent constituées par des produits de base et les pays producteurs sont souvent mono-exportateurs.
2. **Une faible compétitivité** liée à des coûts de production élevés.
3. **Un protectionnisme fort** : les droits de douane sont en moyenne plus élevés qu'en Asie ou en Amérique latine. Il existe certes des ententes économiques entre les pays africains, mais leurs accords sont mal, voire pas du tout appliqués.
4. **Une situation interne instable**, tant du point de vue politique que du point de vue économique.

ENCADRÉ 25
Les théories de l'échange inégal

1. Se fondant sur l'observation des relations économiques entre les pays en développement et les pays riches, les auteurs des théories de l'**échange inégal** estiment que les théories libérales de l'échange international évacuent de leur analyse les inégalités initiales de développement des pays coéchangistes et pensent que la division internationale du travail entraîne des situations d'inégalité dans l'échange international, voire une dépendance accrue des pays en développement à l'égard des pays industrialisés.

2. C'est ainsi que A. Emmanuel tente de montrer que les échanges entre pays en développement et pays industrialisés se traduisent par un **transfert de valeur** au détriment des premiers et au profit des seconds. Partant de l'hypothèse selon laquelle le capital est internationalement mobile (entraînant une tendance à l'égalisation des taux de profit) alors que le travail est internationalement immobile (maintenant les différences de salaire), il démontre que les **pays en développement vendent aux pays industrialisés des produits dont le prix est inférieur à leur valeur et leur achètent des produits dont le prix est supérieur à leur valeur**. Pour lui, en effet, la valeur est constituée par la somme du capital investi (*capital constant*), des salaires versés (*capital variable*) et de la différence entre la valeur universelle du travail et la rémunération effectivement versée aux travailleurs (*plus-value*) par unité produite, alors que le prix est constitué par la somme du capital investi, des salaires et du taux de profit. Comme l'échange s'effectue selon le prix et non selon la valeur, il se traduit donc par un transfert de valeur. Ainsi, l'échange inégal provient-il en dernière analyse de la différence de rémunération du travail entre les pays en développement et les pays riches.

Schéma de transformation des valeurs en prix
(par unité produite, pour un même produit fabriqué
avec des équipements identiques et dont la valeur est identique)

Pays	Capital constant c	Capital variable v	Plus value m	Valeur V=c+v+m	Profit p	Prix P=c+v+p
Industrialisé	50	100	20	170	60	210
En développement	50	20	100	170	60	130

ENCADRÉ 26
Les ententes dans le tiers-monde

1. Représentant plus d'une centaine de nations et prolongeant le mouvement anticolonialiste et tiers-mondiste issu de la célèbre conférence afro-asiatique de Bandung de 1955, le **Groupe des pays non-alignés** est né en 1961 à Belgrade. Érigé en porte-parole des pays du tiers-monde, il met au départ l'accent sur les problèmes relatifs à l'ordre politique international (lutte contre le colonialisme, recherche de l'indépendance et de la souveraineté nationales, protection de l'intégrité territoriale, refus de la guerre froide Est-Ouest). Très rapidement cependant, le Groupe donne la priorité aux revendications relatives à l'ordre économique international (contrôle des ressources nationales, réforme des règles du commerce mondial, coopération économique entre pays sous-développés). Le groupe est ainsi à l'origine de la Charte relative à l'aménagement d'un nouvel ordre économique international adoptée dans le cadre de l'ONU en 1974. De par sa présence permanente sur la scène internationale, le Groupe des non-alignés a constitué jusqu'aux années 1980 une force politique importante, mais ses divergences internes ont limité son action internationale.

2. Le **Groupe des 77**, né à Genève en 1964 à l'occasion de la première CNUCED, il comprend plus de 130 pays et est devenu au fil des ans la principale force politique du tiers-monde. Ses objectifs (droit au développement) sont essentiellement économiques des années 1970 et 1980 : il constitue un groupe de pression au sein de la CNUCED pour transformer l'ordre économique international (redistribution des richesses mondiales) et mener une action solidaire au sein des organisations internationales (participation à la définition des règles du jeu commercial et monétaire international). Le relatif échec du dialogue Nord-Sud a conduit le Groupe des 77 à modifier ses objectifs dans le sens du développement de la coopération économique entre pays en développement (constitution d'unions régionales, développement des échanges Sud-Sud, recherche technologique…). Mais, comme le Groupe des non-alignés, le Groupe des 77 s'est heurté aux intérêts contradictoires de ses membres, ce qui limitait son pouvoir de négociation dans les instances internationales.

3. C'est à l'occasion de la cinquième conférence ministérielle de l'OMC à Cancún en septembre 2003 qu'un certain nombre de pays en développement se réunirent dans le cadre du **G22** autour de l'Inde, de la Chine et du Brésil, exigeant l'élimination totale des subventions agricoles dans les pays riches et un accès plus facile à leurs marchés, sans proposer de contreparties, et entraînant ainsi le blocage des négociations agricoles. Le **G90** regroupait quant à lui les pays en développement les plus pauvres, notamment africains, qui refusaient de négocier sur les questions de Singapour, arguant du fait qu'ils ne parvenaient déjà pas à appliquer leurs engagements de l'Uruguay Round.

2.1 LES TENTATIVES D'AMÉNAGEMENT EN FAVEUR DES PAYS EN DÉVELOPPEMENT

Les tentatives d'aménagement des règles du jeu commercial international négociées au sein de la CNUCED et destinées à « moraliser » certaines pratiques du commerce international concernant notamment les modes de fixation de prix des produits de base sur les marchés internationaux, les transferts de technologie ou l'activité des firmes multinationales, se sont révélées décevantes.

2.1.1 *Le commerce international des produits de base*

Les produits de base étaient définis dans la charte de La Havane comme « des produits de l'agriculture, des forêts, de la pêche et du sous-sol, que ces produits se présentent sous leur forme naturelle ou qu'ils aient subi la transformation qu'exige la vente en quantité importante sur le marché international ». Il s'agit donc des produits agricoles de base (céréales, oléagineux…), des produits tropicaux (café, cacao, fruits…), des matières premières agricoles (coton, laine, caoutchouc…), des minerais, métalliques ou non, et des combustibles (pétrole, gaz, charbon).

Même s'ils ne sont pas les principaux exportateurs de produits de base (pétrole excepté, les pays industrialisés en exportent deux fois plus), les pays du Sud, souvent mono-exportateurs, se révèlent particulièrement dépendants de l'évolution des prix internationaux. Une chute des cours peut avoir pour eux des conséquences catastrophiques dans la mesure où leur activité économique est très largement tributaire de leurs exportations.

L'observation de l'évolution moyenne du cours des produits de base depuis plus de 50 ans met en évidence deux phénomènes :
– les prix ont tendance à diminuer dans le long terme du fait d'une tendance à la surproduction face à une demande relativement élastique ;
– les prix connaissent d'importantes fluctuations annuelles, variables selon la nature des produits et les modes de fixation des cours sur les marchés internationaux.

Notons cependant qu'au cours des années 2007 et 2008, les prix de certains produits de base (métaux, pétrole et produits de base alimentaires) ont augmenté de façon spectaculaire. Si l'on excepte le cas particulier du pétrole et des autres combustibles, le problème se pose aujourd'hui de savoir si ces augmentations sont structurelles ou si elles relèvent du second phénomène (augmentations conjoncturelles). Il est possible que l'on observe un retournement de tendance, si la croissance économique et l'augmentation du niveau de vie dans les pays émergents, notamment en Asie s'avèrent durables. Pourtant les prix des produits de base ont chuté à l'automne 2008, la récession ayant suscité une forte baisse de la demande mondiale, accréditant l'idée que la hausse des prix précédente n'était que conjoncturelle

La tendance à long terme à la baisse des prix observée dans le passé a conduit à une dégradation des termes de l'échange pour les pays exportateurs (cf. encadré 27).

ENCADRÉ 27
La détérioration des termes de l'échange

1. Due essentiellement à une surproduction chronique face à une demande mondiale relativement élastique par rapport aux prix, la tendance à long terme à la diminution des prix des produits de base (hors combustibles) se traduit par une tendance à la baisse des recettes d'exportation, alors que les prix des produits manufacturés importés ont au contraire tendance à augmenter (du fait de l'augmentation du coût de la main-d'œuvre dans les pays industrialisés).

2. Le rapport entre l'indice des prix à l'exportation et l'indice des prix à l'importation (termes de l'échange) a donc tendance à être inférieur à 1 pour les pays qui exportent essentiellement des produits de base, traduisant ainsi une **détérioration de leurs termes de l'échange**.

3. C'est ainsi que R. Prebish a pu mettre en évidence une détérioration de l'ordre de 40 % des termes de l'échange des pays en développement, depuis la fin du XIXᵉ siècle jusqu'à la veille de la Deuxième Guerre mondiale. Les vérifications statistiques ultérieures de la réalité de la détérioration des termes de l'échange ont cependant donné des résultats contradictoires. La fiabilité des séries statistiques disponibles et le choix de la période de référence expliquent les différences de résultat constatées.

TABLEAU 16
Exemple de fluctuations de prix de produits de base
(en 1993 par rapport à 1992, en %)

Plomb	− 27
Laine	− 25
Nickel	− 25
Zinc	− 23
Cuivre	− 15
Étain	− 15
Pétrole	− 10
Riz	− 10
Aluminium	− 10
Caoutchouc	− 5
Sucre	+ 10
Café	+ 15
Soja	+ 18

Source : *Alternatives économiques*, avril 1994

Concernant les fluctuations des cours, le fonctionnement des marchés et, notamment, la spéculation sur les marchés à terme (où les transactions financières peuvent représenter plus de 15 fois le volume de la production physique), amplifient les fluctuations liées aux problèmes classiques d'adaptation de l'offre à la demande (cf. encadré 28). Pour de nombreux produits, les prix qui résultent du fonctionnement des marchés à terme vont servir de référence pour les transactions physiques. Or la spéculation, inhérente à la nature des marchés à terme et influencée par des considérations multiples comme l'évolution des taux de change, la disponibilité de capitaux prêts à s'investir ou la conjoncture économique et politique, a tendance à amplifier, par le biais des anticipations, les fluctuations de prix qui peuvent résulter de la structure de l'offre et de la demande.

ENCADRÉ 28
Les marchés internationaux des produits de base

Le prix des produits de base se fixe sur différents types de marchés :
a) **Les marchés physiques** (*spot*) sont des marchés au comptant qui ne sont pas nécessairement localisés géographiquement de façon précise. Ils constituent des réseaux de producteurs, d'acheteurs et d'intermédiaires qui négocient au jour le jour pour une livraison immédiate les quantités et les prix, sur la base de multiples informations (offre par rapport à la demande, qualité de la marchandise, facilités de livraison, taux de change, etc.).
b) **Les marchés à terme** (*futures)* sont des marchés financiers où se négocient des « papiers » représentant un lot de produit (engagement souscrit au temps t, à un prix fixé en t, de livrer ou de prendre livraison d'un lot à une date t+n) ; le plus souvent, le contrat est revendu ou racheté avant le terme et ne se dénoue pas par la livraison physique du lot (seuls 2 % des contrats se dénouent par une livraison physique). Les principaux marchés à terme dans le monde sont : le Chicago Board of Trade (céréales, soja), le New York Mercantile Exchange (produits pétroliers), le New York Commodities Exchange (métaux), le London Metal Exchange (métaux), le New York Coffee, Sugar and Cocoa Exchange. Ces marchés sont influencés par de nombreux facteurs (environnement géopolitique, conjoncture économique…)
c) **Les marchés « producteurs »** permettent aux offreurs qui se trouvent en position dominante de fixer les prix ; ce fut le cas par exemple pour l'Organisation des pays exportateurs de pétrole de 1973 à 1985.
d) **Les marchés « négociés »** concernent de petits nombres d'opérateurs, vendeurs et acheteurs, négociant des quantités importantes de produits livrables sur une période plus ou moins longue.

Il est évident que des fluctuations excessives pénalisent les pays exportateurs, mais la doctrine libérale interdit toute intervention directe sur les marchés susceptible de fausser le libre jeu de la concurrence. Elle n'autorise en fait que la mise en place de mécanismes destinés à atténuer les fluctuations de prix en cas de crise, dans le cadre d'accords internationaux passés entre producteurs et acheteurs, placés sur un pied d'égalité.

C'est ainsi que furent adoptés, entre 1949 et 1976, des accords concernant sept produits de base (dans l'ordre chronologique de leur signature) : blé, sucre, étain, huile d'olive, café, cacao et caoutchouc ; leur contenu était différent, dans la mesure où il était lié aux caractéristiques physiques et économiques des produits concernés, ainsi d'ailleurs qu'à des considérations extra-économiques spécifiques.

Ces accords, dont l'objectif était de limiter les fluctuations de prix à l'intérieur d'une fourchette (prix plancher et prix plafond) utilisaient deux types de techniques : le stock régulateur et le contingentement des exportations. La première devait freiner la baisse du prix par le retrait du marché et le stockage de l'offre excédentaire (que l'on déstockait lorsque le prix tendait à dépasser le prix plafond). La seconde tentait d'adapter l'offre à la demande existante en limitant les quantités offertes par l'attribution d'un quota à chaque producteur.

En fait, ces accords se sont révélés peu efficaces par rapport à leur objectif et ne fonctionnent plus, incapables qu'ils sont de résister aux crises économiques et aux intérêts contradictoires des producteurs et des consommateurs. Ils se sont en effet heurtés à deux types de limites, l'un concernant leur principe même, l'autre relatif aux mécanismes utilisés.

Concernant leur principe, les accords en question, bridés par les règles libérales, ne tentaient pas de lutter contre les causes de l'instabilité des cours et en particulier contre la spéculation sur les marchés à terme. Par ailleurs, la détermination d'un « prix équitable » autour duquel un prix plafond et un prix plancher pouvaient être fixés s'avérait illusoire en l'absence de critères objectifs (si l'on voulait se référer par exemple aux coûts de production, le problème de la rémunération des facteurs de production, variable dans le temps et dans l'espace, se posait forcément). Ne restaient donc comme repères que les prix observés dans le passé, lesquels en fait ne reflètent que des équilibres provisoires entre offre et demande.

Sur le plan des mécanismes utilisés, les stocks régulateurs réclamaient des moyens financiers (et parfois technologiques pour la conservation des produits) considérables et étaient vite saturés lorsque l'offre était chroniquement excédentaire. Quant au système des quotas à l'exportation, il impliquait que tous les producteurs participent à l'accord, s'accordent sur une répartition *a priori* de la production et respectent leur quota, trois conditions qui se sont avérées rarement réunies.

À la suite des insuffisances manifestes des accords internationaux par produit de base, les pays en développement ont proposé à la CNUCED de Nairobi, en 1976, une nouvelle approche du problème, réunissant dans un projet global la plupart de leurs revendications.

Le programme intégré de Nairobi avait ainsi pour ambition :
– de stabiliser les cours de 18 produits de base (bananes, cacao, café, coton, fibres dures, jute, viande bovine, oléagineux, caoutchouc, sucre, thé, bois, bauxite, cuivre, minerai de fer, manganèse, phosphates et étain) par le biais d'interventions sur le marché grâce à un Fonds commun destiné à financer des stocks régulateurs ;
– de diversifier la production des pays sous-développés ;

– d'améliorer les systèmes de commercialisation des produits de base ;

– de favoriser leur transformation sur place ;

– de favoriser la compétitivité des produits naturels face aux produits synthétiques ;

– de parvenir à des engagements commerciaux multilatéraux.

Les pays industrialisés émirent de sérieuses réserves sur la faisabilité du projet et n'acceptèrent qu'en 1979 la création du Fonds commun dont les ressources furent singulièrement réduites (de 6 milliards à 750 millions de dollars). De toute façon, la somme en question ne put jamais être réunie en totalité, l'accord n'ayant pas été ratifié par un nombre suffisant de pays, et le « programme intégré » ne put se mettre en place.

Seul fonctionne en fait le mécanisme de financement compensatoire mis en place depuis 1963 par le Fonds monétaire international pour pallier la baisse des recettes d'exportation résultant de l'instabilité des prix des produits de base, mécanisme par lequel le FMI accorde une aide remboursable aux pays membres ayant des difficultés de balance des paiements. Limitée à un certain pourcentage de la quote-part du pays membre, cette aide représente la différence entre la valeur tendancielle à moyen terme des recettes d'exportation et la valeur des recettes de l'année considérée.

Ce mécanisme a été complété en 1988 par des « facilités de financement compensatoires » visant à compenser des baisses de recettes d'exportation ou des hausses de coût d'importation de céréales.

Notons cependant que dans le cadre des relations commerciales entre l'Union européenne et les pays d'Afrique, des Caraïbes et du Pacifique qui lui sont associés, la Convention de Lomé avait mis en place, à partir de 1975, un système de stabilisation des recettes d'exportation des ACP concernant 48 produits de base agricoles exportés vers l'Europe (Stabex) et 11 produits miniers (Sysmin).

Le Stabex et le Sysmin permettent de répondre aux difficultés conjoncturelles que peuvent connaître les pays sous-développés concernés en palliant les fluctuations excessives de leurs recettes d'exportation de produits de base, mais ils ne peuvent porter remède à des déficiences structurelles. En particulier, ils dissuadent les pays ACP de substituer des productions vivrières aux cultures d'exportation et les confortent dans leur rôle de pourvoyeurs de produits de base destinés à alimenter la croissance des pays européens qui, de cette façon, s'assurent de la sécurité de leur approvisionnement.

2.1.2 *Le Code de conduite des firmes multinationales*

Le Code de conduite des firmes multinationales avait pour ambition de réglementer l'activité des firmes multinationales dans les pays en développement (cf. encadré 28) et de « moraliser » un certain nombre de pratiques défavorables à ces derniers.

Dans le cadre de son Programme d'action pour l'instauration d'un nouvel ordre économique international, l'Assemblée générale de l'ONU s'était déjà prononcée dès 1974 en faveur d'une réglementation et d'un contrôle de l'activité des firmes multinationales, afin de lutter contre les atteintes à la souveraineté des pays en développement et de favoriser le réinvestissement sur place des bénéfices réalisés.

Les firmes multinationales contribuent certainement à une meilleure utilisation des ressources des pays d'accueil, et donc à leur développement, en créant des emplois ou en diffusant des techniques, mais elles peuvent aussi leur poser des problèmes dans la mesure où les pays en développement ne parviennent pas toujours à faire respecter leurs réglementations concernant la compatibilité de l'activité des firmes avec la stratégie locale de développement, l'évasion fiscale, les pratiques commerciales restrictives, le respect de l'environnement, l'exploitation de la main-d'œuvre, la protection des consommateurs ou le rapatriement des bénéfices.

ENCADRÉ 29
Les firmes multinationales

1. Les firmes multinationales sont constituées par les entreprises qui, à partir d'un base nationale (**maison mère**), implantent des **filiales** à l'étranger (dans plusieurs pays différents) et y réalisent une partie de leur chiffre d'affaires. L'ONU a ainsi pu recenser au début des années 2000 plus de 60 000 firmes mères à la tête de quelques 800 000 filiales réparties dans 175 pays, contrôlant près de la moitié du PIB mondial et employant directement ou indirectement 150 millions de personnes.

2. Les firmes multinationales sont essentiellement originaires des pays industrialisés de la Triade, mais elles sont aussi de plus en plus nombreuses en provenance des pays émergents. On retrouve leurs filiales dans tous les secteurs de l'activité économique des pays industrialisés (les investissements croisés au sein de la Triade représentent les trois quarts des stocks d'investissements), mais aussi dans les NPI asiatiques et en Chine (devenue aujourd'hui le deuxième pays d'accueil après les États-Unis) et, dans une moindre mesure, en Amérique latine. Elles sont moins nombreuses en Afrique, où se retrouvent la majorité des PMA.

3. La multinationalisation des firmes résulte d'**investissements directs à l'étranger** (IDE) dont l'objectif est la création d'une filiale à l'étranger, du réinvestissement de bénéfices réalisés par une filiale existante ou, selon l'OMC, de « l'acquisition d'un actif à l'étranger avec l'intention de le gérer ». Les flux d'IDE ont connu depuis les années 1980 une croissance exponentielle, passant de 5 % du PIB mondial en 1980 à 24 % en 2004.

4. Les choix d'investissement des firmes sont influencés par de nombreux facteurs : le degré d'ouverture du marché, la législation fiscale, sociale ou environnementale, le niveau des salaires, l'évolution des taux de change, la stabilité monétaire, la qualité des infrastructures, les facilités de transport, mais aussi l'importance des risques économiques, financiers, politiques ou juridiques encourus, variables selon les pays d'accueil (échelle des risques).

5. Les incitations à investir sont nombreuses : la liberté de circulation des capitaux et les progrès en matière de communications, l'existence de politiques d'attraction des capitaux étrangers, la concurrence internationale, le besoin de contrôler l'accès à des sources de matières premières indispensables, l'existence d'un environnement technologique favorable, la volonté de profiter de coûts de production réduits, notamment en ce qui concerne le coût de la main-d'œuvre (« délocalisations »), la

nécessité de surmonter des barrières douanières, contingentaires et réglementaires ou la volonté d'être présent sur des marchés appelés à se développer.

6. La **décision d'investissement** résulte de la comparaison des coûts supportés et des avantages attendus, par rapport à d'autres formes de pénétration des marchés. Les firmes ont en effet plusieurs solutions pour pénétrer des marchés étrangers : exporter, sous-traiter, s'allier avec des entreprises étrangères ou produire sur place en créant des filiales. La comparaison des coûts liés à chacune de ces stratégies (parmi lesquels les risques économiques, politiques et systémiques encourus mesurés par des échelles de risques) et des avantages qu'elles peuvent en attendre leur permettra de choisir entre ces différentes solutions.

7. L'existence de certains « **avantages spécifiques transférables** » (S. Hymer), liés à des imperfections sur le marché des produits ou les marchés des facteurs de production, peut permettre aux firmes multinationales de réaliser des profits supérieurs aux coûts d'implantation lorsqu'elles créent des filiales. Pour J. Dunning (**théorie OLI**), les avantages de la multinationalisation peuvent être, soit spécifiques à la firme (« O » comme « *Ownership advantages* » : avance technologique, échelle de production, dotations spécifiques…), soit liés à la localisation à l'étranger (L comme *Location advantages* : différences de prix et de qualité des intrants, transport…), soit liés à l'internalisation (I comme *Internalization advantages* : création d'un marché interne entre maison mère et filiale, contrôle de l'offre et des débouchés, organisation de la firme…). Ces avantages peuvent être influencés par un certain nombre de facteurs, liés au pays d'accueil (dotations de facteurs, politiques publiques…), au secteur (économies d'échelle, concurrence…) ou à la firme elle-même (taille, expérience…). L'IDE comme mode de pénétration sera choisi lorsque la firme cumulera ces trois types d'avantages. Le **paradigme NAI** (*National, Atouts, Internalization*) de Buckley et Dunning précise que pour préférer l'IDE à une autre stratégie, la firme doit disposer d'un avantage comparatif transférable sur son marché national, être attirée par des atouts spécifiques du marché étranger et contrôler son processus de production par l'internalisation. Pour Mucchielli, c'est la simultanéité des avantages compétitifs de la firme, des avantages comparatifs du pays d'accueil et des avantages stratégiques de la firme qui conduira à préférer l'alliance entre entreprises étrangères (accord de coopération internationale), cette dernière stratégie permettant ainsi de réaliser des gains liés aux économies d'échelle, aux complémentarités technologiques et à la réduction des risques.

TABLEAU 17

Les stratégies des firmes multinationales dans les pays en développement (en %)

	Pénétrer des marchés	Utiliser la main-d'œuvre	Contrôler l'accès aux matières premières
Afrique	34	6	60
Amérique du Sud	62	5	33
Asie	36	34	30
Moyen-Orient	9	0	91

Source : SABOLO Y. et TRAJTEMBERG R., *The impact of transnational enterprises on employment in developing countries*, BIT, 1990.

Les négociations, engagées en 1977 dans le cadre de la Commission des Sociétés transnationales des Nations unies, n'ont cependant pas pu aboutir, les désaccords entre les délégations participantes se révélant trop nombreux et trop profonds, non seulement quant au champ d'application du code (firmes multinationales concernées), mais aussi quant à son caractère obligatoire ou facultatif, à l'application de sanctions éventuelles, au règlement des différends ou aux nationalisations éventuelles.

2.1.3 *Le Code de conduite des transferts de technologie*

L'Assemblée générale de l'ONU avait recommandé dès 1974 la rédaction d'un autre code de conduite, relatif aux transferts de technologie en provenance des pays industrialisés et à destination des pays en développement (cf. encadré 30), code qui ne fut mis en chantier qu'après la CNUCED de Nairobi de 1976.

Le code avait pour ambition d'améliorer l'accès à l'information sur la technologie elle-même et sur son coût réel, ainsi que de rétablir l'équilibre entre les partenaires lors des négociations relatives à l'acquisition des technologies, dans la mesure où les acquéreurs avaient beaucoup de difficultés à négocier des contrats qui leur permettent de maîtriser véritablement la technologie achetée.

En effet, la technologie est souvent transférée avec des restrictions imposées par le fournisseur de façon telle que l'acquéreur ne puisse la maîtriser ; or cette maîtrise, certes difficile dans la mesure où elle implique une accumulation de connaissances et un apprentissage progressif, est pourtant essentielle pour exploiter efficacement cette technologie, l'adapter au mieux à son environnement local, l'améliorer éventuellement pour la rendre plus performante ou la reproduire pour l'utiliser dans d'autres domaines. En fait, seuls les accords entre firmes et la cession de brevets accompagnés d'un transfert de connaissances et d'une assistance technique peuvent permettre aux firmes des pays en développement de maîtriser progressivement la technologie transférée.

Par ailleurs, la technologie transférée par les firmes des pays industrialisés est développée en fonction de leurs besoins propres et n'est pas toujours adaptée aux besoins des pays en développement. De plus en plus intensive en capital et exigeant une main-d'œuvre très qualifiée, elle vise en effet un certain nombre d'objectifs, parmi lesquels l'augmentation de la capacité de production et l'économie de main-d'œuvre, qui risquent de ne pas correspondre aux besoins des pays en développement, confrontés quant à eux à l'étroitesse de leurs marchés internes et à l'abondance d'une main-d'œuvre non qualifiée et en sous-emploi (cf. encadré 31).

En l'absence d'une technologie adaptée à leurs besoins, les pays en développement semblent devoir choisir entre une technologie moderne, difficile à maîtriser et coûteuse, qui s'éloigne de plus en plus de leurs besoins, et une technologie dépassée, mieux adaptée à leurs besoins et moins coûteuse, mais dont les performances sont plus limitées. D'aucuns estiment que le premier choix est préférable au second dans la mesure où l'acquéreur bénéficie ainsi du « privilège du dernier entrant », économisant les coûts de

ENCADRÉ 30
Les modalités du transfert technologique

1. Par « technologie », on entend non seulement la connaissance de la technique (savoir-faire), mais aussi la technique elle-même, c'est-à-dire les procédés plus ou moins complexes destinés à réaliser un objectif de production.

2. L'essentiel de la recherche technologique dans le monde (85 % environ) est concentré dans les pays industrialisés, en particulier dans les grandes firmes multinationales qui y sont installées. Différents indicateurs (l'indicateur de développement technologique du PNUD ou l'indicateur de la capacité d'innovation de la CNUCED) montrent que le niveau technologique des pays en développement, et en particulier des PMA, est relativement faible. Ces derniers ne peuvent donc accéder à la technologie qu'à travers le transfert technologique, un transfert dont les modalités sont multiples :

   — les **transferts directs** consistent, en dehors de l'espionnage industriel, en l'achat de licences et de brevets. Ils peuvent aussi passer par le canal de bureaux d'ingénierie spécialisés dans ce domaine. Si ces transferts directs représentent la majorité des transferts entre pays industrialisés, ils ne représentent qu'une faible partie (5 % environ) des transferts en direction des pays en développement ;

   — les **accords entre firmes** permettent des transferts de technologie, soit internes s'ils sont passés entre une firme mère et sa filiale, soit externes si les accords concernent des firmes indépendantes ; dans le cadre de ces accords, le transfert peut être réalisé en vendant des brevets ou en exportant des équipements, du savoir-faire, voire des usines entières. Certaines firmes peuvent ainsi confier à des entreprises partenaires la fabrication de composants de leur propre production (sous-traitance). Les transferts externes peuvent aussi concerner des entreprises conjointes ou se réaliser à partir d'une coopération entre entreprises ;

   — les **systèmes « clés en main »** concernent la réalisation complète et la vente d'une unité de production en état de marche, de la petite entreprise au grand complexe industriel. Cette modalité de transfert technologique peut aller jusqu'à la formule « produit en main », dans laquelle le fournisseur se charge non seulement de construire l'unité de production, mais aussi de la faire fonctionner pendant un certain temps, ou jusqu'à la formule « marché en main », plus complète encore, dans laquelle le fournisseur se charge aussi de l'écoulement de la production réalisée.

recherche qui ont permis d'aboutir au résultat final. D'autres privilégient le second, la possibilité de maîtriser, d'exploiter et d'entretenir la technologie étant plus aisée.

Le Code de conduite voulait ainsi « moraliser » un certain nombre de pratiques permettant aux fournisseurs de technologie, sur un marché mondial oligopolistique et non transparent, d'imposer aux acquéreurs toute une série d'obligations, de restrictions ou d'interdictions qui, par ailleurs, représentent un coût indirect important (cf. encadré 32).

Cependant, les oppositions d'intérêt entre les partenaires de la négociation ne permirent pas d'aboutir concrètement, les pays industrialisés fournisseurs de technologie estimant que le code aurait été contraire au libéralisme économique en limitant de façon abusive la liberté de contractualisation.

ENCADRÉ 31
Le risque d'inadaptation de la technologie

Le problème posé ci-dessus peut être illustré par un exemple chiffré (d'après Müller-Plantenberg : « Technologie et dépendance », *Critique de l'Économie politique*, n° 3, 1971).

– Supposons que le coût de production (constitué par le prix des équipements liés à une technologie donnée M, par le prix des matières premières et des produits intermédiaires utilisés R et par le prix du travail L) d'une unité produite à l'aide d'une technologie 1 soit le suivant, le prix du travail étant moins élevé dans les pays en développement que dans les pays industrialisés :

Pays industrialisés	Coût	Pays en développement
5	M1	5
5	R 1	5
8	L 1	5
18	total	15

– Si, d'une part, le progrès technique réalisé par la firme du pays industrialisé, en passant de la technologie 1 à la technologie 2 provient d'une capacité de production sextuplée (le prix de l'équipement M l'étant dans la même proportion), de frais de matières premières quintuplés et de frais de main-d'œuvre quadruplés, et si, d'autre part, le pays en développement ne peut utiliser la nouvelle technologie qu'à la moitié de sa capacité de production (marché réduit), le coût de production d'une unité produite devient :

Pays industrialisés	Coût	Pays en développement
$5 \times 6/6 = 5$	M2	$5 \times 6/3 = 10$
$5 \times 5/6 = 4,1$	R 2	$5 \times 2,5/3 = 4,1$
$8 \times 4/6 = 5,3$	L 2	$5 \times 2/3 = 3,3$
14,4	total	17,4

Le passage à la technologie 2 a renversé le rapport de compétitivité existant entre le pays industrialisé et le pays en développement dans le cadre de la technologie 1. Même si le pays en développement en reste à la technologie 1 alors que le pays industrialisé est passé à la technologie 2, le rapport de compétitivité demeure défavorable au pays en développement.

De nombreuses questions restèrent ainsi sans réponse. Le code devait-il revêtir un caractère facultatif ou obligatoire ? Fallait-il prévoir des sanctions ? Le code devait-il concerner les transferts entre maison mère et filiales d'une firme multinationale ? Les pouvoirs publics peuvent-ils intervenir dans les transactions ? Le fournisseur de techno-

ENCADRÉ 32
Les clauses léonines dans les contrats internationaux de transfert technologique
(ONUDI 1984)

Obligations :

- d'acheter autre chose (matières premières, pièces détachées, biens intermédiaires, machines…) ;
- d'utiliser certains services (maintenance, réparations…) ou certains personnels extérieurs ou étrangers ;
- de vendre des produits, issus ou non de la technologie transférée, à un prix fixé par le fournisseur ;
- de produire une quantité minimale ou maximale ;
- de rétrocéder tous les perfectionnements ou toutes les expériences nouvelles dans l'exploitation de la technologie transférée ;
- de garder secret le « savoir-faire technique » au-delà de l'expiration des accords ;
- de donner des garanties contre les modifications d'impôts, de droits de douane ou de taux de change susceptibles d'affecter les bénéfices, les redevances ou les sorties de fonds.

Interdictions :

- d'exporter le produit fabriqué à l'aide de la technologie transférée en totalité ou au-delà d'une certaine quantité ;
- d'acquérir ou d'utiliser une technologie concurrente ;
- d'importer, de fabriquer ou de vendre des produits concurrents ;
- d'utiliser la technologie transférée dans d'autres champs d'application possibles ;
- de réaliser des modifications, des perfectionnements ou des adaptations sur la technologie transférée.

logie devait-il être soumis à une obligation de moyens ou de résultats ? Les juridictions compétentes en cas de litiges seraient-elles celles de l'acquéreur ou celles du fournisseur ? Autant de questions, parmi beaucoup d'autres, auxquelles il était impossible de donner des réponses précises.

Ainsi, les tentatives de modifier les règles du jeu commercial international en faveur des pays en développement ont assez largement échoué, qu'il s'agisse du commerce international des produits de base ou des codes de conduite des firmes multinationales ou des transferts technologiques. Mais les pays en développement peuvent-ils pour autant ignorer les règles du jeu commercial international ?

2.2 LES TENTATIVES DE DÉTOURNEMENT PAR LA CARTELLISATION

Le relatif échec de l'adaptation, en faveur des pays en développement, des règles multilatérales concernant le commerce international des produits de base a conduit certains pays producteurs à se constituer en cartels pour tenter d'éviter la tendance à la baisse et les fluctuations du prix de leur produit sur le marché international, voire pour imposer leur propre prix.

Le plus célèbre des cartels de producteurs de produits de base fut incontestablement celui de l'Organisation des pays exportateurs de pétrole (OPEP), au sein duquel les pays arabes (OPAEP) ont tenu une place essentielle. L'OPEP est parvenue en effet à imposer son prix pendant une douzaine d'années, entre 1973 (date du premier choc pétrolier) et 1986 (date du contrechoc pétrolier). Le choc pétrolier des années 2000, moins brutal que les chocs précédents, obéit à une autre logique.

2.2.1 Le contrôle du prix du pétrole par l'OPEP

Le marché pétrolier est resté dominé jusqu'au début des années 1970 par quelques firmes multinationales (*Standard Oil of New Jersey, Esso, Texaco, Gulf Oil, Mobil Oil, Standard Oil of California, British Petroleum* et *Shell*) groupées en cartel depuis 1928. Ces sept firmes se partageaient en effet les concessions partout dans le monde et contrôlaient l'essentiel de la production, du raffinage et de la commercialisation du pétrole, fixant elles-mêmes les prix à partir du prix du brut américain du golfe du Mexique (*Gulf Plus*).

À la suite de la montée du phénomène nationaliste et de la décolonisation d'après-guerre, le système des concessions, qui cantonnait les pays producteurs à un

TABLEAU 18
Les pays membres de l'OPEP

Arabie Saoudite (membre fondateur)	1960
Iran (membre fondateur)	1960
Irak (membre fondateur)	1960
Koweït (membre fondateur)	1960
Venezuela (membre fondateur)	1960
Qatar	1961
Indonésie	1962 (a voulu quitter l'OPEP en 2008)
Libye	1962
Émirats arabes unis	1967
Algérie	1969
Nigeria	1971
Équateur	1973
Gabon	1975

Sources : AIE

simple rôle de collecteurs d'impôts (royalties), fut de plus en plus contesté, accusé de conduire au pillage et au gaspillage des richesses locales

C'est ainsi que, après la naissance de l'OPEP au début des années 1960, un certain nombre de pays producteurs de pétrole tentèrent, par la voie des nationalisations des compagnies étrangères installées sur leur territoire, de reprendre le contrôle de la production de pétrole. Au début des années 1970, l'OPEP parvenait à contrôler près des trois quarts des exportations mondiales de pétrole et se sentait suffisamment forte pour en négocier le prix avec les compagnies pétrolières. Elle put en effet conclure avec ces dernières l'accord de Téhéran de 1971 qui prévoyait une augmentation de 50 % du prix du pétrole, étalée sur cinq ans. Cependant, à l'occasion de la guerre du Kippour, l'OPEP dénonça l'accord de Téhéran, prit des mesures d'embargo sélectif et décida, au dernier trimestre de l'année 1973, d'augmenter unilatéralement le prix du pétrole dans des proportions telles que cette augmentation constitua le premier choc pétrolier.

Le premier choc pétrolier fut suivi en 1979 d'un deuxième choc, à l'occasion de la révolution islamique en Iran.

Ainsi, pendant une dizaine d'années, l'OPEP a-t-elle pu renverser en sa faveur un rapport de force jusque-là favorable aux compagnies pétrolières et imposer son propre prix pour le pétrole.

Les réactions des pays industrialisés importateurs (condamnation du cartel, renchérissement de leurs exportations de produits manufacturés, limitation des transferts de technologie à destination des pays producteurs, tentatives de faire jouer la concurrence entre eux et de réduire la demande de pétrole à travers les économies d'énergie) se révélèrent pratiquement vaines. L'indexation du prix du pétrole sur le prix des produits manufacturés (Libreville 1975), et la cohésion manifestée par l'OPEP eurent raison de ces premières réactions.

TABLEAU 19
L'évolution du prix du pétrole de 1970 à 1986
(en dollars courants par baril de 159 litres)

Années	Prix	Observations
1970-1972	Moins de 2 $	Prix contrôlé par les Majors
1973	Autour de 10 $	Guerre du Kippour, l'OPEP augmente brutalement le prix : premier choc pétrolier
1974 -1978	Entre 10 et 12 $	L'OPEP contrôle le prix
1979	Jusqu'à 42 $	Révolution iranienne, deuxième choc pétrolier
1980-1982	Entre 30 et 38 $	Guerre Iran-Irak
1983-1985	De 35 à 28 $	Politique des quotas de l'OPEP, les prix tendent à diminuer
1986	9 $	Augmentation de la production de l'Arabie Saoudite : contrechoc pétrolier

Source : AIE

L'OPEP disposait en effet d'un atout essentiel, l'insuffisance des sources d'énergie de substitution à la disposition des pays industrialisés :

- Le charbon posait des problèmes écologiques au niveau de son transport et de son utilisation,
- Le transport du gaz par mer s'avérait coûteux,
- L'énergie nucléaire exigeait des délais de mise en place,
- Les énergies renouvelables (solaire, éolienne…) étaient insuffisamment développées.

De fait, la faiblesse du prix du pétrole pendant plusieurs dizaines d'années n'avait pas encouragé la recherche de sources d'énergie de remplacement et le développement de substituts impliquait des délais relativement longs. Les pays consommateurs de pétrole ne pouvaient donc se permettre, sous peine de conséquences catastrophiques pour leur économie, une rupture de leur approvisionnement en pétrole.

Par ailleurs, l'OPEP pouvait se considérer à l'abri de représailles dans la mesure où celles-ci auraient probablement amené l'Union Soviétique à intervenir en sa faveur.

Les pays industrialisés ne purent donc s'opposer à l'action de l'OPEP pendant les années 1970. Tout au plus purent-ils « récupérer » une partie des pétrodollars qu'ils étaient obligés de débourser, en les attirant sur leurs propres marchés (dépôts bancaires, titres du secteur public, investissements industriels et immobiliers), lorsque les stocks de dollars accumulés par certains pays producteurs de pétrole dépassaient leur capacité d'absorption et risquaient de perdre de leur pouvoir d'achat.

TABLEAU 20
Placements de pétrodollars dans les pays industrialisés (en milliards de dollars)

Placements	1979	1984
Dépôts bancaires	131,3	164,6
Titres secteur public	18	38,9
Investissements industriels et immobiliers	52	99
Crédits non bancaires	6	8,5
Total pays industrialisés	207,3	311
FMI et BIRD	26	32,3
Pays sous-développés	39,7	59,3
Total général	273	402

Sources : *Science et Vie Économie*, n°15, mars 1986

Pourtant, dès le début des années 1980, l'OPEP eut quelques difficultés à maîtriser le prix du pétrole, difficultés liées à l'augmentation de l'offre de pétrole et aux divergences d'intérêt qui commençaient à se manifester en son sein.

2.2.2 *La fixation du prix du pétrole par les marchés internationaux*

Au début des années 1980, l'offre mondiale de pétrole tendait à augmenter, grâce à l'exploitation de gisements nouveaux, notamment en mer du Nord, et la part de l'OPEP dans les exportations mondiales avait tendance à diminuer.

Par ailleurs, l'augmentation des besoins en énergie liée à la croissance des pays industrialisés et à l'industrialisation des pays émergents était compensée, d'une part, par les progrès technologiques dans l'utilisation de l'énergie (équipements plus performants et moins « énergétivores ») et, d'autre part, par le recours à de nouvelles sources d'énergie (électronucléaire, gaz naturel, énergies renouvelables).

Dans ces conditions, l'OPEP ne pouvait contrôler la tendance à la baisse du prix du pétrole qu'en limitant sa propre production, à travers la fixation de quotas pour chacun de ses membres.

Cependant, certains membres de l'OPEP ne respectaient pas leur quota, et malgré les efforts de l'Arabie Saoudite qui, de 1982 à 1984, a limité sa propre production au-delà de son quota pour compenser les dépassements de ses partenaires, les prix tendaient à baisser (de 36 $ en 1981 à 28 $ le baril en 1985). Devant l'impuissance de l'OPEP à surmonter ses divisions internes, l'Arabie Saoudite décida en 1985 d'augmenter sa production pour reconquérir les parts de marché qu'elle avait perdues au cours des années précédentes, suscitant ainsi dès l'année suivante une chute brutale du prix du pétrole (de 28 à moins de 10 $ le baril).

Ce contrechoc pétrolier marque le début d'une période au cours de laquelle, malgré une tentative avortée de l'OPEP pour reprendre le marché en main en 1987, le prix du pétrole va se fixer sur les marchés internationaux (marché au comptant et marchés à terme), avec les fluctuations de prix inhérentes aux marchés internationaux des produits de base (entre 10 et 20 $ le baril).

TABLEAU 21
Exemples d'évolution de « l'efficacité énergétique »

	1950	1970	1990
Chauffage moyen d'une maison individuelle de 110 m² (TEP/an)	3,9	2,4	1,1
Consommation moyenne des voitures (L/100 km)	8,1	6,6	5,0

Source : *Alternatives économiques*, hors série n°17

TABLEAU 22
L'évolution du prix du pétrole après le contrechoc pétrolier
(de 1987 à 1998, en dollars courants par baril de 159 litres)

Années	Prix	Observations
1987-1988	Entre 10 et 20 $	Marchés internationaux
1989-1990	Jusqu'à 39 $	Guerre du Golfe
1991-1998	Entre 10 et 24 $	Marchés internationaux

Source : AIE

La crise du Golfe, liée à l'invasion du Koweït par l'Irak en août 1989, fit craindre un troisième choc pétrolier, le prix du pétrole ayant atteint en octobre de la même année près de 40 $ le baril. Très vite cependant, les incertitudes relatives à l'approvisionnement en pétrole provenant du Moyen-Orient furent levées grâce au rapide succès de l'opération militaire « Tempête du Désert » et à l'augmentation de la production de l'Arabie Saoudite dont le pétrole s'est substitué au pétrole irakien et koweïtien sous embargo. Dès la fin de l'année 1990, le prix du pétrole retrouva les niveaux de prix antérieurs à la crise ; il se maintint de 1991 à 1998 entre 15 et 25 $ le baril.

Au cours de l'année 1998, le prix du pétrole descendra jusqu'aux alentours de 10 $ le baril, du fait d'une offre pléthorique face à une demande déprimée par les crises asiatiques, russes et latino-américaines.

À partir de 1999, le prix du pétrole ne cessera de croître jusqu'à juillet 2008, constituant une sorte de choc pétrolier lent, suivi d'une nouvelle chute des cours au deuxième semestre 2008.

2.2.3 Le choc des années 2000

Au début du mois de septembre 2000, le prix du pétrole atteignait près de 35 $, entraînant en Europe une première fronde des professions dont le prix du carburant constitue un prix de revient important dans leur activité (pêcheurs, transporteurs routiers, agriculteurs…).

Cet accroissement du prix du pétrole était essentiellement lié à l'augmentation d'une demande stimulée par la croissance économique des principaux pays importateurs : les États-Unis (31,9 % de la consommation mondiale), les pays asiatiques (27,2 %) et l'Europe (19,6 %). Cependant, la situation des pays importateurs différait alors de celle des années 1970. Leur croissance, portée par les nouvelles technologies et le développement du secteur tertiaire, tous deux faibles consommateurs d'énergie, paraissait peu affectée par la hausse du prix du pétrole.

Le prix du pétrole connut de nouvelles tensions à la hausse en 2001 et 2002, à la suite de l'attentat du 11 septembre 2001 à New York, de la crise palestinienne et de la menace de guerre des États-Unis contre l'Irak. Ces tensions à la hausse vont s'ampli-

TABLEAU 23
Le commerce mondial du pétrole en 2000 (en %)

Principaux pays exportateurs		Principaux pays importateurs	
Arabie Saoudite :	16,8	États-Unis :	26
Russie :	7,1	Japon	11,3
Norvège :	7	Corée du Sud :	6,4
Venezuela :	5,6	Allemagne :	5,5
Iran :	5,6	Italie :	4,6
Irak :	5,2	France :	4,3
Royaume-Uni :	4,8	Pays-Bas :	3,1
Nigeria :	4,7	Espagne :	3,1
Émirats :	4,7	Inde :	2,4
Mexique :	4,6	Royaume-Uni :	2,3
Autres :	33,9	Autres :	31

Source : AIE

fier les années suivantes, le prix du baril atteignant 70 $ en septembre 2005. Les niveaux de prix atteints en 2005 suscitaient certes des inquiétudes quant à leurs incidences sur la croissance économique, mais, mesurés en dollars constants, ils restaient encore inférieurs au niveau des prix atteints en 1979, lors du deuxième choc pétrolier.

Cette hausse trouvait toujours son origine dans l'instabilité politique des États producteurs au Moyen-Orient, de la guerre en Irak et des menaces terroristes, mais d'autres facteurs de tensions s'y ajoutaient :

- les difficultés du secteur pétrolier russe (miné par les risques de faillite et les démêlées politico-judiciaires du groupe Ioukos) ;
- la diminution de la production et du raffinage dans le golfe du Mexique à la suite du cyclone Katrina aux États-Unis en septembre 2005 ;
- l'augmentation des coûts de production et la saturation des capacités de raffinage.

Les prix ne cesseront d'augmenter en 2006 et 2007, atteignant le niveau des prix du deuxième choc pétrolier en dollars constants. Le 2 janvier 2008, la barre symbolique des 100 $ fut franchie et le prix du pétrole poursuivit sa hausse pour atteindre 148 $ le baril en juillet 2008, suscitant une nouvelle vague de fronde contre le prix élevé du pétrole dans les pays consommateurs. Le niveau élevé du prix du pétrole pouvait être expliqué par :

- la baisse de la valeur du dollar ;

– la poursuite de l'augmentation de la demande mondiale de pétrole, gonflée en particulier par la demande des pays émergents d'Asie (Chine et Inde notamment) en pleine croissance, face à une stagnation de l'offre liée à la fin de certains gisements, à l'insuffisance des investissements et à la saturation des capacités de raffinage ;

– la spéculation qui, sur les marchés internationaux, se nourrissait de l'instabilité politique du Moyen-Orient et des perspectives d'épuisement des ressources pétrolières à un horizon de 20 ou 30 ans.

Ainsi, le prix du pétrole doubla entre juin 2007 et juin 2008 ; il fut multiplié par 4 entre 2000 et 2008, mais ce choc rampant ne fut pas suscité par des évènements géopolitiques brutaux, contrairement aux deux chocs précédents.

Quant à la chute brutale de l'automne 2008, elle s'explique essentiellement, d'une part par les anticipations des spéculateurs qui estimaient que la récession consécutive à la crise financière américaine allait entraîner un ralentissement de la demande mondiale, et d'autre part par une hausse de la valeur du dollar.

Pour enrayer la baisse du prix du pétrole, l'OPEP a décidé en novembre et décembre 2008 de réduire sa production, mais si elle semble avoir reconquis une influence qu'elle avait perdue après le contrechoc pétrolier de 1985, elle n'est plus à même aujourd'hui de décider seule des prix comme autrefois.

En fait, les pays de l'OPEP doivent tenir compte dans leur stratégie des perspectives d'épuisement de leurs ressources : la diminution de leur production actuelle permettrait de protéger leurs réserves, mais la hausse des prix qui pourrait en résulter pénaliserait la croissance déjà défaillante des pays importateurs, réduirait leur demande et les encouragerait à intensifier leur recherche d'énergies de substitution.

TABLEAU 24
Le prix du pétrole dans les années 2000
(en dollars courants par baril de 159 litres)

1999-2002	Jusqu'à 38 $	Crise palestinienne, attentats terroristes aux États-Unis, menaces de guerre des États-Unis contre l'Irak
2003-2006	Jusqu'à 70 $	Guerre en Irak et en Palestine, menaces terroristes
2007-2008	Jusqu'à 148 $ au milieu de l'année 2008, de 148$ à 36$ fin décembre 2008	Augmentation de la demande mondiale, baisse de la valeur du dollar, spéculation et perspectives d'épuisement des ressources, puis, dans un second temps, anticipations de la récession et ralentissement de la demande

Source : AIE

2.2.4 *L'échec des autres tentatives de cartel de producteurs*

D'autres pays en développement se sont constitués en cartel, dans les années 1970 et jusqu'au début des années 1980 (cf. encadré 33), pour tenter de peser sur les prix de leurs produits de base. Cependant, leurs actions sont restées pratiquement vaines.

ENCADRÉ 33
Les cartels de producteurs de produits de base

Produit et année de création	Cartel
Cacao, 1964	Cocoa Producers Alliance
Cuivre, 1967	Conseil intergouvernemental des pays exportateurs de cuivre
Caoutchouc, 1970	Association of Natural Rubber Producing Countries
Bauxite, 1974	International Bauxite Association
Banane, 1974	Union de Productores y Exportadores de Bananas
Fer, 1975	Association des pays exportateurs de fer
Mercure, 1975	International Association of Mercury Producers
Café, 1980	Groupe de Bogota
Sucre, 1980	Groupe des pays producteurs de sucre d'Amérique latine, des Caraïbes et des Philippines
Étain, 1983	Association des pays producteurs d'étain

Bien que contrôlant plus des trois quarts des exportations mondiales, le cartel des producteurs de cacao, pour prendre un exemple de cartel constitué autour d'un produit de base d'origine agricole, s'est heurté dans son action à de nombreux obstacles :

- la tendance à un développement de la production plus rapide que l'augmentation de la demande, exerçant une pression permanente à la baisse des prix ;
- les difficultés financières et technologiques pour moduler l'offre en fonction de l'évolution de la demande et organiser la rareté en constituant des stocks régulateurs ;
- l'existence de substituts ;
- la dépendance des producteurs à l'égard des quelques firmes multinationales qui contrôlent la transformation et la commercialisation du cacao et disposent en outre de stocks tampons destinés à amortir les conséquences des fluctuations des cours sur le prix du produit final ;
- la concurrence et les dissensions à l'intérieur du groupe.

Les pays producteurs de matières premières non agricoles n'ont pas eu plus de succès. Le cartel de l'étain par exemple, constitué par un petit nombre de pays, contrôlait lui aussi plus des trois quarts des exportations mondiales ; pourtant, malgré une faible progression de la production, il n'est pas parvenu à contrôler les prix.

Le cartel de l'étain s'est aussi heurté à certains obstacles :

– l'existence de nombreux substituts dans la plupart des utilisations industrielles de l'étain (fer-blanc, soudures ou alliages) ;

– la possibilité de recycler le métal qui a déjà été utilisé ou d'exploiter de nouveaux gisements jusque-là non rentables si le prix du métal augmente ou si la technologie évolue dans le sens d'une réduction des coûts d'exploitation ;

– l'existence de stocks stratégiques d'étain dans les pays consommateurs ;

– la différence des coûts de production, fonction de la situation géologique des exploitations, susceptibles d'entraîner des divergences d'intérêt entre pays producteurs.

Le succès initial de l'OPEP, ses difficultés ultérieures et l'échec des autres tentatives montrent qu'un cartel de producteurs ne peut contrôler effectivement le prix d'un produit de base que si toutes les conditions suivantes sont réunies :

– contrôler l'essentiel des exportations mondiales ;

– vendre un produit indispensable et dont la demande reste inélastique par rapport au prix, ce qui implique l'absence de substituts ;

– manifester au sein du cartel une cohésion effective, ce qui implique que les pays membres aient les mêmes intérêts et soient peu nombreux ;

– avoir la possibilité de résister à des représailles éventuelles.

Si certains cartels pouvaient respecter certaines des conditions précédentes, aucun, en dehors de l'OPEP entre 1973 et 1984, n'a pu remplir l'ensemble des quatre conditions, et en particulier respecter la seconde.

De fait, le poids des produits de base concernés dans l'économie mondiale est loin d'approcher celui du pétrole qui, comme les autres produits énergétiques, occupe une position stratégique dans le fonctionnement des économies nationales. Aucun pays consommateur ne peut en effet se permettre une rupture de son approvisionnement, l'ensemble de l'activité économique et la compétitivité des industries étant étroitement dépendantes du prix des différentes sources d'énergie et en particulier du pétrole. Si une pénurie de pétrole pourrait se révéler catastrophique pour les pays consommateurs d'énergie, il n'en va évidemment pas de même pour les autres produits de base. Cela explique largement l'impuissance des pays en développement producteurs de produits de base à en contrôler durablement le prix, hors les règles commerciales multilatérales.

Les règles du jeu commercial mondial restent donc celles qu'imposent les pays les plus riches. Les pays en développement ne sont pas parvenus à les infléchir en leur faveur. Leur poids dans les discussions internationales est resté insuffisant face aux pays riches. Leur fragile unité n'a pu résister au jeu du cavalier seul des NPI, qui se sont insérés dans la mondialisation, ou des pays de l'OPEP, qui ont pu s'enrichir grâce au pétrole.

Si les règles du jeu commercial mondial restent celles qu'imposent les pays les plus riches, il en est de même, *a fortiori* pourrait-on dire, pour les règles du jeu monétaire international.

RÉSUMÉ DU CHAPITRE

Les règles du jeu commercial international décidées dans le cadre du GATT et de l'OMC apparaissent parfois comme trop contraignantes pour les pays en développement. Ces derniers ont donc tenté de faire valoir leur spécificité en négociant avec les pays riches des accords concernant le prix des produits de base, le rôle des firmes multinationales ou les modalités du transfert technologique. Devant l'échec relatif de ces négociations, certains pays en développement producteurs de produits de base ont tenté de contrôler eux-mêmes les prix de ces produits en se regroupant en cartels. Si l'OPEP est parvenue à imposer le prix du pétrole pendant une douzaine d'années, les autres cartels n'ont eu qu'une action limitée sur le prix de leurs produits.

MOTS-CLÉS

Accords internationaux par produit de base • Cartel • Choc pétrolier • CNUCED • Échange inégal • Facilités de financement compensatoire • Firme multinationale • Investissement direct à l'étranger • Marchés financiers • OPEP • Pays en développement • Pays les moins avancés • Produit de base • Programme intégré • Quota à l'exportation • STABEX • Stocks régulateurs • SYSMIN • Système des préférences généralisées • Termes de l'échange • Transfert de technologie.

TESTEZ VOS CONNAISSANCES

- Quels sont les fondements, les mécanismes et les limites du système des préférences généralisées ?
- Quel est le contenu du « traitement spécial et différencié » dont l'OMC fait bénéficier les pays en développement depuis la fin de l'Uruguay Round ?
- Que représentent les produits de base dans le commerce international ?
- Quels sont les marchés internationaux de produits de base et comment fonctionnent-ils ?
- Que signifie la détérioration des termes de l'échange pour les pays en développement producteurs de produits de base ?
- Quelles sont les causes des fluctuations de prix des produits de base ?

- Comment fonctionnaient les sept Accords internationaux par produit de base créés après la Seconde Guerre mondiale et quelles en étaient les limites ?
- Quels étaient le contenu et les limites du programme intégré de Nairobi ?
- Quels sont, à l'heure actuelle, parmi les pays en développement, les principaux bénéficiaires des investissements directs à l'étranger et pourquoi ?
- Quelles sont les incitations à investir des firmes multinationales ?
- Quels sont les facteurs susceptibles d'influencer les choix d'investissements des firmes multinationales ?
- Quel était l'objet du Code de conduite des firmes multinationales et pourquoi n'est-on pas parvenu à un accord ?
- Pourquoi les firmes multinationales investissent-elles dans les pays en développement ?
- Quelles sont les modalités du transfert technologique ?
- Quelles sont les clauses léonines que l'on peut trouver dans les contrats internationaux de transfert technologique ?
- Quel était l'objet du Code de conduite des transferts technologiques et pourquoi n'est-on pas parvenu à un accord ?
- Pourquoi l'OPEP est-elle parvenue à contrôler le prix du pétrole dans la décennie 1970-1980 ?
- Comment les pays importateurs de pétrole ont-ils réagi aux chocs pétroliers ?
- Quelles ont été les causes et les conséquences du contrechoc pétrolier de 1986 ?
- Quelles sont les causes de la hausse du prix du pétrole depuis le début des années 2000 ?
- Pourquoi le cartel du cacao et le cartel de l'étain n'ont-ils pu contrôler le prix de ces produits de base ?
- Quelles sont les conditions de réussite d'un cartel de producteurs de produits de base ?

POUR ALLER PLUS LOIN DANS LA RÉFLEXION

- Quelle est la place des pays en développement dans la mondialisation ?
- La mondialisation a-t-elle favorisé la croissance des pays en développement et réduit les inégalités de richesse dans le monde ?
- Quels sont les mécanismes de stabilisation des recettes liés à l'exportation des produits de base prévus par la Convention de Lomé et quelles en sont les limites ?
- Comment les pays les plus faibles peuvent-ils infléchir en leur faveur les règles du jeu économique international ?
- Le libre-échange est-il compatible avec l'aide aux pays en développement ?
- Quelle est l'origine de la multinationalisation des firmes ?

- Les firmes multinationales participent-elles à la stratégie de puissance de leur pays d'origine ?
- Dans quelle mesure les États des pays en développement peuvent-ils contrôler les firmes multinationales installées sur leur territoire ?
- Pourquoi les investisseurs internationaux s'intéressent-ils particulièrement à la Chine d'aujourd'hui ?
- Dans quelle mesure les délocalisations liées au dumping social remettent-elles en cause le système des échanges internationaux ?
- En quoi la technologie transférée des firmes du Nord vers les pays du Sud risque-t-elle d'être inadaptée à leurs besoins réels ?
- Quelles peuvent être les conséquences positives d'un pétrole cher ?
- L'OPEP est-elle toujours à même de contrôler le prix du pétrole ?

RÉFÉRENCES BIBLIOGRAPHIQUES

ADDA J., *La Mondialisation de l'économie, intégration et exclusion*, Paris, La Découverte, 2001.

ANDREFF W., *Les Multinationales globales*, Paris, La Découverte, 2003.

BRET B., *Le Tiers-monde, croissance, développement, inégalités*, Paris, Ellipses, 2002.

CASTEL O., *Le Sud dans la mondialisation*, Paris, La Découverte, 2002.

DE MELO J. et GRETHER J.-M., *Commerce international : théories et applications*, Bruxelles, De Boeck, 1997.

EMMANUEL A., *L'Échange inégal*, Paris, Maspero, 1969.

ENGLISH P. *et al.*, *Développement, commerce et OMC*, Paris, Économica, 2004.

GILLIS M. et PERKINS D.H., *Économie du développement*, Bruxelles, De Boeck, 1998.

KOHL R., *Mondialisation, pauvreté et inégalité*, Paris, OCDE, 2003.

MONTBRIAL, Th. *et al.*, Ramses, *Synthèse annuelle de l'évolution du monde*, Paris, Dunod.

MUCCHIELLI J.-L., *Multinationales et mondialisation*, Paris, Seuil, 1998.

PAULET J.-P., *L'Espace mondial, pôles de développement et périphéries*, Paris, Ellipses, 1998.

PREBISH R., *Les Prix relatifs des exportations des pays sous-développés*, ONU, 1949.

SABOLO Y. et TRAJTEMBERG R., *The impact of transnational enterprises on employment in developing countries*, Genève, BIT, 1990.

TAXIL B., *L'OMC et les pays en développement*, Paris, Montchrestien, 1998.

PARTIE 2

LES RÈGLES DU JEU MONÉTAIRE ET FINANCIER

Les échanges commerciaux entre les nations impliquent des paiements internationaux ; le système monétaire international aura donc pour mission, dans le cadre d'un certain nombre de règles, de fournir à l'économie mondiale les liquidités internationales dont elle a besoin. Pour ce faire, il doit définir une ou plusieurs unités monétaires internationales qui remplissent les fonctions traditionnelles de la monnaie (mesure de la valeur, intermédiaire des échanges et réserve de valeur), instituer un régime de change et assurer la résorption des déséquilibres des balances relatives aux échanges internationaux.

Les règles du jeu monétaire international sont ici encore fixées par les pays industrialisés, qu'il s'agisse des accords adoptés à Bretton Woods après la Seconde Guerre mondiale, ou du système actuel que tente de gérer collectivement le G7. (Créé à Rambouillet en 1975, ce « club » des sept chefs d'État ou de Gouvernement des pays les plus riches de la planète, est devenu le G8 avec la participation de la Russie à partir de 1997.) Les autres pays ne peuvent que s'y plier, soit dans le cadre de zones monétaires placées sous la suzeraineté d'une devise forte, soit en tentant de conserver plus ou moins bien leur souveraineté monétaire.

Quant aux activités financières internationales, elles se sont développées de façon considérable à partir des années 1970, après l'abandon des changes fixes et de la libération des mouvements internationaux de capitaux. Elles sont aujourd'hui caractérisées par la faiblesse de la réglementation internationale qui les concerne.

Enfin, les pays membres de l'Union européenne ont décidé de se fixer des règles propres dans le cadre de leurs relations monétaires, constituant ainsi une zone d'intégration monétaire européenne.

3

LE SYSTÈME MONÉTAIRE ET FINANCIER INTERNATIONAL

Les règles du jeu monétaire et financier international complètent les règles commerciales. Les échanges internationaux impliquent en effet des paiements internationaux dans le cadre d'un système monétaire international dont la fonction sera de fournir à l'économie mondiale les liquidités dont elle a besoin. Dans cette optique, le système monétaire international doit assurer trois objectifs :

- définir une unité monétaire internationale remplissant les fonctions traditionnelles de la monnaie (mesure de la valeur, intermédiaire des échanges et réserve de valeur) ;
- instituer un régime de change permettant de définir la valeur de chaque monnaie nationale par rapport aux autres devises ;
- assurer la résorption des déséquilibres des balances commerciales (processus d'ajustement).

Au XIXe siècle, les échanges commerciaux internationaux étaient relativement modestes par rapport aux échanges actuels et les grandes monnaies nationales étaient convertibles en or sous forme de pièces (*gold species standart)* ou de lingots (*gold bullion standart)*, au plan interne comme au plan externe. Le système monétaire international reposait donc sur l'or, le pair du change représentant la valeur d'une monnaie nationale par rapport à une monnaie étrangère calculée à partir de leur définition respective en poids d'or.

Le système de l'étalon-or permettait en effet d'assurer la stabilité des taux de change et l'équilibre des balances commerciales (cf. encadré 34).

Les deux guerres mondiales et la crise économique de 1929 eurent raison du système de l'étalon-or ; il faudra attendre les accords de Bretton Woods en 1944 pour qu'un nouveau système (étalon de change-or) se mette en place autour du dollar, seule monnaie nationale convertible en or au plan externe de 1944 à 1971.

3.1 LES ACCORDS DE BRETTON WOODS

Les négociations de Bretton Woods, à la fin de la Seconde Guerre mondiale, regroupaient 44 pays et avaient pour objet l'établissement d'un système monétaire international stable, susceptible de favoriser la reconstruction des économies nationales dévastées par la guerre et d'assurer le développement des échanges internationaux.

Parmi les thèses qui s'affrontaient à Bretton Woods figuraient essentiellement les thèses anglaises (J.M. Keynes) et américaines (H.D. White) ; la première (cf. encadré 35) visait à la création d'un étalon monétaire international (« *Bancor* ») émis par une Banque centrale supranationale (« *International Clearing Union* »).

Ce fut la seconde thèse qui l'emporta : les États-Unis disposaient en effet des deux tiers des réserves d'or mondiales et leur poids économique était tel que les pays occidentaux participant à la négociation devaient accepter la domination du dollar.

Les circonstances particulières de l'après-guerre ont donc permis aux États-Unis d'imposer au monde un système monétaire international dans lequel ils jouent un

ENCADRÉ 34
Le mécanisme des « gold points »

Le mécanisme des « **points d'entrée et de sortie** » d'or dans le système de l'étalon-or permettait à la fois de maintenir la stabilité des taux de change et de résorber les déséquilibres de la balance commerciale.

1. Un pays en déficit extérieur voit sa monnaie plus offerte que demandée sur le marché des changes ; son cours va donc se déprécier par rapport à la monnaie du pays partenaire ; si ce cours est inférieur à la valeur en or de sa monnaie (majoré des frais de transport et d'assurance de l'or, soit 0,2 %), les monnaies étant convertibles en or à un taux fixe, les opérateurs du pays en déficit préféreront payer leurs dettes à l'étranger en or plutôt qu'en monnaie étrangère (point de sortie de l'or). Inversement, un étranger débiteur pourra préférer, dans des circonstances symétriquement opposées, régler sa dette en or plutôt que dans la monnaie du pays créancier (points d'entrée de l'or). Les points d'entrée et de sortie de l'or limitaient ainsi à ± 0,2 % les possibilités de fluctuation du taux de change d'une monnaie.

2. Ces mécanismes permettaient par ailleurs de **rééquilibrer automatiquement les balances des paiements**. En effet, la sortie d'or liée à un déficit diminue la quantité de monnaie fiduciaire en circulation puisque cette dernière est gagée sur de l'or dont la quantité diminue ; la théorie quantitative de la monnaie (masse monétaire x vitesse de circulation = niveau des prix x quantités de transactions) montre que le niveau des prix diminuera, entraînant, grâce à une meilleure compétitivité-prix, une augmentation des exportations et une diminution des importations. L'entrée d'or a bien sûr quant à elle l'effet inverse.

3. Dans la réalité, le bon fonctionnement du mécanisme des points d'or dépendait assez étroitement du coût lié à l'assurance et au transport de l'or et de la politique des Banques centrales qui avaient tendance à freiner les sorties d'or.

rôle privilégié. Ce système leur accorde en effet le privilège seigneurial d'émettre une monnaie internationale que les autres pays sont contraints d'accepter.

3.1.1 *L'étalon de change-or*

Le système des paiements internationaux issu des accords de Bretton Woods était basé, d'une part, sur la position dominante du dollar et, d'autre part, sur le Fonds monétaire international (dont les ressources provenaient des souscriptions des États membres en or et en devise nationale selon un système de quotes-parts) chargé de l'arbitrage des règles du jeu monétaire international.

Dans le cadre de ces règles, chaque État membre devait en premier lieu, d'une part déclarer une parité déterminée de sa monnaie, exprimée en or ou par rapport au dollar (cours officiel), ce dernier étant convertible en or au plan externe au taux de 35 $ l'once, et d'autre part permettre la convertibilité de sa monnaie en monnaie étrangère. Il devait en second lieu maintenir les variations de change de sa monnaie dans les limites de 1 % (marges de fluctuation) autour de la parité déclarée (changes fixes), en utilisant ses réserves de devises pour intervenir sur le marché des changes (cf. encadré 36).

ENCADRÉ 35
Bretton Woods : le plan Keynes

J.M. Keynes proposait l'instauration d'un système monétaire supranational dont l'étalon (***Bancor***), émis par une Banque centrale supranationale (***International Clearing Union***), puisse être indépendant des monnaies nationales. Les mécanismes en étaient les suivants :

1. Les pays membres verseraient à l'ICU une cotisation (quote-part) représentant 75 % de la valeur moyenne de leur commerce extérieur pendant les trois années précédant la guerre. En contrepartie, ils bénéficieraient de possibilités d'emprunt (droits de tirage) en *bancors*, dans une limite calculée en fonction de leur quote-part, l'ICU mettant à la disposition des pays déficitaires les excédents des autres pays.

2. Les *bancors*, non convertibles en or, devaient être émis par l'ICU en fonction des besoins des transactions internationales, la régulation du volume des liquidités internationales étant assurée au moyen de la réduction ou de l'accroissement des quotes-parts.

3. Le solde débiteur d'un pays, représentant 25 % de sa quote-part, lui permettrait de dévaluer sa monnaie ; si le solde débiteur atteignait 50 %, il devrait verser à l'ICU un dépôt de garantie en or ou en monnaie nationale ; si le solde débiteur dépassait 50 %, l'ICU pourrait imposer au pays concerné des mesures d'ajustement destinées à le réduire. Les pays excédentaires devraient eux aussi être amenés à réévaluer leur monnaie pour réduire leurs excédents lorsqu'ils atteindraient plus de 25 % de leur quote-part ; ils pourraient être taxés par l'ICU si leurs excédents dépassaient 50 % de leur quote-part.

Cependant, les parités officielles pouvaient être modifiées par dévaluation (ou réévaluation), sous réserve de l'accord préalable du Fonds monétaire international, lorsqu'il apparaissait nécessaire de corriger un déséquilibre persistant de la balance extérieure (cf. encadré 37), la dévaluation consistant à diminuer la valeur de la monnaie par rapport à l'or ou au dollar.

Créé dans le cadre des accords de Bretton Woods (cf. encadré 38) et arbitre des règles du jeu monétaire international, le FMI pouvait apporter, grâce aux ressources en devises que lui procuraient les contributions des États membres (quote-parts), une aide financière aux pays dont la balance extérieure était en déficit. Cette aide était cependant limitée dans son volume, puisque chaque État membre ne pouvait faire appel au FMI que dans la limite de ses droits de tirage, soit au maximum 125 % de sa quote-part (par tranche de 25 %). Certains États membres purent disposer, après 1969, de droits de tirage spéciaux (DTS), au-delà des 125 % précédents, dont la valeur était calculée quotidiennement à partir d'un panier de devises et qui constituèrent un nouvel instrument de réserve, à côté de l'or et des devises convertibles (cf. encadré 39).

Très vite cependant, le système s'est écarté de l'esprit des accords de Bretton Woods, en évoluant progressivement vers un régime d'étalon-dollar. Cette évolution, dont la crise d'août 1971 constitue un moment privilégié, s'est essentiellement manifestée à travers :

- le rôle international joué par le dollar, devenu monnaie véhiculaire du commerce international et élément principal de la liquidité internationale (le montant des avoirs liquides en dollars détenus par les autorités monétaires nationales a été multiplié par 5 environ, de 1944 à 1970) ;
- le déficit structurel de la balance commerciale américaine financé par des dollars acceptés en tant que monnaie internationale par les partenaires commerciaux des États-Unis. « Nous avons pu nous permettre des déficits dans notre balance depuis 10 ans parce que nos titres de créance sont acceptés de manière générale en tant que monnaie », concédait J. Tobin.

ENCADRÉ 36
L'intervention des banques centrales

Si le cours d'une monnaie perd de la valeur par rapport à une autre devise et sort des marges de fluctuation autorisées, c'est qu'elle est plus offerte que demandée. La Banque centrale de la monnaie concernée doit alors racheter sa propre monnaie sur le marché des changes avec l'autre devise (à partir de ses réserves) ; ainsi, l'offre de monnaie nationale diminuera et l'offre de devise étrangère augmentera, permettant de retrouver l'équilibre initial.

Supposons par exemple que, sur le marché des changes, l'offre de francs à changer en dollars augmente. La demande de dollars va augmenter (déplacement vers la droite de la courbe de demande de dollars, de D vers D'). Si l'offre de dollars O reste fixe, le cours du franc par rapport au dollar va diminuer et sortir des marges de fluctuation autorisés (C). La Banque de France doit donc compléter l'offre de dollars en rajoutant sur le marché une quantité de dollars AB pour que le cours Fr/$ ne dépasse pas la marge de fluctuation autorisée (la courbe O se déplace vers O').

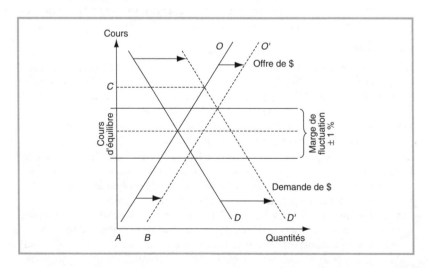

> **ENCADRÉ 37**
> Les mécanismes d'ajustement

Les mécanismes d'ajustement permettent de corriger un déséquilibre de la *balance extérieure (balance des paiements* dont sont exclus les mouvements de capitaux à court terme du secteur public et du secteur bancaire). Ce déséquilibre peut ainsi être corrigé par variation du taux de change, par variation des prix internes (le taux de change restant fixe), par variation du revenu national (approche keynésienne) ou par variation du patrimoine constitué de monnaie (approche monétariste) ou de titres (approche du portefeuille).

A. Modification du taux de change

1. Une modification du taux de change (qu'il s'agisse d'une **dévaluation** ou d'une **réévaluation** dans un système de change fixe ou qu'il s'agisse d'une **dépréciation** ou d'une **appréciation** de la monnaie nationale dans un système de change flottant) va entraîner une modification des prix relatifs des biens échangés qui fera varier les exportations et les importations ; par exemple, dans l'hypothèse d'un déficit commercial, une dévaluation (ou une dépréciation de la monnaie nationale liée à une demande de devises supérieure à l'offre) entraînera, d'une part, une diminution du prix des produits nationaux exprimés en monnaie étrangère, et donc une **augmentation des exportations**, et, d'autre part, une augmentation du prix des produits étrangers exprimés en monnaie nationale, et donc une **diminution des importations**.

2. Cependant, les variations du change ne se répercutent pas immédiatement sur le solde commercial. En effet, une dévaluation (ou une dépréciation) suscite d'abord une dégradation des termes de l'échange (modification des prix relatifs) sans réaction au niveau des volumes importés ou exportés ; les variations de volume n'interviendront que dans un second temps, amenant alors la réduction du déficit de la balance (**courbe en J**).

3. Par ailleurs, la réponse des exportations et des importations à la dévaluation (ou à la dépréciation) dépend de l'**élasticité-prix** de la demande nationale de produits étrangers et de la demande étrangère de produits nationaux. Le **théorème de Marshall-Lerner-Robinson** indique que « **pour que la variation du change entraîne le rééquilibre de la balance commerciale, il faut et il suffit que la somme des deux élasticités soit supérieure à 1** ».

B. Variation des prix internes

1. Les mouvements de devises suscités par le déséquilibre de la balance extérieure vont permettre de rétablir l'équilibre en agissant sur les prix des importations et des exportations, le taux de change demeurant inchangé. Ainsi, un déficit commercial entraînera une sortie de devises, réduisant de ce fait la masse monétaire ; cette contraction aura un effet déflationniste (**théorie quantitative de la monnaie**) qui stimulera les exportations et pénalisera les importations.

2. La **théorie de la parité des pouvoirs d'achat** de G. Cassel stipule que le taux de change d'équilibre est celui qui assure un même pouvoir d'achat à deux devises ; l'**équilibre est donc atteint lorsque le taux de change est égal au rapport entre le niveau général des prix internes et celui des prix étrangers**. En effet, la monnaie n'est demandée pour Cassel qu'en fonction du pouvoir d'achat qu'elle procure ; en d'autres termes, la supériorité du pouvoir d'achat de la monnaie d'un pays sur celle de ses partenaires va entraîner une demande accrue de cette monnaie, donc une augmentation de son cours, ce qui suscitera une diminution des exportations

de ce pays puisque le prix de ses produits exprimé en monnaie étrangère sera accru. Cependant, cette théorie ignore l'importance prise par la demande de monnaie non liée à des transactions commerciales.

C. Variation du revenu national

1. Pour Keynes, l'équilibre macroéconomique est influencé par le commerce extérieur ; le revenu national (R) augmenté des importations (M) est égal à la somme de la consommation nationale (C), de l'investissement national (I), des dépenses gouvernementales (G) et des exportations (X) : $R + M = C + I + G + X$. Par ailleurs, le revenu national est aussi égal à la somme de la consommation nationale, de l'épargne nationale (E) et des prélèvements publics (T) : $R = C + E + T$. On peut donc en déduire que l'**excédent de la balance extérieure est égal à la somme de la capacité de financement des agents privés et de celle de l'État** : $(X - M) = (E - I) + (T - G)$. En d'autres termes, un déficit commercial s'accompagnera d'un déficit budgétaire si ce dernier n'est pas compensé par la capacité de financement des agents privés.

2. Cependant, en régime de changes fixes, une politique de réduction du déficit budgétaire (augmentation des prélèvements et/ou réduction des dépenses publiques) n'aura d'incidence sur le déficit commercial que si les capitaux sont internationalement mobiles. En régime de changes flottants, la politique budgétaire suppose, pour être efficace, une faible mobilité des capitaux (**théorie de Mundell-Fleming**).

3. Par ailleurs, le **multiplicateur du commerce extérieur** de Keynes, ($a = 1 / 1 - c + m$, où c représente la propension marginale à consommer et m la propension marginale à importer) permet de déterminer la variation de revenu national suscitée par une variation de l'investissement national, des exportations et des dépenses publiques ; en d'autres termes, **plus la propension marginale à importer est faible, plus l'accroissement du revenu national sera important**.

D. Variation du patrimoine

1. Les comportements des détenteurs de patrimoines constitués de monnaie peuvent expliquer les relations d'un pays avec l'extérieur dans la mesure où l'existence d'encaisses excédentaires, liées à une augmentation de la masse monétaire, entraîne une augmentation de la demande de produits importés et donc un déficit commercial, qui à son tour provoquera une sortie de devises et donc une réduction de la masse monétaire. Ainsi, **un déficit commercial résulte d'une offre interne de monnaie excédentaire et conduit à une sortie de capitaux**.

2. Un déficit commercial peut donc être corrigé par une réduction de l'offre interne de monnaie effectuée à travers des restrictions de crédit intérieur ; par exemple, une **augmentation des taux d'intérêt suscitera une entrée de monnaie étrangère**, grâce, d'une part à la réduction de la demande interne de monnaie et à l'augmentation de la demande adressée à l'étranger et, d'autre part, à l'attrait qu'exercera sur les capitaux étrangers une rémunération accrue.

3. Cependant, la politique monétaire ne peut être efficace en régime de changes flottants que si la liberté de circulation internationale des capitaux est assurée. En régime de changes fixes, son efficacité suppose une faible mobilité des capitaux (**théorie de Mundell-Fleming**).

4. L'**approche du portefeuille** étend l'analyse précédente à l'ensemble du patrimoine financier, incluant donc les titres, domestiques et étrangers ; elle montre par exemple que, si le taux d'intérêt des titres étrangers est une donnée, la demande de monnaie nationale sera une fonction décroissante du taux d'intérêt des titres domestiques.

ENCADRÉ 38
Le Fonds monétaire international

Le FMI, dont le siège est situé à Washington, compte aujourd'hui 185 pays membres. Il est dirigé par le Conseil des gouverneurs, le Conseil d'administration et le Directeur général.

1. Composé d'un représentant par État membre (ministre des Finances ou gouverneur de la Banque centrale) le Conseil des gouverneurs se réunit une fois par an. Il décide de la politique générale du FMI (accords internationaux, admission des membres, révision des statuts…), chaque représentant disposant d'un nombre de voix fonction de la quote-part versée, à la majorité simple ou à la majorité qualifiée (85 % des voix) dans le cas de décisions importantes.
2. Le Conseil d'administration comprend 24 administrateurs, dont 5 représentent les États-Unis, le Japon, l'Allemagne, le Royaume-Uni et la France, les 19 autres étant élus par les gouverneurs. Le CA supervise les activités du FMI et désigne le Directeur général pour une durée de cinq ans.
3. Le Directeur général (actuellement M. D. Strauss-Kahn) préside le CA, dirige l'administration de FMI et soumet au Conseil des gouverneurs les orientations de la politique du FMI.

Le déficit extérieur des États-Unis est ainsi devenu l'un des éléments les plus significatifs du pouvoir financier américain (pouvoir de seigneuriage). H. Magdoff a mis en évidence les avantages que conférait ainsi aux États-Unis le déficit de leur balance extérieure : pour lui, le développement des investissements, des dépenses militaires et de l'assistance américaine à l'étranger que permettait ce déficit servait fondamentalement à entretenir et à accroître l'hégémonie des États-Unis.

La crainte d'ébranler le système monétaire international incita les autorités monétaires des autres pays à soutenir le dollar qui en constituait la clé de voûte. Mais, à mesure que cette assistance au dollar se révélait plus pressante et plus durable, les autorités monétaires européennes, qui étaient le plus fortement mises à contribution, exigèrent de prendre en commun des mesures de redressement.

3.1.2 Vers l'étalon-dollar

Le système monétaire international évolua donc vers un système fondé sur le dollar. Cependant, un lien subsistait avec les principes de Bretton Woods, puisque le dollar restait convertible en or. Le problème de l'avenir du système commença à se poser lorsque la diminution des réserves d'or américaines prit une telle ampleur que les États-Unis ne purent plus assurer la convertibilité en or de tous les avoirs en dollars détenus à l'étranger.

TABLEAU 25
Évolution des réserves d'or américaines

En milliards de dollars	Réserves d'or aux Etats-Unis	Dollars détenus à l'étranger
fin 1955	21,8	11,7
fin 1960	17,8	18,7
fin mai 1968	10,7	31,5

Sources : MAGDOFF H., *L'Âge de l'impérialisme*, Paris, Maspéro, 1970.

ENCADRÉ 39
Les droits de tirage spéciaux

1. Pour assurer les besoins croissants de liquidité internationale, le FMI sera amené, en 1969, à créer les **droits de tirage spéciaux**, nouvel instrument de réserve qui deviendra l'unité de compte du FMI. La valeur du DTS est établie en 1974 à partir des taux de change des 16 pays qui avaient contribué aux exportations mondiales pour plus de 1 % en moyenne au cours de la période de référence 1968-1972.

2. Les pondérations retenues en 1974 pour déterminer la valeur du DTS étaient les suivantes :

Devise	Pourcentage
Dollar US	33,0
Deutsche mark	12,5
Livre sterling	9,0
Franc français	7,5
Yen japonais	7,5
Dollar canadien	6,0
Lire italienne	6,0
Florin néerlandais	4,5
Franc belge	3,5
Couronne suédoise	2,5
Dollar australien	1,5
Peseta espagnole	1,5
Couronne norvégienne	1,5
Couronne danoise	1,5
Schilling autrichien	1,0
Rand sud-africain	1,0

Source : CUTLER D.S. et GUPTA D. : « DTS, évaluation et taux d'intérêt », *Finance et Développement*, décembre 1974. Ces pondérations furent modifiées en 1991, augmentant la part du dollar américain (39 %), du mark (21 %) et du yen (18 %) qui devancèrent la livre et le franc français (11 % chacun).

La politique des États-Unis et la coopération internationale tentèrent, par des moyens de plus en plus artificiels, d'inciter les détenteurs de dollars à les conserver, voire à les augmenter. Mais le malaise persistait, les Banques centrales détenant plus de dollars qu'elles ne l'auraient voulu. Cette défiance à l'égard du dollar se traduisit, à plusieurs reprises, par des mouvements spéculatifs de transformation massive de dollars, soit en d'autres monnaies, dont les spéculateurs pensaient qu'elles étaient susceptibles d'être réévaluées par rapport au dollar (le mark notamment, en 1969), soit en or, dont le cours commercial s'élevait au-dessus de la parité du dollar (35 dollars l'once).

Cette évolution aboutit à la crise d'août 1971. Les déficits américains persistants, les mouvements spéculatifs internationaux, la défiance grandissante vis-à-vis du dollar conduisirent en effet à penser que ce dernier était surévalué par rapport à l'or et par rapport aux autres monnaies. Il convenait donc, soit de dévaluer le dollar par rapport à l'or (autrement dit d'augmenter le prix de l'or), soit de réévaluer les autres monnaies.

La première solution étant exclue par les États-Unis et la seconde soulevant de nombreuses difficultés, on en est venu, dans un premier temps, à parler d'un élargissement des marges de fluctuation par rapport aux parités officielles, puis de « parités glissantes ». Il s'agissait de laisser le cours des monnaies s'établir à peu près librement sur le marché des changes, ce qui était contraire aux principes des taux de change fixes établis par le FMI, et qui, en définitive, revenait à réévaluer progressivement les monnaies occidentales par rapport au dollar.

Pendant ces discussions, un énorme afflux de capitaux flottants se dirigea vers l'Allemagne, les spéculateurs espérant la réévaluation du mark. Refusant de contrôler le marché des changes, les Allemands préférèrent laisser flotter le cours de leur monnaie en fonction de l'offre et de la demande (changes flottants). Comme la spéculation à la hausse tendait à se porter sur le franc, la France durcit son contrôle des changes et, contrairement à l'Allemagne, affirma sa résolution de défendre son ancienne parité. Le Japon adopta la même position. C'est dans ces conditions que le Président Nixon, estimant indispensable de brusquer les choses, institua le 15 août 1971 une surtaxe de 10 % à l'importation des produits étrangers et proclama l'inconvertibilité du dollar, non seulement en or, mais aussi en tout autre moyen de règlement international.

À la suite de ces mesures, le Japon, envahi de dollars, dut laisser flotter le yen à un taux supérieur d'environ 6 % à la parité officielle, mais persista à résister aux pressions américaines en faveur d'une réévaluation du yen. Quant aux pays membres de la Communauté économique européenne et à la Grande-Bretagne, ils préconisèrent une dévaluation du dollar et un réalignement général des parités. Cette position fut aussi adoptée par tous les partenaires commerciaux des États-Unis et par le FMI lui-même.

C'est sur ces bases que s'engagèrent de nouvelles négociations qui aboutirent à l'accord de Washington du 18 décembre 1971, dans lequel il fut décidé de dévaluer le dollar de 7,89 % (30 dollars l'once d'or fin au lieu de 35 dollars) et la lire de 1 %, ainsi que de réévaluer le yen (7,66 %), le mark (4,61 %), le florin (2,76 %) et le franc belge (2,76 %) ; la taxe américaine de 10 % sur les importations fut en outre supprimée, mais l'inconvertibilité du dollar en or fut maintenue. Par ailleurs, il fut décidé d'élargir les marges de fluctuation des cours des monnaies autour de la parité à 2,25 % au lieu de 1 %, ce qui constituait une sorte de compromis entre taux de change fixes et taux de change flottants.

Pourtant, le système mis en place à la suite des accords de Washington ne dura pas longtemps ; la situation monétaire internationale continua à se dégrader, les États-Unis n'utilisant pas le répit que constituaient ces accords pour assainir leur situation (déficit budgétaire et déficit du commerce extérieur).

L'offre de dollars restait excédentaire sur les marchés des changes et, dès février 1973, une nouvelle crise éclata, accompagnée d'une nouvelle dévaluation du dollar. Un certain nombre de pays décidèrent alors de laisser flotter leur monnaie, abandonnant ainsi les changes fixes, qui caractérisaient le système en vigueur, pour des taux de change flottants, déterminés librement sur le marché des changes en fonction de l'offre et de la demande de devises.

3.2 LE SYSTÈME DES CHANGES FLOTTANTS

Après 1973, de nombreuses conférences ont réuni les représentants des pays riches pour tenter de reconstruire un nouveau système monétaire international. Lors de la conférence de Nairobi en 1973 et de celle de la Jamaïque en 1976, certains pays ont par exemple souhaité que les droits de tirage spéciaux du FMI deviennent l'étalon monétaire international. Mais aucune de ces conférences n'a pu parvenir à instituer un véritable système monétaire international comparable à celui de Bretton Woods ; la conférence de Williamsburg de 1983 s'est quant à elle terminée sur une « invitation » adressée aux membres du G7 à « définir les conditions d'amélioration du système monétaire international »… En fait, depuis 1974, le système repose sur le flottement généralisé des monnaies nationales et sur le rôle privilégié du dollar.

L'impossibilité de fait de faire respecter des changes fixes, le refus des États-Unis de contenir leur déficit extérieur et de contrôler le cours du dollar a donc conduit à un régime de changes flottants. Chaque pays fut désormais libre d'adopter le régime des changes de son choix et de laisser le marché déterminer la valeur de sa monnaie par rapport aux autres monnaies, même si cette liberté restait « surveillée » par le FMI.

TABLEAU 26
Les régimes de taux de change en 1987

Régimes	Nombre de monnaies
flottement indépendant	19
flottement contrôlé	29
flexibilité limitée	12
liaison aux DTS	10
liaison au franc	14
liaison à une autre monnaie	5
liaison au dollar	34
liaison à un panier de monnaies	27

Source : FMI

3.2.1 *Avantages et inconvénients des taux de change flottants*

Le recours aux changes flottants est justifié par ses partisans par un certain nombre d'arguments.

Le système de taux de change fixe suppose, d'une part, que les taux de change ne soient pas manipulés pour des raisons de politique économique (dévaluations compétitives) et, d'autre part, que les taux fixés soient crédibles pour éviter les mouvements spéculatifs. Ces deux conditions étant rarement respectées, un système de taux de change flottant apparaît préférable, pour la flexibilité qu'il permet dans le fonctionnement du système.

Par ailleurs, si le marché est effectivement le meilleur indicateur de prix, fût-ce le prix d'une devise, les changes flottants vont permettre le rééquilibrage automatique de la balance extérieure, sans que les autorités monétaires aient à intervenir. En effet, un déficit commercial, entraînant une sortie de devises, suscite une contraction de la masse monétaire ; sur le plan financier, cette contraction provoque une augmentation du taux d'intérêt et donc une entrée de capitaux étrangers attirés par des taux rémunérateurs ; sur le plan économique, cette contraction de la masse monétaire entraîne un ralentissement de l'activité économique, une stabilisation des prix et donc une amélioration de la compétitivité sur les marchés nationaux étrangers. Ainsi, les exportations vont augmenter, les importations diminuer et la balance commerciale se rééquilibrer.

En outre, les changes flottants suppriment la nécessité pour les Banques centrales d'intervenir sur le marché des changes pour faire respecter la parité de leur monnaie : l'ajustement se fait en effet automatiquement en fonction de l'offre et de la demande de devises et l'équilibre extérieur est ainsi rétabli rapidement. Les autorités monétaires nationales ont ainsi le champ libre pour définir leur politique monétaire interne.

De fait, le fonctionnement du système, depuis la fin des parités fixes, montre qu'il n'a pas freiné le développement du commerce international et d'aucuns pensent qu'il constituait la seule façon de résoudre les problèmes d'adaptation des parités à la suite des déséquilibres provoqués par les chocs pétroliers de la décennie 1970-1980.

Pourtant, le système des changes flottants n'est pas exempt de critiques.

C'est ainsi que le rééquilibrage automatique des balances n'a pas toujours été évident, comme en témoigne la progression du cours du dollar entre 1979 et 1985 (le cours du dollar a augmenté de 80 % au cours de cette période), alors que le déficit américain ne cessait de croître et que le Japon accumulait des excédents. Des changes fixes auraient peut-être amené les États-Unis à prendre des mesures pour réduire leur déficit commercial et lutter contre l'accumulation de leur dette publique. En d'autres termes, la discipline qu'imposait aux États le système de changes fixes n'existe plus.

En outre, le marché ne détermine pas nécessairement des cours cohérents avec la situation économique de chaque pays : si le dollar a gagné 80 % entre 1979 et 1985, il a perdu 100 % de 1985 à 1990 alors que la situation économique des États-Unis n'était pas fondamentalement différente au cours de ces deux périodes. De façon générale, l'évolution du cours des différentes devises n'a pas reflété l'évolution réelle des prix relatifs entre pays, faussant ainsi les courants d'échanges commerciaux internationaux et constituant un handicap pour les opérateurs du commerce international.

Par ailleurs, la « marchéisation » du change a entraîné une explosion des échanges de devises qui n'est pas liée aux besoins du commerce international (ce dernier ne représente plus que 2 % des transactions de change).

TABLEAU 27
L'explosion des échanges de devises

	1986	1989	1992	1995	2004	2007
Échanges de devises par jour en millions de $	188	590	830	1140	1880	3210

Sources : BRI et FMI

Cette explosion s'est accompagnée de fluctuations erratiques, liées aux changements d'anticipation des spéculateurs, qui s'écartent des cours compatibles avec la situation des balances commerciales, modifient artificiellement la structure des prix relatifs et affectent ainsi les relations commerciales internationales. Les opérateurs commerciaux sont dans la quasi-impossibilité de prévoir l'évolution des cours, aussi sophistiqués que soient les modèles de prévision. Les taux de change flottants sont en effet très volatils à court terme, l'incertitude accentuant les facteurs de risque et encourageant une spéculation dont les excès éventuels ne peuvent être contrôlés.

Enfin, d'aucuns estiment que les changes flottants sont à l'origine de l'inflation mondiale qui a caractérisé la période 1973-1986, dans la mesure où les dépréciations de certaines devises font augmenter les prix à l'importation, mais où les appréciations des autres devises n'entraînent pas de baisse significative des prix à l'importation (inertie à la baisse). Ils pensent aussi que le ralentissement de la croissance mondiale après 1973 est peut-être dû aussi aux changes flottants, les incertitudes concernant la valeur relative des monnaies, et les risques qui leur sont liés, ayant entraîné un ralentissement du commerce international.

Ce sont ces difficultés qui ont sans doute conduit les grands pays industrialisés à s'engager en 1985 dans la voie d'une gestion concertée des taux de change.

3.2.2 *La gestion concertée des taux de change*

Le système des taux de change flottants est caractérisé par l'absence de règles, au point que certains parlent de « non-système » monétaire international, alors que le système précédent représentait une construction formalisée obéissant à des règles précises. C'est pourquoi les pays les plus riches de la planète (Allemagne, Canada, États-Unis, France,

Italie, Japon et Royaume-Uni), réunis dans le cadre informel du G7, ont tenté d'exercer une surveillance discrète, sinon efficace, de son fonctionnement, afin de lutter contre la volatilité des changes et d'en prévenir les excès éventuels.

Mc Kinnon avait proposé de maîtriser la masse monétaire mondiale (constituée à 45 % par le dollar, 35 % par le yen et 25 % par le mark) à travers une coordination des politiques monétaires menées par les Banques centrales concernées (« réglage concerté »). Mais d'autres auteurs estimaient qu'une telle coordination serait insuffisante pour assurer la stabilité des changes et que les autorités monétaires devaient s'engager à faire respecter une certaine marge de fluctuation (zone cible) à l'extérieur de laquelle les Banques centrales devraient intervenir (cf. encadré 40).

En fait, la gestion concertée des taux de change par le G7 s'est finalement révélée d'une efficacité relative, malgré les nombreuses interventions des autorités monétaires, même si l'on peut mettre à l'actif du bilan du G7 les accords du Plaza de New York en 1985, dans lesquels le G7 annonça que les pays membres interviendraient d'une manière concertée sur le marché des changes pour susciter une baisse du cours du dollar (et, de fait, le cours du dollar déclina jusqu'à la fin de 1986).

Les accords du Louvre, en 1987, apparaissent aussi comme un relatif succès de la gestion concertée des taux de change : le G7, considérant que les taux de l'époque étaient de « bons » taux, s'était engagé à les stabiliser au niveau auquel ils se trouvaient en intervenant sur le marché dans les limites d'une marge de fluctuation tenue secrète pour éviter la spéculation. De fait, le G7 a réussi à maintenir les taux pendant plusieurs mois, mais la crise boursière d'octobre 1987 conduisit à une dépréciation du dollar qui semble être allée au-delà de la limite prévue lors des accords du Louvre.

La crise de 1987 sembla marquer le déclin de la gestion concertée des taux de change à laquelle le G7 finira par renoncer en 1992 pour élargir son champ d'action et tenter de se constituer en gouvernement de fait de l'économie mondiale. Mais ici encore, son succès paraît tout relatif si l'on mesure son efficacité à régler les grands problèmes économiques qui se sont posés dans les années 1990 et 2000.

3.2.3 L'évolution du rôle du FMI

Arbitre des règles du jeu monétaire international et instance de régulation monétaire dans le cadre du système de Bretton Woods, le FMI était chargé lors de sa création, d'une part, de promouvoir la stabilité des changes et la coopération monétaire internationale à travers un système multilatéral de règlement et, d'autre part, de fournir les aides financières susceptibles de financer les déséquilibres des balances extérieures.

Après l'abandon des changes fixes dans les années 1970, son rôle s'est progressivement transformé en celui de « coopérative de crédit ».

Depuis les crises financières qui ont frappé, à la fin des années 1990, les pays émergents d'Asie et d'Amérique latine,le FMI s'est vu investi d'une nouvelle mission

ENCADRÉ 40
Principe de la gestion concertée des taux de change

1. La « **zone cible** » est définie à partir d'un « **taux de change d'équilibre fondamental** (toef)», susceptible d'évoluer dans le temps, permettant d'assurer en même temps l'équilibre de la balance externe (**équilibre externe**) et la stabilité des prix internes (**équilibre interne**).

2. Si l'on met en relation le taux de change réel (taux de change nominal multiplié par le rapport entre le niveau général des prix externes et le niveau général des prix internes) et les dépenses internes (consommation, investissement, dépenses publiques), le cours de change d'équilibre fondamental se situe graphiquement au point de rencontre entre, d'une part la droite EE (équilibre externe) représentant les différentes combinaisons de taux de change réel et des dépenses internes pour lesquelles la balance extérieure est équilibrée et, d'autre part, la droite EI (équilibre interne) représentant les différentes combinaisons de taux de change réel et de dépenses internes pour lesquelles le taux de change n'entraîne pas d'accélération de l'inflation.

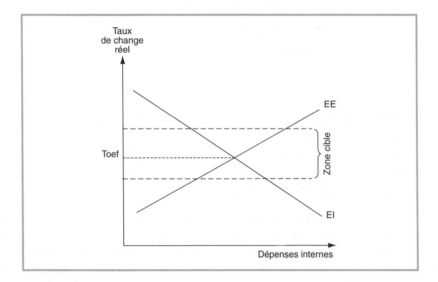

de surveillance du système monétaire et financier international, afin de prévenir d'éventuelles crises et d'y porter remède.

Les missions initiales du FMI, dont les moyens étaient constitués par les quotes-parts versées par les pays membres et des emprunts effectués auprès de certaines Banques centrales (Accords généraux d'emprunt créés en 1962 et nouveaux Accords d'emprunt en 1997), étaient définies dans ses statuts d'origine :

– promouvoir la coopération monétaire internationale et la stabilité des changes afin de faciliter le développement du commerce international ;

TABLEAU 28
Les principaux instruments du FMI

Phases	Années	Instruments
1	1952	Accords de confirmation (déséquilibres temporaires)
	1952	Accords élargis (déséquilibres structurels)
	1963	Facilités de financement compensatoire
	1969	Facilités de financement des stocks régulateurs
2	1974	Facilités de crédit élargi
	1974	Tirages pétroliers
	1986	Facilités d'ajustement structurel
	1987	Facilités d'ajustement structurel renforcées
	1993	Facilités pour la transformation systémique
3	1997	Facilités de réserve supplémentaire
	1999	Facilités pour la réduction de la pauvreté et pour la croissance
	1999	Ligne de crédit préventive

– établir un système multilatéral de règlement des transactions éliminant les restrictions de change ;

– fournir les moyens financiers nécessaires au rétablissement des déséquilibres temporaires ou structurels de la balance extérieure des pays déficitaires et rétablir les conditions d'une croissance durable.

Pour exercer cette dernière mission, le FMI pouvait accorder aux pays demandeurs des crédits (facilités) par tranches de 25 % de leur quote-part, afin de les aider à résoudre des problèmes temporaires (accords de confirmation) ou structurels (accords élargis) de leur balance extérieure. À ces crédits classiques s'ajouteront des crédits spéciaux comme, en 1963, les « facilités de financement compensatoire et de financement pour imprévus » destinées à pallier une baisse temporaire de recettes d'exportation ou une hausse du coût d'importation de céréales. En 1969 est créé un mécanisme de financement des stocks régulateurs de produits de base constitués pour lutter contre des fluctuations excessives des cours.

L'abandon des changes fixes, le premier choc pétrolier des années 1970 et le surendettement de nombreux pays en développement dans les années 1980 (cf. encadré 41) conduisirent le FMI à créer de nouveaux mécanismes pour tenir compte de l'évolution des besoins liés à la situation internationale. Aux missions traditionnelles du FMI s'ajouta la nécessité d'accompagner des programmes de redressement liés à des difficultés structurelles et de répondre à des situations particulières, notamment dans les pays en développement.

Pour répondre à ces missions, le FMI a développé un certain nombre de nouveaux instruments. Dès 1974 sont apparues des « facilités de crédit élargi » au bénéfice des pays dont les déséquilibres résultent de distorsions structurelles dans les domaines de la production, du commerce et des prix.

ENCADRÉ 41
La crise de l'endettement des pays en développement

1. Au cours des décennies 1970-1980 et 1980-1990, la dette totale des pays en développement et de l'Europe de l'Est s'est accrue dans des proportions inquiétantes, passant d'une centaine de milliards de dollars à plus de 1 800 milliards à la fin des années 1990. Parallèlement, la structure de la dette s'est modifiée, avec une proportion de plus en plus grande d'emprunts à court terme par rapport aux emprunts à moyen et à long terme et une proportion de plus en plus grande d'emprunts effectués auprès d'établissements privés (recyclage des pétrodollars) par rapport aux emprunts publics bilatéraux ou multilatéraux.

Évolution de la dette totale des pays en développement

En milliards de dollars	1980	1990	2000
Afrique	117,3	285,0	310,0
Amérique latine	214,4	440,8	754,6
Asie et Océanie	151,5	459,2	947,8
Europe de l'Est	9,8	144,3	327,3
Total *(dont PMA)*	480,5 *(34,0)*	1091,9 *(104,8)*	1823,7 *(118,5)*

Source : BIRD

2. La crise économique et la hausse importante des taux d'intérêt au début des années 1980 ont ainsi suscité une **crise de l'endettement** des pays en développement. Certains d'entre eux, dont le stock de dettes dépassait la moitié de leur PIB ou dont le service de la dette dépassait le tiers de leurs exportations, ne pouvaient plus faire face à la charge que la dette représentait pour eux.
3. Pour faire face à cette crise, il a d'abord été envisagé de **rétablir la liquidité des pays débiteurs** en leur accordant de nouveaux prêts à des conditions plus avantageuses, **en contrepartie de mise en œuvre de politiques économiques rigoureuses** destinées à rétablir dans les pays bénéficiaires les grands équilibres macroéconomiques fondamentaux (Plan Baker en 1985, facilités d'ajustement structurel, voir encadré 42).
4. Diverses techniques ont en outre été mises en œuvre, permettant aux pays débiteurs soit de **racheter leur dette** sur le marché secondaire (*debt buy back*) ou de l'échanger contre d'autres dettes de nature différente (*debt swap*), soit **d'échanger leur**

dette contre des actifs (*equities swap*), des marchandises (*commodities swap*), des programmes de protection de l'environnement ou de lutte contre la pauvreté.

5. Constatant les limites des solutions précédentes, le sommet du G7 réuni en 1988 à Toronto adopta un plan **d'allègement de la dette publique** des pays en développement sous la forme de **trois options** (non exclusives les unes des autres), négociables entre le pays débiteur (ayant déjà signé avec le FMI un accord pour la mise en œuvre d'un programme d'ajustement économique) et ses créanciers publics, dans le cadre du **club de Paris** :

    a **Annulation d'un tiers du service de la dette** consolidée et **rééchelonnement du solde** au taux du marché sur 14 ans (comprenant un délai de grâce de 8 ans).

    b **Rééchelonnement** du service de la dette consolidée sur 25 ans au taux du marché (avec un délai de grâce de 14 ans).

    c **Diminution du taux d'intérêt** (taux du marché diminué de 3,5 points) et **rééchelonnement** du service de la dette consolidée sur 14 ans (avec un délai de grâce de 8 ans).

6. Ces mesures ont été précisées et complétées dans les années 1990 à l'occasion de divers sommets du G8. C'est ainsi que « **l'initiative PPTE** » (pays pauvres très endettés) a permis d'importantes annulations de dettes multilatérales à l'égard des institutions internationales pour une quarantaine de pays très pauvres.

7. Le **rééchelonnement** des dettes contractées auprès de **banques privées** devait se négocier quant à lui au sein du **club de Londres,** dans le cadre du **plan BRADY,** proposé en 1989, qui combine, au cas par cas, l'ensemble des mesures précédentes.

Ce furent aussi, suite au premier choc pétrolier, les « tirages pétroliers » pour les pays importateurs de pétrole, et notamment les « pays les moins avancés ». En 1976, une centaine de pays en développement ont bénéficié des plus-values réalisées par le FMI sous la forme d'un « fonds fiduciaire ». L'année suivante, les « facilités Witteven » ont permis d'aider des pays qui avaient des déficits très élevés par rapport au montant de leur quote-part. En 1982, les pays ayant des difficultés de balance des paiements liées à des catastrophes naturelles ou à des conflits militaires ont pu solliciter auprès du FMI des aides d'urgence. Les « facilités pour transformation systémique » ont permis, à partir de 1993, d'aider les anciens pays communistes à financer leur transition vers l'économie de marché et à s'insérer dans le marché international.

L'un des mécanismes les plus importants fut mis en place en 1986 : il s'agit des « facilités d'ajustement structurel » qui constituent des programmes de redressement pluriannuels des pays en développement surendettés et qui furent complétées en 1987 par les « facilités d'ajustement structurel renforcées » (cf. encadré 42).

Les mécanismes précédents étaient caractérisés par le « principe de conditionnalité » ; les aides du FMI étaient en effet assorties de l'obligation pour le pays bénéficiaire (« lettre d'intention ») d'appliquer une politique économique susceptible de permettre le rétablissement des grands équilibres macroéconomiques fondamentaux : équilibre budgétaire, équilibre du commerce extérieur, vérité des prix, libéralisation des flux d'investissements directs étrangers, privatisation des entreprises publiques et lutte

---

ENCADRÉ 42
Les facilités d'ajustement structurel

1. L'objectif des FAS consistait à aider les pays en développement surendettés et connaissant des problèmes persistants de balance des paiements à réunir les conditions d'une croissance économique durable.

2. Les FAS étaient constituées par un **prêt concessionnel** du FMI, versé en trois tranches (20 %, 30 % et 13 %), représentant 63 % de la quote-part du pays en développement bénéficiaire. Ce prêt était remboursable sur dix ans, avec un différé d'amortissement de cinq ans et demi.

3. Les pays qui demandaient à bénéficier d'une FAS devaient établir conjointement avec les représentants du FMI un programme précisant les objectifs à atteindre et les moyens à mettre en œuvre en termes de politiques économiques, afin de **restaurer les grands équilibres économiques fondamentaux** (équilibre budgétaire, équilibre extérieur, stabilité des prix, réhabilitation du secteur privé, restructuration du secteur public…), dans le cadre du « **consensus de Washington** ». La réalisation du programme était suivie par une série d'indicateurs (critères de réalisation quantitatifs) et des consultations périodiques destinées à apprécier les résultats obtenus.

4. Le consensus de Washington reposait sur un certain nombre de politiques de base, comprenant notamment une discipline budgétaire, une réforme fiscale, des dépenses publiques affectées prioritairement dans les secteurs des infrastructures, de la santé et de l'éducation, l'encouragement de l'épargne, la privatisation des entreprises publiques, un taux de change compétitif et la libéralisation des flux d'IDE.

5. Les résultats furent généralement assez décevants, dans la mesure où les programmes mis en œuvre méconnaissaient souvent les conditions politiques et sociales des pays concernés, conditions pourtant essentielles à leur réussite. À la suite des critiques émises à l'encontre des FAS, elles furent remplacées en 1999 par des facilités pour la réduction de la pauvreté et pour la croissance, qui tentent de mieux tenir compte de la dimension sociale et politique du sous-développement.

---

contre l'endettement public excessif (« consensus de Washington »). Mais leurs résultats furent finalement assez décevants, dans la mesure où la mise en œuvre des politiques précédentes ne tenait pas suffisamment compte des conditions particulières, politiques et sociales, des pays concernés.

Depuis la fin des années 1990, le FMI s'est trouvé confronté à des crises financières touchant les pays émergents d'Amérique latine ou d'Asie (chute du cours de la monnaie, retraits massifs de capitaux, faillites bancaires…). Il tente donc de s'adapter à la mondialisation financière en s'efforçant en premier lieu de prévenir les crises financières (détermination d'un faisceau d'indicateurs de vulnérabilité dans le cadre d'un « programme d'évaluation du secteur financier » créé en 1999).

Il peut aussi intervenir lorsque les crises se développent à l'aide de nouveaux instruments (facilités de réserves supplémentaires en 1997, pour aider les pays victimes de pressions spéculatives sur leurs marchés financiers et ligne de crédit contingente en

1999, destinées aux pays qui craignent la contagion d'une crise financière voisine.). Il poursuit enfin sa mission d'aide aux pays en développement et de lutte contre la pauvreté (facilités pour la réduction de la pauvreté et la croissance en 1999).

Mais ce nouveau rôle du FMI se révèle en fait limité par l'insuffisance de ses moyens financiers, la crise asiatique ayant épuisé ses réserves. Au-delà, les crises en question ont révélé la difficulté du FMI actuel à jouer son rôle de régulateur du système monétaire et financier international. La légitimité du FMI est aussi remise en cause par les pays en développement dont le poids est négligeable dans la prise de décision. Les réformes entamées au début de 2008 (calcul des quotes-parts, et donc des voix, plus favorable aux pays émergents, augmentation des moyens financiers à travers la vente d'or) permettront peut-être de donner un nouveau souffle à cette institution.

3.3 LES ZONES MONÉTAIRES

Les zones monétaires regroupent un certain nombre de monnaies autour d'une devise forte et présentent quatre caractéristiques principales :

- la définition d'une parité fixe avec la monnaie centre ;
- la convertibilité et la transférabilité illimitées des monnaies concernées dans les pays concernés ;
- la constitution de réserves de change dans la monnaie centre gérées par le pays centre ;
- une réglementation des changes commune.

Ces caractéristiques doivent théoriquement permettre aux monnaies liées à la devise centre de bénéficier de sa garantie et de sa stabilité.

Les différentes zones existantes se différencient entre elles par leur origine, leur fondement juridique, leurs règles de fonctionnement ou leurs objectifs.

Certaines, comme la zone dollar (créée en 1936), ou la zone rouble (créée en 1925), résultent directement de « l'attrait » exercé par la puissance politique et économique d'un grand pays. D'autres zones sont nées des rapports particuliers qui se sont institués entre les colonies et leur métropole (zone sterling, zone franc, zone escudo…). Quant à la zone euro (plus récente, puisque créée en 1999), elle est le résultat d'une volonté politique des pays de l'Union européenne de se doter d'une monnaie unique.

Si certaines zones ont disparu avec l'effondrement des empires coloniaux (comme la zone escudo), d'autres ont survécu à l'indépendance des colonies, soit en déclinant progressivement, comme la zone sterling, soit en se renouvelant, comme la zone franc.

3.3.1 *Théorie des zones monétaires optimales*

Une « zone monétaire optimale » suppose une partition de l'espace, avec des changes fixes à l'intérieur et des changes flottants dans les relations monétaires de la zone avec l'extérieur.

La théorie des zones monétaires optimales vise à déterminer les raisons qui peuvent inciter certains pays à se regrouper dans le cadre d'une zone monétaire. Les avantages qu'ils peuvent en tirer sont les suivants :

- l'élimination des coûts d'information, de transaction et de conversion qui se manifestent à l'occasion du change (frais financiers liés à la différence entre le cours vendeur et le cours acheteur, commissions pour conversion, frais internes de comptabilité des changeurs…) ;

- l'élimination des coûts liés aux risques de change (frais de couverture des risques du change pour se prémunir contre les fluctuations des cours) ; si l'élimination des risques du change entraîne une diminution du taux d'actualisation des consommateurs, on devrait théoriquement assister à une accélération de la croissance ;

- la diminution des possibilités de discrimination par les prix liées à la segmentation des marchés nationaux.

Les coûts principaux de la participation à une zone monétaire résultent quant à eux :

- de la perte de la souveraineté monétaire, qui prive les pays concernés de l'exercice d'une politique monétaire autonome ;

- des exigences d'une politique budgétaire restrictive (diminution du déficit budgétaire et de la dette publique notamment), qui risque de peser sur la croissance et l'emploi dans une conjoncture dépressive.

La théorie des zones monétaires optimales montre qu'un pays aura intérêt à rejoindre la zone, si les avantages qu'il en retire, avantages qui deviennent de plus en plus importants au fur et à mesure que l'intégration économique entre les pays concernés s'accroît, sont plus importants que les coûts qu'il subit et qui sont de moins en moins lourds lorsque l'intégration économique s'intensifie. En d'autres termes, au-delà d'un certain degré d'intégration, les avantages l'emporteront sur les coûts et il devient alors intéressant pour les pays concernés d'adhérer à une zone monétaire (cf. encadré 43).

À partir de cette problématique, certains auteurs ont tenté de définir des critères d'optimalité. Pour R. Mundell par exemple, lorsque des chocs extérieurs ont une incidence asymétrique sur les membres d'une zone monétaire, et dans la mesure où les déséquilibres qui en résultent ne peuvent pas être corrigés par une variation du change, l'ajustement ne peut être réalisé qu'à travers une mobilité des facteurs de production. Ainsi, une zone monétaire ne peut se révéler optimale que si les facteurs de production, capital et travail, sont totalement mobiles à l'intérieur de la zone (cf. encadré 44).

ENCADRÉ 43
Théorie des zones monétaires optimales : avantages et coûts de l'adhésion

La théorie des zones monétaires optimales tente de montrer dans quelle mesure un pays a intérêt ou non à rejoindre une zone d'intégration monétaire, en comparant les avantages et les coûts de l'adhésion.

1) Hypothèse

On considère un groupe de pays caractérisés par une intégration économique (marché commun des biens et des services) et monétaire (changes fixes ou monnaie commune), ainsi que par une mobilité des facteurs de production.

2) Démonstration

1. Les avantages potentiels de l'adhésion d'un pays tiers au groupe précédent peuvent être mesurés en termes d'efficience monétaire (avantages suscités par l'absence d'incertitude et l'absence de coûts de transaction liés aux changes flottants). Ils constituent une fonction croissante de l'intensité de l'intégration économique (courbe A).

2. Les coûts, mesurés en termes d'instabilité économique, résultent de l'abandon des avantages liés aux changes flottants et de l'abandon de la possibilité de mettre en œuvre une politique monétaire autonome. Ces coûts décroissent lorsque l'intégration économique s'intensifie. (courbe C).

3. La confrontation des courbes A et C montre qu'un pays tiers a intérêt à rejoindre la zone monétaire lorsque le degré d'intégration économique entre son marché et celui de la zone est supérieur à i (point d'intégration critique), les avantages excédant alors les coûts. En d'autres termes, **les avantages des changes fixes ou d'une monnaie commune sont d'autant plus importants que l'intégration économique entre les partenaires de la zone est étroite.**

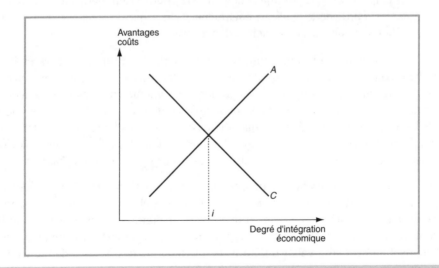

ENCADRÉ 44
Théorie des zones monétaires optimales : la mobilité du travail comme variable d'ajustement

- On considère une zone monétaire constituée par deux pays (A et B) fabriquant le même produit, caractérisée par une monnaie commune (ou des taux de change fixes) et une rigidité des prix et des salaires à la baisse.
- On suppose qu'à la suite d'un choc exogène, la demande du pays A se détourne du produit qui y est fabriqué pour s'adresser à celui fabriqué par le pays B.
- Le pays A subit alors une diminution de sa production et donc une augmentation de son taux de chômage, alors que le pays B connaît la situation inverse.
- En l'absence de variation du change, et du fait de la rigidité des prix et des salaires à la baisse, la correction du déséquilibre précédent ne peut être réalisée qu'à travers le déplacement de la main-d'œuvre du pays A vers le pays B. Cette mobilité permettra en effet de diminuer le taux de chômage du pays A et de satisfaire les besoins en main-d'œuvre supplémentaire du pays B.

À la suite des travaux de R. Mundell, d'autres critères d'optimalité ont pu être mis en évidence :

- le degré d'ouverture des économies de la zone (R. Mc Kinnon) ;
- le degré de diversification de l'appareil productif (R. Kennen) ;
- le degré d'homogénéité des préférences concernant la production de biens publics et les choix de politique économique (C. Kindelberger) ;
- le degré d'intégration de la fiscalité, de la finance ou des marchés (J.C. Ingram) ;
- l'intensité des échanges internes (H.G. Johnson) ;
- l'absence de différentiel d'inflation à l'intérieur de la zone (J.M. Fleming).

Quant au « triangle des incompatibilités » de R. Mundell (cf. encadré 45), il montre que, dans l'hypothèse d'une libre circulation des capitaux, la stabilité des changes implique l'abandon de toute politique monétaire autonome et la coordination étroite des politiques monétaires nationales.

3.3.2 *La zone franc*

La zone franc est le résultat d'une transformation des structures monétaires coloniales mises autrefois en place par la France. Ses anciennes colonies avaient conservé au-delà de leur indépendance politique une monnaie créée à l'origine par le colonisateur.

Les banques d'émission créées dans les colonies françaises ont toujours été étroitement assujetties à la politique monétaire de la métropole, même lorsqu'elles étaient de statut privé. Le véritable centre de décision restait la Banque de France qui

ENCADRÉ 45
Le triangle des incompatibilités

Le **triangle des incompatibilités** de Mundell montre qu'il n'est pas possible de poursuivre à la fois les trois objectifs suivants : autonomie de la politique monétaire, libre circulation des capitaux et stabilité des taux de change. Deux d'entre eux seulement peuvent être satisfaits simultanément, tandis que le troisième doit être sacrifié. Comme en ce qui concerne l'Europe, la libre circulation des capitaux est assurée et que l'on cherche à stabiliser les taux de change, il faut que les États membres renoncent à une politique monétaire indépendante.

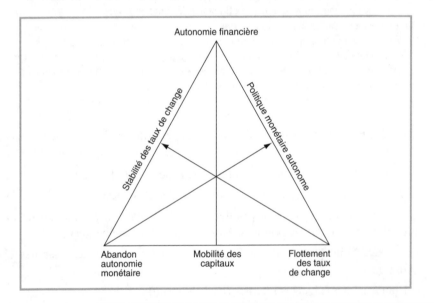

contrôlait étroitement, de l'intérieur (à travers les actions qu'elle détenait) et de l'extérieur (à travers une Commission de surveillance), l'activité des banques coloniales et leur émission de monnaie.

Ce contrôle s'est encore accru au cours de la Deuxième Guerre mondiale lorsque la Caisse centrale de la France d'outre-mer, fut seule dotée du « droit d'émettre, de faire émettre ou de prendre en charge les billets au porteur ayant cours légal et pouvoir libératoire illimité dans les territoires placés sous l'autorité ou le mandat de la France libre ». Vers les années 1950, un Comité monétaire de la zone franc fut substitué à la Caisse centrale pour assurer la coordination des politiques monétaires des différents Instituts d'émission d'outre-mer.

Après l'accession des colonies françaises à l'indépendance, les Institutions monétaires de la zone franc se sont transformées. Cette zone, aujourd'hui rattachée à l'euro, comprend de nos jours 14 États (en dehors de la France et de ses départements et territoires d'outre-mer) :

- les sept pays de l'Union monétaire ouest-africaine (UMOA) : Bénin, Burkina, Côte-d'Ivoire, Mali, Niger, Sénégal et Togo, dont la monnaie est le franc CFA (franc de la Communauté financière africaine) émis par la Banque centrale des États d'Afrique de l'Ouest (BCEAO) ;
- les six pays membres de la Banque des États de l'Afrique centrale (BEAC) : Cameroun, Centrafrique, Congo, Gabon, Guinée équatoriale et Tchad, avec pour monnaie commune le franc CFA (franc de la Coopération financière en Afrique) ;
- la République fédérale islamique des Comores, qui possède sa monnaie propre, le franc Comorien, émis par la Banque centrale des Comores.

Malgré quelques transformations institutionnelles, les règles de fonctionnement de la zone franc n'ont pratiquement pas varié après l'accession des colonies françaises à l'indépendance :

- inter-convertibilité libre et sans limites, à des taux fixes, des monnaies de la zone, grâce à un compte d'opérations ouvert par le Trésor français auprès de chaque banque centrale ;
- unicité de trésorerie, les banques centrales conservant leurs avoirs au Trésor français ;
- réglementation de change commune vis-à-vis de l'extérieur.

Maintenu depuis 1949 au taux de 1 franc CFA = 0,02 francs français (2 centimes), le franc CFA fut dévalué de 50 % en janvier 1994 (1 franc CFA = 1 centime). Cette dévaluation, dont l'importance devait permettre d'éviter de nouvelles dévaluations ultérieures, se révélait économiquement nécessaire, bien qu'elle fût par ailleurs socialement dangereuse et rès contestée par les pays concernés.

La dévaluation du franc CFA par rapport au franc français répondait en effet à une double crise, économique et financière, des pays africains concernés.

Leur situation économique était catastrophique et rendait plus aiguë la contradiction entre des économies en régression depuis les années 1985 et une monnaie surévaluée, car liée à la politique française du franc fort. La perte de compétitivité de leurs exportations sur les marchés internationaux, face à leurs concurrents africains qui eux bénéficiaient d'une monnaie généralement sous-évaluée, et la croissance de leurs importations entraînaient des déficits commerciaux chroniques ; au plan interne, la diminution du produit intérieur brut, liée à une politique économique souvent laxiste, et le développement du secteur informel suscitaient des déficits budgétaires de plus en plus importants.

À la crise économique s'ajoutait une crise financière liée, d'une part, au recours à l'emprunt et à l'aide française pour financer les déficits croissants et maintenir le train de vie des États et, d'autre part, à la fuite des capitaux, alimentée d'ailleurs par l'aide française dont environ le quart était détourné ; cinq milliards de francs ont ainsi quitté la zone franc au cours du premier semestre 1993, et la France dut suspendre la convertibilité des francs CFA hors de la zone franc.

TABLEAU 29
Les indicateurs économiques et financiers en Afrique sub-saharienne

Taux de croissance du PIB (variation annuelle moyenne, d'après le FMI)		
	1975-1986	**1987-1993**
Zone franc	+ 5,3	− 0,5
Autres pays	+ 2,1	+ 2,5
Solde budgétaire (en % du PIB)		
Zone franc	− 3,8	− 8,1
Autres pays	− 5,2	− 5,6
Solde extérieur (en % du PIB)		
Zone franc	− 4,8	− 7,5
Autres pays	− 1,3	− 0,5
Dette extérieure (en % du PIB)		
Zone franc	48,7	76,5
Autres pays	40,7	57,1

Source : FMI

Pour répondre à cette double crise, le FMI exigea, en contrepartie d'un prêt de 12 milliards de francs, que le franc CFA fût dévalué, d'autant que la France refusait de financer plus avant les déficits des pays de la zone.

On attendait de la dévaluation le rééquilibre de la balance commerciale (grâce à une meilleure compétitivité des produits exportés, à un renchérissement des importations et à la reconquête du marché intérieur par des produits locaux devenus moins chers), la réduction du déficit budgétaire (grâce à une politique interne plus rigoureuse), l'arrêt de la fuite des capitaux et la relance de la production intérieure.

Cependant, le caractère drastique des mesures prises risquait d'entraîner des dérapages sociaux comparables à ceux qui avaient suivi, dans les années 1980, l'application des facilités d'ajustement structurel du FMI dans certains pays du tiers-monde (Brésil, Venezuela, Tunisie, etc.). L'augmentation du prix des produits de première nécessité importés (si ce prix n'était pas contrôlé), la perte de pouvoir d'achat de certaines catégories sociales (fonctionnaires notamment), l'augmentation du poids de la dette exprimée en monnaie locale (si elle était insuffisamment compensée par l'aide au développement), le maintien des importations de biens dont la production intérieure est dépendante, l'insuffisance du développement des exportations due à une demande étrangère inélastique constituaient autant de facteurs de risques d'échec de la dévaluation et de mécontentements sociaux.

En fait, ces risques ont été relativement contrôlés, grâce à l'accompagnement de la dévaluation par le FMI et la France (annulation d'une partie de la dette extérieure des pays concernés, augmentation de l'aide financière notamment) et malgré une relance de l'inflation.

De fait, la dévaluation a atteint ses principaux objectifs, qu'il s'agisse de la relance de l'activité économique de la limitation du déficit budgétaire ou de l'amélioration de la balance commerciale.

TABLEAU 30
Taux de croissance du pib de la zone franc

	1993	Moyenne 1995-1997
UMOA	− 1 %	5,9 %
CEMAC	− 1 %	4,3 %

Sources : FMI

La dévaluation du franc CFA a cependant été mal ressentie par les gouvernements et les populations concernés et a relancé le débat sur les inconvénients de la participation à une zone monétaire de ce type par rapport à ses avantages.

L'appartenance à la zone franc pouvait apparaître comme positive dans la mesure où la garantie de la France permettait de donner aux monnaies des pays en développement membres de la zone une crédibilité internationale dont elles n'auraient pas bénéficié si elles n'avaient pas été liées au franc. Par ailleurs, l'existence d'une monnaie commune pour les pays africains concernés a probablement constitué un facteur important de développement de leur commerce extérieur et de leur processus d'intégration. Les principaux résultats positifs de la zone franc pouvaient être résumés comme suit :

- capacité de résistance aux fréquents changements politiques et aux perturbations du système monétaire international ;
- stabilité et sécurité monétaires propices au développement économique grâce notamment à une inflation mieux maîtrisée ;
- facilités dans les transactions commerciales et financières, facteur positif pour les investissements étrangers ;
- coopération et solidarité régionales renforcées.

Effectivement, la stabilité monétaire des pays de la zone franc leur a permis d'atteindre des résultats somme toute corrects jusqu'en 1986. Mais, à partir de cette date, leur appartenance à la zone franc a eu l'effet inverse, cette dernière amplifiant les difficultés économiques et financières traversées, dans la mesure où les pays concernés n'avaient pas, contrairement à leurs voisins, la possibilité de réajuster la valeur de leur monnaie. Leurs exportations ayant perdu de la compétitivité face aux concurrents qui avaient pu dévaluer leur monnaie, les pays de la zone virent leurs recettes publiques diminuer, les investissements étrangers se décourager et leurs capitaux s'évader ; la fixité des changes avec le franc français apparaissait dès lors comme un handicap.

Par ailleurs, la création de la zone euro et l'abandon du franc français pouvaient faire craindre de nouveaux risques de dévaluation. À partir du 1er janvier 1999, la valeur des monnaies de la zone franc fut en effet déterminée en fonction de la valeur du franc par rapport à l'euro (cf. encadré 46).

Les pays africains ont craint dans un premier temps que le passage du franc à l'euro ne serve de prétexte à une nouvelle dévaluation des francs CFA, après celle de 50 % intervenue en 1994 (en fait, la disparition du franc le 1er janvier 1999 a permis de rattacher les francs CFA à l'euro sans perte de valeur). Ils craignent maintenant que la parité fixe des francs CFA avec un euro fort n'affaiblisse leur compétitivité et ne conduise ultérieurement à d'autres dévaluations.

Par ailleurs, la zone franc est loin de répondre aux critères d'optimalité :

– la mobilité du travail y est relativement faible, malgré l'absence de la barrière linguistique, du fait des rivalités ethniques, des difficultés de transport ou du caractère limité de la circulation de l'information ;

ENCADRÉ 46
L'euro et la zone franc

1. Les ministres des Finances de la France et des pays de la zone franc ont décidé en 1998 que les accords liant la France aux pays de la zone franc seront maintenus au-delà du passage à l'euro et que l'appellation franc CFA ne sera pas modifiée.

2. Comme la parité du franc CFA était définie par rapport au franc français (1 FF = 100 FCFA), qui lui-même était devenu, après le 1er janvier 1999, une subdivision de l'euro jusqu'à la disparition totale du franc français en 2002 (1 € = 6,55957 FF), la valeur des francs CFA pouvait être exprimée en euros (1 € = 655,957 FCFA).

3. Le Conseil européen a admis la même année que, sous réserve d'une information régulière des instances européennes, la mise en œuvre des accords continuerait à relever de la France et des pays de la zone franc.

4. Cependant, conformément à l'article 109-3 du traité de Maastricht, l'admission d'un nouveau pays membre ou la remise en cause du principe de garantie par le Trésor public français de la convertibilité à taux fixe des francs CFA devra faire l'objet d'une décision du Conseil européen, statuant à la majorité qualifiée, après avis de la Commission européenne et de la Banque centrale européenne.

- les échanges commerciaux entre les pays africains concernés restent limités malgré les tentatives d'intégration économique ;
- les activités des pays africains, essentiellement centrées sur la production et l'exportation de produits de base, sont insuffisamment diversifiées ;
- les écarts entre leurs niveaux de développement sont importants (absence de convergence réelle) et la coordination des politiques économiques quasi inexistante.

3.4   L'INTERNATIONALISATION DES ACTIVITÉS FINANCIÈRES

Les activités financières internationales ont connu une croissance spectaculaire à partir des années 1960, accompagnant la mondialisation des échanges commerciaux. Le volume des transactions financières a en effet été multiplié par 7 au cours des 25 dernières années, et représente à l'heure actuelle 15 % du PIB mondial.

L'internationalisation des activités financières résulte du développement des activités bancaires internationales (à partir des années 1960), du développement des euro-marchés (au cours des années 1970) et de l'intégration progressive des marchés de capitaux (depuis le début des années 1980).

3.4.1 *Le développement des activités financières internationales*

La mondialisation financière fut d'abord marquée, dès le milieu des années 1960, par l'internationalisation des activités bancaires. Le développement rapide des échanges commerciaux internationaux a en effet conduit les banques à s'implanter à l'étranger pour fournir sur place à leurs clients les services financiers dont ils avaient besoin (financement des activités commerciales ou de l'implantation de firmes multinationales), alors que les marchés de capitaux restaient isolés les uns des autres sur les places nationales.

L'activité internationale des banques répondait ainsi à la concurrence que celles-ci se livraient, alors qu'il existait dans certains pays des réglementations contraignantes et que les contrôles de change tendaient à être supprimés. Par ailleurs, les chocs pétroliers des années 1970 ont amené les banques à recycler les pétrodollars qui étaient placés chez elles par les pays producteurs de pétrole. Enfin, les fluctuations des taux de change liées à l'abandon du système de Bretton Woods ont conduit les banques à développer, avant même les marchés de capitaux, des instruments financiers de couverture des risques pour répondre à la demande de leur clientèle.

Le développement de l'activité internationale des banques a cependant été affecté au début des années 1980 par la crise de l'endettement des pays sous-développés et par le contrechoc pétrolier qui ont plutôt favorisé le développement international des marchés de capitaux. Cependant, à la fin des années 1990, les banques se sont adaptées à la nouvelle situation en ajoutant à leurs activités traditionnelles (collecte de l'épargne et octroi de prêts) celle d'intermédiaire sur les marchés financiers. De grands groupes bancaires se sont constitués, notamment à la suite d'une série de fusions-acquisitions, regroupant les activités de banque, d'assurance et de gestion patrimoniale.

Une seconde phase de développement des activités financières internationales fut constituée par l'émergence des euro-marchés qui, échappant aux réglementations fiscales ou monétaires nationales, se superposèrent aux marchés nationaux des capitaux et permirent à des banques nationales (groupées en « syndicats » pour réduire les risques) de réaliser des opérations de prêts (euro-crédits) ou d'emprunts (euro-obligations) en devises étrangères, et en particulier en dollars.

Le développement des euro-marchés a eu pour point de départ l'existence en Europe de liquidités disponibles en dollars, résultant de dépôts effectués par l'URSS et surtout des paiement en dollars liés au déficit croissant de la balance commerciale américaine, alors que les banques et le marché des capitaux aux États-Unis étaient bridés par des réglementations contraignantes (notamment l'interdiction pour les entreprises étrangères de recourir au marché financier américain ou la réduction de la rémunération des dépôts bancaires). Par la suite, le rôle des euro-marchés fut amplifié par la possibilité de recycler les excédents en dollars des pays producteurs de pétrole.

L'essor des activités financières internationales fut ensuite marqué, à partir des années 1980, par la déréglementation et le décloisonnement progressif des marchés financiers dans les grands pays industrialisés (cf. encadré 47).

La mondialisation financière fut facilitée et amplifiée par une série de facteurs :
– l'abandon des changes fixes et l'adoption des changes flottants, qui, au-delà des mouvements de capitaux suscités par la nécessité de couvrir les déficits des balances extérieures, vont entraîner des mouvements spéculatifs de capitaux flottants à la recherche de placements temporaires et rémunérateurs ;
– la déréglementation des marchés nationaux, qui va favoriser la circulation internationale des capitaux et l'activité internationale des institutions financières, permettant ainsi de prêter ou d'emprunter n'importe quelle devise sur n'importe quelle place financière ;
– le développement des innovations financières qui va susciter l'apparition de nouveaux instruments financiers, comme les produits dérivés, destinés en principe à contrôler le risque, mais qui peuvent parfois l'amplifier ;
– les progrès en matière de télécommunication et d'informatique, qui vont favoriser la rapidité des transactions.

Le système financier international actuel est ainsi caractérisé par l'explosion de la finance mondiale, alimentée par le développement de divers fonds qui cherchent les placements les plus rentables à court (et parfois à très court) terme :
– les fonds de pension, qui gèrent l'épargne des systèmes de retraite par capitalisation (américains et britanniques essentiellement) ;
– les fonds des compagnies d'assurance ;

ENCADRÉ 47
Les marchés financiers

1. Les marchés financiers sont le lieu de rencontre de trois catégories d'agents :
   - les **agents en excédent de ressources financières**, dont les plus importants sont aujourd'hui les « investisseurs institutionnels » (fonds de pension et autres fonds mutuels, compagnies d'assurance, fonds d'investissement) qui recherchent un rendement maximum de leur portefeuille ;
   - les **agents en besoin de financement** (États, collectivités ou entreprises) qui préfèrent faire appel au marché des titres négociables plutôt qu'au crédit bancaire ;
   - les **intermédiaires financiers**, qui servent d'interface aux deux types d'agents précédents.
2. Les marchés financiers ont pour fonction d'allouer le capital de la manière la plus efficace possible (un marché est qualifié d'efficient si chaque information nouvelle entraîne une modification des décisions des agents en excédent et des agents en besoin de financement, de façon telle que les cours se réajustent spontanément. En d'autres termes, si le marché est efficient, les différences de cours entre deux titres reflètent exactement les différences entre eux).
3. Une **place financière** peut rassembler plusieurs marchés :
   - le **marché des changes**, où se vendent et s'achètent des devises ;
   - le **marché monétaire**, où les établissements de crédit, les institutions financières spécialisées ou les entreprises s'échangent des capitaux à court ou à moyen terme. Il comprend le marché interbancaire (réservé aux banques) et le marché des titres courts (échanges de titres négociables à court ou à moyen terme) ;
   - le **marché des valeurs mobilières** (bourse) où sont émises (marché primaire) et où s'échangent (marché secondaire, lui-même divisé en plusieurs types de marchés selon les titres échangés) actions, obligations et autres titres ;
   - le **marché des produits de base** (bourse de commerce) où se négocient à terme les produits de base et les matières premières.
4. À chacun des marchés précédents peut être associé un **marché dérivé**, où se négocient des contrats dont la valeur évolue en fonction du cours d'un autre produit ou d'un ensemble d'autres produits financiers ; l'objectif est de couvrir les risques de fluctuation excessive du cours de l'un d'entre eux. Les produits dérivés reposent essentiellement sur :
   - les contrats à terme (engagements d'achat ou de vente à une date future d'un produit à un prix convenu à l'avance) ;
   - les contrats d'option (droit sans obligation de vendre ou d'acheter un produit à un prix fixe, moyennant le versement d'une prime) ;
   - les contrats d'échange (échanges croisés de produits financiers).

- les fonds des sociétés de placement (comme les SICAV en France) ;
- les « fonds spéculatifs » (« *hedge funds* »), dont l'objectif est de spéculer sur les marchés en utilisant tous les instruments disponibles et en prenant des risques considérables de façon à maximiser les rendements ;
- les « *private equity funds* », qui s'intéressent essentiellement au lancement ou au rachat d'entreprises ;

– les « fonds souverains », provenant des réserves de devises (excédents commerciaux, excédents budgétaires ou réserves de change) de certains pays (notamment les pays producteurs de pétrole ou les pays emergents d'Asie) qui autrefois étaient placés sous forme de bons du Trésor américain et qui maintenant se placent sous forme d'actions de grands groupes industriels ou bancaires dans un but spéculatif.

Les trois premiers types de fonds correspondent aux « investisseurs institutionnels » ; les actifs totaux qu'ils gèrent pour le compte de tiers représentaient en 2006 quelque 62 000 milliards de dollars (contre une dizaine de milliards en 1990), dont 37 % pour les fonds de pension, 35 % pour les fonds mutuels et 28 % pour les fonds d'assurance. S'y ajoutent les fonds des investisseurs privés, représentant 25 000 milliards de dollars.

La part des actifs gérés par les fonds *hedge funds* et par les *private equity funds,* aussi appelés « fonds alternatifs »*,* est relativement faible par rapport aux investisseurs institutionnels (1 500 milliards de dollars), mais ils exercent une forte influence sur les marchés financiers.

L'importance des sommes manipulées par ces fonds pose un problème de stabilité du système financier international, d'autant que leurs opérations se succèdent très rapidement, contribuant ainsi à des retournements brutaux des marchés. En outre, une grande partie de ces fonds transite par des paradis fiscaux où le secret bancaire et l'absence de contrôle favorisent l'opacité des transactions.

Quant aux fonds souverains, ils sont plus récents, mais ils prennent de plus en plus d'importance dans le monde de la finance internationale : ils représenteraient aujourd'hui selon la CNUCED 5000 milliards de dollars et les spécialistes estiment que, d'ici cinq ans, ils en représenteront plus de 15 000. À la différence des fonds précédents, il s'agit de fonds publics qui s'investissent sur des termes plus longs et ne recherchent pas nécessairement une rentabilité immédiate.

3.4.2 *L'instabilité du système financier international*

L'internationalisation et la mondialisation des activités financières ont incontestablement contribué au développement de l'économie mondiale en permettant une meilleure allocation des disponibilités financières dans le monde. Le décloisonnement des marchés, la concurrence entre les intermédiaires financiers et le développement d'instruments financiers plus souples, moins coûteux et assurant une meilleure couverture des risques (en particulier des risques de variation des taux de change) ont en effet amélioré l'efficacité des marchés financiers et l'ajustement entre les disponibilités financières et les besoins de financement des agents.

Cependant, le découplage croissant entre l'évolution de l'activité économique réelle et l'explosion des activités financières rend le système financier international particulièrement instable. Avec plus de 190 000 milliards de dollars à la fin de 2006, les activités financières internationales représentent 400 % du PIB mondial.

Les mouvements internationaux de capitaux à court terme sont devenus d'une ampleur sans précédent : les seules opérations de change journalières dépassent le stock total des réserves de changes détenues par les Banques centrales ou les besoins de financement d'un an de commerce mondial (moins de 2 % des transactions journalières sur le marché des changes correspondent à des règlements liés au commerce international). Ils n'obéissent en fait qu'à leur propre logique. Considérée par certains (P. Drucker) comme de la « monnaie virtuelle » dans la mesure où elle ne remplit aucune des fonctions traditionnelles de la monnaie, cette masse de capitaux flottants se trouve déconnectée de l'économie réelle.

Les innovations financières peuvent, elles aussi, être source d'instabilité, comme le montrent les exemples de l'utilisation des produits dérivés ou de la titrisation des créances douteuses qui fut à l'origine de la crise financière américaine des « *subprimes* ») :

- imaginés à l'origine pour couvrir les risques liés aux variations de taux de change ou des cours boursiers, les produits dérivés sont devenus des instruments de spéculation (à l'origine de la faillite de la banque Barings en 1995 ;
- la titrisation (transformation d'un crédit en titre obligataire qui peut être acheté ou vendu à n'importe quel moment par n'importe quel investisseur) a pour objet de répartir les risques de non-remboursement entre différents investisseurs ; mais la sophistication et l'opacité des opérations de titrisation font que les investisseurs ne savent plus quelle est l'importance des risques liés à la possession de tel ou tel titre ; démarré en 1995, le système de titrisation représente en 2006 presque 2 000 milliards de dollars pour les « *Collateralised Debt Obligations* ».

L'interdépendance accrue des divers marchés financiers constitue aussi un facteur d'instabilité dans la mesure où elle favorise la diffusion des bulles spéculatives d'un marché à l'autre dans un même pays ou d'un pays à l'autre.

Enfin, les mouvements internationaux de capitaux à court terme limitent l'autonomie de décision des États et réduisent leurs marges de manœuvre. Les mesures économiques que ces derniers peuvent prendre dans le cadre de leur politique budgétaire ou de leur politique monétaire seront en effet sanctionnées positivement ou négativement par les marchés financiers internationaux qui s'érigent en arbitres des politiques nationales (F. Block). Une monnaie surévaluée, un endettement ou un déficit budgétaire excessifs pourront entraîner des mouvements de capitaux spéculatifs, liés à la défiance des investisseurs internationaux. Dans la mesure où les États sont dans l'impossibilité de maîtriser ces mouvements spéculatifs (S. Strange), ces derniers peuvent aboutir à des crises financières.

De fait, depuis la faillite de la banque Barings en 1995, le monde de la finance a connu une dizaine de crises financières, parmi lesquelles la crise des NPI asiatiques en 1997 et la crise américaine des *subprimes* en 2007 figurent parmi les plus remarquables.

La crise financière asiatique a démarré le 2 juillet 1997 en Thaïlande. Elle était la conséquence du décalage de plus en plus important entre la croissance euphorique des années précédentes (qui avait suscité un afflux de capitaux étrangers attirés par les perspectives de profits et rassurés par l'absence apparente de risques de change dans la mesure où la monnaie nationale était liée au dollar) et la situation économique thaïlandaise de 1997, caractérisée par :

- une politique budgétaire expansionniste ;
- une dégradation de la balance commerciale ;
- un différentiel d'inflation croissant par rapport aux États-Unis, mettant en évidence une surévaluation du baht thaïlandais par rapport au dollar ;
- un secteur bancaire embourbé dans des opérations affairistes liées à la spéculation immobilière et accumulant des créances douteuses ;
- un secteur privé surendetté ayant largement fait appel à des crédits trop faciles à obtenir.

La crise a d'abord touché le marché des changes, les spéculateurs internationaux pariant sur la baisse de valeur du baht par rapport au dollar ; elle a entraîné une chute de la valeur du baht (qui perdra le tiers de sa valeur en quelques semaines) et son décrochage du dollar ; la Banque centrale tentera bien de défendre la valeur de sa monnaie en rachetant des bahts grâce à ses réserves de devises, mais elle provoquera de ce fait une réduction des liquidités disponibles sur le marché intérieur, mettant en difficulté les banques incapables de recouvrer leurs créances. Les investisseurs internationaux perdirent alors confiance en l'économie thaïlandaise et tentèrent de récupérer leurs actifs en vendant massivement leurs titres boursiers. La crise va ainsi se propager à l'ensemble du marché financier, entraînant un effondrement de la bourse.

La contagion gagnera ensuite les nouveaux pays industrialisés voisins dont la situation économique et financière était comparable à celle de la Thaïlande. L'Indonésie, les Philippines et la Malaisie virent ainsi la valeur de leur monnaie et leur bourse s'effondrer au cours de l'été 1997. Un mois plus tard, la spéculation s'attaquera au marché financier de Hong Kong, dont la monnaie paraissait aussi surévaluée par rapport au dollar ; disposant d'importantes réserves la Banque centrale parviendra à défendre la valeur de sa monnaie. La Corée du Sud, dont les conglomérats industriels étaient surendettés se révélera plus fragile, lorsque la crise l'atteindra en novembre 1997 ; le won perdra la moitié de sa valeur en quelques semaines. Le Japon lui-même verra ses tentatives de reprise économique étouffées par la crise financière de ses principaux partenaires commerciaux en décembre 1997.

Le FMI dut intervenir à de multiples reprises pour enrayer la crise (17 milliards de dollars en Thaïlande, 40 en Indonésie, 57 en Corée du Sud…), mais ses moyens se révélèrent limités, suscitant la crainte des pays du G7 de voir l'onde de choc de la crise asiatique se propager dans le monde à travers les échanges commerciaux.

Déclenchée en août 2007, une nouvelle crise financière a eu pour point de départ le développement exagéré des crédits immobiliers hypothécaires à taux variable (« *subprimes* ») aux États-Unis.

TABLEAU 31
La crise financière asiatique : les pertes de valeur des monnaies nationales

Pays	Perte de valeur de la monnaie nationale par rapport au dollar fin 1997 (en %)
Thaïlande	– 27,3
Indonésie	– 82,4
Malaisie	– 37,9
Philippines	– 32,4
Corée du Sud	– 31,5

Source : Banque mondiale

Ces crédits avaient pour objet de faciliter l'accession à la propriété de ménages de condition modeste, le montant des premiers remboursements étant fixé de façon artificiellement basse et s'élevant ensuite périodiquement par paliers. Ce type de crédit supposait que le prix du bien immobilier acquis de cette manière allait augmenter dans le cadre d'un marché porteur, et, soit permettre à l'acquéreur de dégager une plus-value à la revente, soit permettre à l'établissement prêteur de récupérer le bien pour le revendre avec plus-value si l'emprunteur devenait défaillant. Ces types de crédits s'étaient considérablement développés à partir de 2004 aux États-Unis, pour représenter 40 % des crédits hypothécaires en 2006.

Mais en 2007 le marché immobilier américain subit une crise, les prix diminuant fortement, alors que les taux d'intérêt payés par les emprunteurs augmentaient. Ces derniers ne pouvaient plus, ni faire face à leurs échéances, ni espérer revendre leur bien avec plus-value. Quant aux prêteurs, lors qu'ils exerçaient leurs hypothèques, ils se retrouvaient avec des biens qu'ils devaient revendre à perte et certains petits établissements se sont trouvés en situation de faillite dès le début de l'année 2007.

Toutefois, conscients des risques liés à ce type de crédit, les établissements prêteurs avaient étalé et transféré ces risques en transformant leurs créances en titres négociables sur le marché boursier (titrisation). Attirés par de confortables rémunérations, de nombreux fonds d'investissement et des banques avaient acquis ces titres, sans trop se soucier des risques puisque ces derniers étaient dilués.

Mais au cours de l'été 2007, la valeur de ces titres a chuté sur le marché boursier, obligeant leurs détenteurs à des dépréciations d'actifs. La crise financière va alors démarrer aux États-Unis et se propager vers le reste du monde.

Ainsi, née du marché américain des crédits immobiliers accordés à des ménages peu solvables, amplifiée par les excès spéculatifs de certains établissements sur des produits financiers complexes devenus « toxiques », la crise va se propager sur le marché des actions (chute des cours des valeurs bancaires et financières), le marché des dettes (augmentation des primes de risque) et le marché monétaire (crise de liquidité et augmentation du taux d'intérêt au jour le jour).

Les établissements financiers et les banques trop chargés en titres toxiques liés aux *subprimes* ont dû enregistrer des provisions pour faire face à leurs pertes :

TABLEAU 32
La crise financière des « subprimes » : Pertes et provisions des établissements bancaires et financiers

Établissements	Pertes et provisions (en milliards de Dollars, en 2007)
Merrill Lynch	24,5
Citigroup	22,1
UBS	14,4
HSBC	10,7
Morgan Stanley	9,4
Bank of America	7,9
Crédit Agricole	4,9
Wachovia	4,7
JPMorgan Chase	3,2

Source : Chiffres tirés de divers quotidiens en 2007

Par ailleurs, du fait d'une méfiance réciproque et généralisée, les établissements de crédit ont eu de plus en plus de mal à trouver des liquidités devenues rares et chères sur le marché interbancaire (*crédit crunch*), obligeant les Banques centrales (américaine, européenne et japonaise) à injecter des liquidités sur le marché monétaire au cours de la 2° semaine d'août 2007 (près de 160 milliards d'Euros en quelques jours pour la Banque centrale européenne).

Si d'aucuns estimaient à la fin de l'année 2007 que le gros de la crise était passé, cette dernière se poursuivit et s'amplifia dés le début de 2008, lorsque l'on se rendit compte que les pertes prévues et annoncées par les établissements bancaires et financiers avaient été minorées, volontairement ou non. De fait, en février 2008, leur montant dut être relevé, atteignant un chiffre de l'ordre de 5200 milliards de Dollars.

La crise financière va s'emballer au cours de l'été et de l'automne 2008, suscitant de nouvelles baisses boursières et amenant les pouvoirs publics à intervenir en catastrophe pour sauver les établissements bancaires et financiers menacés de faillite.

Quelques mois après être intervenus avec la banque JP Morgan Chase pour racheter la banque Bear Stearns (29 milliards de Dollars), les pouvoirs publics américains sont intervenus le 7 septembre 2008 au profit de deux établissements de refinancement hypothécaire, Fannie Mae et Freddie Mac ; mais ils ont refusé d'intervenir au profit de la banque Lehman Brothers (quatrième banque d'affaires à Wall Street), qui affichait une perte trimestrielle de près de 4 milliards de Dollars et dont l'action avait chuté de plus de 77 % en une semaine ; le 15 septembre la banque dut déposer son bilan, faisant craindre un effet domino sur les autres banques. Le lendemain la Banque centrale américaine intervient pourtant à nouveau pour sauver de la faillite l'établissement d'assurance American International Group (85 milliards de Dollars).

La faillite de Lehmam Brothers marque probablement l'apogée de la crise financière aux États-Unis, le FMI chiffrant à 1400 milliards de Dollars la dévalorisation des actifs financiers américains au début du mois d'octobre 2008.

En Europe, alors que les pouvoirs publics estimaient que les défaillances des établissements américains n'auraient que des répercussions limitées sur les banques européennes dans la mesure où ces dernières avaient des fonds propres importants et une activité plus diversifiée qu'aux États-Unis, les banques furent aussi pénalisées par les défaillances des établissements américains auprès desquels elles avaient acquis des montants élevés de produits « toxiques ».

C'est ainsi que le Crédit Agricole a accusé une perte de 6,5 milliards d'Euros en un an et a été obligée abandonner une partie de ses activités sur les marchés financiers. La banque belgo-néerlandaise Fortis a dû être renflouée par les États belge et néerlandais le 26 septembre. Le 30 septembre, la France, la Belgique et le Luxembourg ont aussi dû entrer dans le capital de la banque franco-belge Dexia, victime d'une chute brutale du cours de son action (qui ne représentait plus que 70 % de sa valeur initiale), et lui apporter leur garantie pour lui permettre d'emprunter sur le marché interbancaire. Quelques jours plus tard, c'est l'État allemand qui a dû venir au secours de l'établissement de crédit Hypo Real Estate. Le 20 octobre, l'État néerlandais a dû recapitaliser le groupe bancaire ING pour un montant de 10 milliards d'Euros. Après avoir nationalisé en février la banque Northern Rock, la Banque centrale britannique a dû allouer 100 milliards de livres aux banques en manque de liquidités. L'Islande a quant à elle été obligée de nationaliser ses trois principales banques.

Ainsi, le paysage bancaire et financier américain et européen s'est-il transformé, soit à la suite de fusions ou de rachats d'établissements défaillants par d'autres établissements, soit à la suite des recapitalisations des établissements défaillants par des fonds publics.

La crise a d'abord fait l'objet d'une succession de mesures prises dans l'urgence, au coup par coup, mesures qui ont certes sauvé quelques établissements bancaires et financiers défaillants et calmé momentanément les emballements du marché boursier, mais qui n'ont pas véritablement permis d'enrayer le développement et la propagation de la tourmente financière.

TABLEAU 33
La recomposition du paysage bancaire et financier

Exemples de fusions ou acquisitions	Recapitalisations à partir de fonds publics
Warren Buffet investit dans la banque d'affaires Goldman Sachs qui se transforme en banque commerciale (5 milliards de $) le 24 septembre	Nationalisation de la banque britannique Northen Rock le 17 février 2008
Mitsubishi UJF propose d'acheter 20% du capital de Morgan Stanley (8,5 milliards de $ le 24 septembre)	Les États belge, néerlandais et luxembourgeois entrent au capital de Fortis (11,2 milliards d'€) le 26 septembre
JP Morgan Chase reprend les activités encore viables de Washington Mutual (1,9 milliards de $) le 26 septembre	Les États français, belge et luxembourgeois entrent au capital de Dexia (respectivement 3 milliards, 3 milliards et 376 millions €) le 2 octobre
City Group rachète la banque Wachovia avec le concours de la FED le 30 septembre	L'État néerlandais reprend les activités de Fortis aux Pays-Bas (16,8 milliards d'€) le 4 octobre
BNP-Paribas prend le contrôle des activités luxembourgeoises de Fortis (14,5 milliards d'€), les États belge et luxembourgeois entrant au capital de BNP-Paribas, le 6 octobre	Le Royaume Uni entre au capital de HBOS, Royal Bank of Scotland, Lloyds TSB et Barclays (44 milliards de £) le 14 octobre
Fusion de la Caisse d'Épargne et de la Banque populaire du Sud le 8 octobre	Les Pays Bas recapitalisent le groupe ING (10 milliards d'€) le 20 octobre
Bank of America rachète l'établissement de courtage Merrill Lynch (50 milliards de $) le 17 octobre	Les Etats-Unis entrent dans le capital de City Group à hauteur de 20 milliards de $ le 25 novembre 2008
	Le Royaume Uni augmente encore sa part dans le capital de la Royal Bank of Scotland pour un motant de 18 milliards d'€ le 28 novembre 2008

Après avoir diminué son taux directeur de 3/4 de points, la Banque centrale américaine est intervenue en août et septembre 2008 en injectant plus d'une centaine de milliards de Dollars sur le marché monétaire alors que les pouvoirs publics recapitalisaient certains établissement en situation de faillite.

Dans le même temps la Banque centrale européenne a injecté elle aussi quelques 250 milliards d'Euros sur le marché monétaire européen ; certains États européens ont eux aussi nationalisé partiellement des établissements de crédit en situation difficile et annoncé qu'ils apportaient leur garantie aux comptes bancaires des particuliers pour éviter des retraits liés à la panique qui fragiliseraient encore plus les banques.

Les Banques centrales ont aussi décidé au début du mois d'octobre de diminuer d'un demi point de façon concertée leurs taux directeurs (de 4,25 à 3,75 % pour la BCE et de 2 à 1,5 % pour la FED).

Mais toutes ces mesures se sont révélées insuffisantes pour rassurer les investisseurs et stabiliser les marchés financiers.

Il faudra attendre l'adoption (mouvementée) du plan Paulson le 3 octobre 2008 aux États-Unis et la décision concertée des États de la zone Euro du 12 octobre pour que la crise financière soit semble-t-il maîtrisée.

Doté de 700 milliards de Dollars, le plan Paulson comportait deux volets :

– La participation de l'État à la recapitalisation des établissements bancaires et financiers en difficulté, à hauteur de 250 milliards de Dollars (dont 125 pour les neuf principaux établissements),

– La constitution d'un fonds public destiné à racheter les titres « toxiques » détenus par les établissements bancaires et financiers, à hauteur de 450 milliards de Dollars (les États-Unis renonceront à cette modalité en novembre 2008).

En Europe, l'idée d'un fonds commun de secours aux établissements bancaires et financiers fut rejetée par l'Allemagne et le Royaume Uni, mais l'Euro-groupe, qui gère la zone Euro, a décidé le 12 octobre (décision approuvée quelques jours après par les 27), qu'à partir des modalités propres à chaque État :

– Les prêts interbancaires seraient garantis, l'État se substituant (sous la forme de prêts remboursables) aux banques défaillantes débitrices d'une autre banque et les banques s'engageant à développer leurs crédits aux entreprises et aux particuliers,

– Les États pourraient, par le biais d'un fonds public (en France, la Société de prise de participation de l'État), intervenir pour recapitaliser les établissements bancaires et financiers en difficulté (les parts de l'État seront remises en vente lorsque les cours des actions de la banque concernée seront stabilisés).

Les différents pays de la zone Euro ont ainsi précisé le même jour les modalités de leur intervention, à l'image du Royaume Uni qui avait décidé la semaine précédente de garantir les prêts interbancaires à hauteur de 380 milliards de Livres :

TABLEAU 34
La lutte contre la crise financière en Europe

Pays	Garantie des prêts interbancaires (en milliards d'Euros)	Recapitalisations éventuelles (en milliards d'Euros)
Allemagne	400	80
Autriche	85	15
Espagne	100	50
France	320	40
Italie		40
Pays Bas	200	
Portugal	200	20

Source : Commission Européenne

À la fin du mois d'octobre 2008 la crise financière semblait enfin « sous-contrôle », même si le système financier n'était pas revenu à une situation parfaitement normale. Les mesures prises par les Pouvoirs publics américains et européens avaient en effet permis de réapprovisionner le marché du crédit et de consolider les fonds propres des banques (les taux interbancaires avaient ainsi pu retrouver le niveau qu'ils avaient avant la faillite de Lehman Brothers).

Pourtant, passée une courte période d'euphorie, les marchés boursiers sont restés inquiets, non plus du fait de la crise financière elle-même, mais du fait des ventes massives de titres par les fonds spéculatifs en manque de liquidités et des perspectives de récession consécutives à la crise financière qui se sont effectivement confirmées au cours du dernier trimestre 2008

Ainsi les crises financières qui se succèdent révèlent-elles une forte instabilité du système financier international, caractérisé par deux types de dysfonctionnement majeurs :

– le développement d'instruments financiers de plus en plus sophistiqués qui diffusent le risque et rendent le fonctionnement du système de plus en plus opaque ;
– la recherche d'un gain maximum à court terme qui entraîne la multiplication des opérations financières et une déconnexion croissante de celles-ci avec l'économie réelle.

L'échec du FMI à maîtriser la crise financière asiatique et les difficultés pour contrôler la crise des *subprimes* ont conduit la communauté internationale à s'interroger sur les possibilités de contrôler les dérives de la mondialisation financière et d'en prévenir les effets pervers.

3.4.3 *Le contrôle des activités financières internationales*

Le G8 avait souhaité en 1998 que la communauté internationale se donne les moyens de lutter contre « l'irrationalité » des opérateurs financiers internationaux et de contrôler les mouvements erratiques des capitaux spéculatifs à court terme, en décourageant les opérations purement spéculatives, en définissant des nouvelles règles de comportement des opérateurs financiers internationaux ou en créant de nouveaux mécanismes d'urgence au FMI.

Il a réitéré sa volonté de « refonder » le système financier international à la suite de la crise des « *subprimes* » et pour ce faire s'est réuni à Washington le 15 novembre 2008

Les premières pistes de réflexion ont consisté à tenter de décourager les opérations financières purement spéculatives.

J. Tobin avait déjà proposé en 1978 de « mettre des grains de sable dans les rouages de la finance internationale » en taxant (d'un montant de l'ordre de 0,1 %) les transactions en devises à court terme sur le marché des changes, afin de limiter les mouvements de capitaux induits par les écarts de taux de change. Une telle taxe devait en outre permettre aux États de définir leur propre politique économique indépendamment des fluctuations des taux de change ; il souhaitait que ces derniers reflètent les niveaux de compétitivité relatifs des pays et non les décisions déstabilisatrices prises par les spéculateurs en fonction de rendements financiers à court terme. Il proposait en outre que le produit de la taxe soit affecté à l'aide au développement.

Cependant, malgré l'intérêt qu'elle suscite à l'heure actuelle (depuis 1998, le groupe ATTAC, Action pour la taxation des transactions et pour l'aide aux citoyens, milite en faveur de la taxe Tobin), la mise en œuvre pratique de cette taxe reste difficile : d'abord parce qu'il est difficile de distinguer les opérations purement spéculatives des autres transactions, ensuite parce qu'elle suppose la volonté et l'engagement politiques de tous les États pour éviter les détournements d'activités au profit de paradis fiscaux (C. De Boissieu).

D'autres mesures destinées à prévenir les crises financières ou à bloquer leur développement ont pu être proposées :

– instaurer un mécanisme de dépôt préalable non rémunéré en monnaie nationale, pour tout achat de devises non gagé sur des opérations commerciales ;

– créer un double marché des changes pour isoler les opérations spéculatives des transactions liées aux échanges internationaux ;

– recourir temporairement, en accord avec le FMI, à un contrôle des changes à la sortie ou à l'entrée des capitaux ;

– favoriser les placements à long terme et rendre la prise de risque à court terme plus coûteuse.

Une seconde catégorie de mesures possibles consiste à instaurer un régime de règles prudentielles pour limiter les risques de crise financière :

– favoriser la transparence des activités bancaires et financières internationales en obligeant les banques à révéler les risques que comportent les titres de dette qu'elles vendent aux investisseurs ;

– assurer la surveillance des secteurs bancaires et financiers dans les pays émergents, notamment en les obligeant à maintenir un niveau suffisant de fonds propres, en permettant des refinancements exceptionnels par les banques centrales, en ouvrant leur capital aux institutions financières sûres et en élaborant des règles communes concernant les faillites ;

– créer une institution d'assurance internationale pour couvrir les risques des investisseurs jusqu'à un certain plafond de transactions au-delà duquel les transactions seraient réalisées aux risques et périls des investisseurs ;

– élaborer un code de conduite contraignant concernant les mouvements internationaux de capitaux, code à la bonne application duquel pourrait veiller une instance internationale de concertation et de coordination du type « Comité permanent de régulation financière » proposé par T. Blair en 1998, et repris ultérieurement par une quinzaine d'anciens responsables politiques européens (*Le Monde* du 22 mai 2008) ;

– Refonder le système financier international en fixant de nouvelles règles pour éviter les dérives comme celles de la crise des « *subprimes* » aux États-Unis (ordre du jour de la conférence internationale du 15 novembre 2008 à Washington).

À la demande de l'Union européenne, et malgré les réticences des États-Unis, un groupe d'États et d'organisations internationales (le G20) s'est réuni à Washington le 15 novembre 2008. Le G20 comprend le G8 (Allemagne, Canada, États-Unis, France, Italie, Japon, Royaume-Uni et Russie) auquel s'ajoutent l'Afrique du Sud, l'Arabie saoudite, l'Argentine, l'Australie, le Brésil, la Chine, la Corée du Sud, l'Inde, l'Indonésie, le Mexique et la Turquie, ainsi que l'Union européenne, l'ONU, le FMI, la Banque mondiale et le Forum de Stabilité financière.

Si l'Europe parle d'un nouveau Bretton Woods à propos de la finance mondiale, les États-Unis restaient réservés et insistaient sur la nécessaire liberté des marchés. Ils ont cependant accepté de signer un accord de principe dont les modalités doivent être précisées d'ici le prochain sommet prévu à Londres en avril 2009. Outre des mesures relatives à une relance coordonnées de l'activité économique et à la lutte contre le protectionnisme, cet accord de principe prévoit :

– l'ouverture de la gouvernance mondiale (jusque là exercée par le G8) aux pays en développement et en particulier aux pays émergents ;

– l'amélioration de la régulation des marchés financiers, notamment à travers la surveillance des acteurs et des produits financiers et la lutte contre les paradis fiscaux (la moitié des flux financiers internationaux transite à un moment donné ou à un autre par l'un des cinquante paradis fiscaux de la planète qui, selon *Transparency International*, gèrent 10 000 milliards de $ d'actifs financiers à travers plus de 400 établissements caractérisés par le secret, l'opacité et l'absence de règles).

L'élargissement des missions de prévention et d'intervention du FMI constitue la troisième piste de recherche. Il s'agirait ainsi de donner au FMI les moyens d'assurer la surveillance du système financier international de façon à pouvoir prévenir les crises et intervenir de façon plus efficace :

– adapter ses statuts pour renforcer sa légitimité ;

– accroître ses ressources, soit à travers le relèvement des quotes-parts (les quotes-parts représentent 190 milliards de dollars, mais seuls 60 milliards correspondent à des devises utilisables par le FMI ; en outre, les réserves obligatoires fixées à 30 % minimum limitent encore les possibilités d'utilisation de ces ressources), soit en créant de nouveaux Accords généraux d'emprunt » (créés en 1962, les AGE permettent au FMI de bénéficier en cas d'urgence de prêts émanant des pays les plus riches pour compléter ses ressources précédentes), soit encore en vendant une partie de son stock d'or ;

– créer de nouveaux instruments d'intervention ;

– définir une batterie d'indicateurs de surveillance et d'alerte permettant d'identifier les facteurs de risque.

Cependant, très peu de ces propositions de divers types ont été suivies d'effets. Seules celles qui concernaient le FMI ont été partiellement mises en œuvre. C'est ainsi que furent créées, en 1997, des facilités de réserves supplémentaires pour aider les pays victimes de pressions spéculatives sur leurs marchés financiers et, en 1999, une ligne de crédit contingente destinée aux pays qui craignent la contagion d'une crise financière voisine. De la même façon, le FMI a créé en 1999 un faisceau d'indicateurs de vulnérabilité (Programme d'évaluation du secteur financier) permettant d'évaluer la fragilité du secteur bancaire d'une cinquantaine de pays (niveau des fonds propres, qualité des actifs, liquidité, rentabilité, sensibilité aux risques…). Mais le système financier international demeure toujours aussi instable.

RÉSUMÉ DU CHAPITRE

La situation monétaire et financière internationale actuelle est le résultat d'une évolution marquée par l'abandon des règles associées aux changes fixes adoptées à Bretton Woods au lendemain de la Seconde Guerre mondiale, l'adoption de changes flottants, le rôle international du dollar, l'internationalisation des activités financières, la libération des mouvements internationaux de capitaux et l'évolution du rôle du FMI. Ces bouleversements dans l'ordre monétaire et financier international marquent les limites d'une réglementation commune des activités monétaires et financières internationales.

MOTS-CLÉS

Accords de Bretton Woods • Accords généraux d'emprunt • Ajustement • Balance des paiements • Capitaux flottants • Consensus de Washington • Contrôle des changes • Convertibilité • Dévaluation • Dollar • Droits de tirage spéciaux • Euro-marchés • Facilités d'ajustement structurel • Facilités de financement compensatoire • Fonds alternatifs • Fonds monétaire international • Fonds souverains • G7 • Indicateurs de vulnérabilité • Investisseurs institutionnels • Marchés financiers • Marges de fluctuation • Pétrodollars • Principe de conditionnalité • *Subprimes* • Système monétaire international • Taux de change • Taxe Tobin • Zone franc • Zones monétaires • Zones monétaires optimales.

TESTEZ VOS CONNAISSANCES

- Quelles sont les fonctions d'une monnaie internationale ?
- Quels étaient les principes de fonctionnement du système de l'étalon-or ?
- Quelles étaient les propositions de J.M. Keynes à la conférence de Bretton Woods ?
- Quelles furent les règles du jeu monétaire international fixées à Bretton Woods ?
- Comment la dévaluation peut-elle permettre de rééquilibrer la balance commerciale en régime de change fixe ?
- Pourquoi et comment les banques centrales interviennent-elles sur le marché des changes ?
- Quels furent le rôle et les instruments du FMI dans le cadre des accords de Bretton Woods ?
- Quelles sont les causes et les conséquences de la crise monétaire de 1971 ?
- Quelle a été l'évolution du système de Bretton Woods ?
- Quels sont les arguments en faveur du taux de change flottant ?
- Quelles sont les critiques émises à l'encontre du taux de change flottant ?
- Quelle a été l'évolution du rôle du FMI ?
- Quel était l'objet des facilités d'ajustement structurel ?
- Quelles étaient les causes de la crise de l'endettement des pays en développement au début des années 1980 ?
- Quelles ont été les solutions apportées à la crise de l'endettement des pays sous-développés dans les années 1980 ?
- Quels sont les critères d'optimalité d'une zone monétaire ?
- Quels pays ont participé à la zone franc et comment cette dernière fonctionnait-elle ?
- Quelles étaient les causes et les conséquences de la dévaluation des francs CFA décidée en 1994 ?
- Qu'est devenue la zone franc après la disparition du franc français et le passage à l'euro ?
- Quelles sont les étapes de l'internationalisation des activités financières ?
- Quels sont les types de marchés financiers ?
- Quels types de fonds trouve-t-on sur les marchés financiers internationaux ?
- Quelles sont les causes et les conséquences de la crise financière asiatique de 1997 ?
- Quelles sont les causes et les conséquences de la crise financière des *subprimes* de 2007 aux États-Unis ?

POUR ALLER PLUS LOIN DANS LA RÉFLEXION

- Pourquoi les changes fixes ont-ils été abandonnés au profit des changes flottants ?
- Dans quelle mesure le système monétaire international actuel avantage-t-il les États-Unis ?

- Quel pourrait être le système monétaire international idéal ?
- Comment associer les pays en développement à la définition d'un nouveau système monétaire international ?
- Dans quelle mesure les variations des patrimoines monétaires et financiers influent-elles sur l'équilibre de la balance des paiements ?
- Quelle est l'importance respective de la politique monétaire et de la politique budgétaire lorsque les capitaux sont internationalement mobiles ?
- Quelles sont les difficultés d'une gestion concertée des taux de change en régime de changes flottants ?
- La zone franc est-elle une zone monétaire optimale ?
- Quelles sont les causes de l'instabilité du système financier international ?
- Quelle pourrait être aujourd'hui, la place du FMI dans le système monétaire et financier international ?
- Faut-il réformer le Fonds monétaire international ?
- Est-il nécessaire, dans le cadre de la mondialisation, de contrôler l'activité financière internationale ?
- Quels sont les mécanismes de transmission d'une crise financière ?
- Pourquoi et comment maîtriser les mouvements spéculatifs de capitaux à court terme ?
- Dans quelle mesure les innovations financières peuvent-elles conduire à des crises financières ?

RÉFÉRENCES BIBLIOGRAPHIQUES

AGLIETTA M. et REBERIOUX A., *Les Dérives du capital financier*, Paris, Albin Michel, 2004.

BASSONI M. et BEITONE A., *Problèmes monétaires internationaux*, Paris, A. Colin, 1998.

BOISSIEU Chr. de, *Les Systèmes financiers : mutations, crises et régulation*, Paris, Économica, 2004.

CAVES R.E., FRANKEL J.A. et JONES R.W., *Commerce et paiements internationaux*, Bruxelles, De Boeck Université, 2002.

DAVANNE O., *Instabilité du système financier international*, Paris, La Documentation française, 1998.

DROUIN M., *Le Système financier international*, Paris, Armand Colin, 2001.

DUPUY M., *Le Dollar*, Paris, Dunod, 1998.

HUGON P., *La Zone franc à l'heure de l'euro*, Paris, Éditions Karthala, 1999.

LA CHAPELLE BIZOT B. de, *La Dette des pays en développement,1982-2000*, Paris, La Documentation française, 2001.

LELART M., *Le Fonds monétaire international*, Paris, PUF, 1995, coll. Que sais-je ?

MAGDOFF H., *L'Âge de l'impérialisme*, Paris, Maspéro, 1970.

MORIN F., *Le Nouveau Mur de l'argent*, Paris, Éditions du Seuil, 2006.

PLIHON D., *Les Désordres de la finance : crises boursières, corruption, mondialisation*, Paris, Éd. Universalis, 2004.

PLIHON D. *et al.*, *Les Banques, acteurs de la mondialisation financière*, Paris, La Documentation française, 2006.

SCHINASI G.J., *Safeguarding financial stability, theory and practice*, Washington, FMI, 2006.

SGARD J., *L'Économie de la panique : faire face aux crises financières*, Paris, La Découverte, 2002.

STRANGE S., *The retreat of the State ; the diffusion of power in the world economy*, Cambridge, Cambridge University Press, 1996.

TOBIN J., « A proposal for international monetary reform », *Eastern Economic Journal*, n° 4, 1978.

4

L'INTÉGRATION MONÉTAIRE EUROPÉENNE

L'évolution du système monétaire international et la volonté des pays européens de poursuivre le processus d'intégration qu'ils avaient adopté lors du traité de Rome en 1957 ont conduit ces derniers à créer un système monétaire qui leur soit propre, autour d'une monnaie unique (l'euro) commune à certains pays membres de l'Union européenne.

Les pays membres de la CEE avaient adopté dès 1970, à la suite du rapport Werner, un accord de principe pour former à l'horizon 1980 un ensemble monétaire individualisé par rapport au système monétaire international. L'objectif consistait à réaliser progressivement une Union économique et monétaire à travers la fixation irrévocable des parités, la libération des mouvements de capitaux et le transfert au niveau communautaire d'une partie des pouvoirs nationaux en matière de politique monétaire.

TABLEAU 35
La construction de l'Union européenne

1957 (6 pays)	Allemagne de l'Ouest, Belgique, France, Italie, Luxembourg, Pays-Bas
1973 (9 pays)	Danemark, Irlande, Royaume-Uni
1981 (10 pays)	Grèce
1986 (12 pays)	Espagne, Portugal
1995 (15 pays)	Autriche, Finlande, Suède
2004 (25 pays)	Chypre, Estonie, Hongrie, Lettonie, Lituanie, Malte, Pologne, République tchèque, Slovaquie, Slovénie
2007 (27 pays)	Bulgarie, Roumanie

Cependant, l'effondrement des accords de Bretton Woods en 1971 ne permit pas la mise en œuvre du projet Werner. L'absence de réelle volonté politique de remettre en cause la souveraineté monétaire des États membres, l'insistance de certains États à vouloir réaliser l'union économique en préalable à l'union monétaire et la crise économique consécutive aux chocs pétroliers conduisirent aussi à l'échec le « Serpent communautaire » créé en 1972, ainsi que put le constater le rapport Tindemans quelques années plus tard.

Il faudra attendre 1979 pour voir naître le Système monétaire européen autour de l'unité monétaire de référence que constituait l'écu (*European Currency Unit*), instrument de réserve et de règlement.

En 1990, le rapport Delors relancera l'idée d'une véritable union monétaire, impliquant l'élimination des marges de fluctuation et la fixation irrévocable des parités, ainsi que la libération complète des mouvements de capitaux, dans le cadre de trois étapes successives devant aboutir à la fin des années 1990 à l'Union monétaire européenne.

4.1 LES ARGUMENTS RELATIFS À UNE MONNAIE EUROPÉENNE

4.1.1 *Les avantages de la monnaie unique*

Sur le plan théorique, l'Union européenne ne répond qu'imparfaitement aux critères de Mundell relatifs aux zones monétaires optimales ; en effet, si la mobilité du capital est aujourd'hui assurée, celle du travail reste encore insuffisante, du fait des barrières culturelles et linguistiques. Il en est de même si l'on fait référence à d'autres critères comme celui de la coordination étroite des politiques fiscales.

Cependant, l'Union européenne répond à d'autres critères d'optimalité. Elle est en effet caractérisée par un degré d'ouverture élevé, une forte diversification de la production, des régimes politiques similaires, des objectifs économiques pour la plupart communs et surtout un marché étroitement intégré.

En outre, le « triangle des incompatibilités » de R. Mundell montre que, dans l'hypothèse d'une libre circulation des capitaux, la stabilité des changes implique l'abandon de toute politique monétaire autonome et la coordination étroite des politiques monétaires nationales. Une monnaie unique et une politique monétaire commune apparaissent dès lors comme idéales dans la situation de l'Europe et constituent pour cette dernière une réponse aux défis de la mondialisation.

Une monnaie unique s'impose en effet comme le complément logique d'un marché unique et de la libre circulation des marchandises, dont le dernier obstacle restait la nécessité du change entre les monnaies européennes. La disparition des obstacles protectionnistes aux échanges et l'interdépendance croissante des économies européennes renforcent le besoin d'une monnaie commune, sinon unique, de façon à éviter les modifications de compétitivité relative liées aux variations des taux de change. En outre, en permettant une comparaison plus facile des prix entre les différents pays, la monnaie unique constitue un accélérateur de concurrence.

Un autre argument en faveur de la monnaie unique est l'élimination des coûts d'information, de transaction et de conversion qui se manifestent à l'occasion du change entre monnaies européennes (frais financiers liés à la différence entre le cours vendeur et le cours acheteur, commissions pour conversion, frais internes de comptabilité). De plus, les risques de change à l'intérieur de la zone (frais de couverture des risques du change pour se prémunir contre les fluctuations des cours) disparaissent aussi ; il existe certes, en l'absence de monnaie unique, des instruments dérivés de couverture des risques, mais ces derniers, fort coûteux au demeurant, ne font que transférer les risques sans les supprimer. La suppression de l'ensemble de ces frais représente un gain supérieur à 0,5 % du PIB européen.

Par ailleurs, la monnaie unique européenne pourrait permettre de rééquilibrer en faveur de l'Europe un système monétaire international dominé par le dollar, dont le statut d'étalon international et de monnaie de réserve procure aux États-Unis un « droit de seigneuriage » qui leur permet de financer avec leur propre monnaie le déficit de leur balance commerciale (C. de Boissieu).

TABLEAU 36
Le rôle international du dollar

Parts en %, en 1998	Dollar	Mark	Autres devises
Transactions commerciales	48	15	37
Transactions de change (sur un total de 200 % car chaque transaction implique deux devises)	84	37	79
Réserves des banques centrales.	57	14	29
émissions obligations. Internationales	38	16	46

Source : *Le Monde,* 1er janvier 1999

Certes, il est clair que la force de la monnaie européenne dépend de l'appréciation des marchés et de la politique économique européenne, mais l'on peut supposer que, même si elle reste prédominante (effet de rémanence), l'influence du dollar peut diminuer progressivement au profit de l'euro, qui couvre, avec un quart des échanges mondiaux, l'espace économique le plus important de la planète.

De la sorte, la monnaie unique européenne peut au moins remettre en cause la domination exercée par le dollar en tant que monnaie transactionnelle, compte tenu de l'importance des échanges commerciaux intra-européens. Il est aussi possible de penser que, dans un souci de diversification de leurs avoirs, les Banques centrales du monde constituent des réserves de change en euros. Enfin, l'attrait que l'UEM peut exercer sur les capitaux internationaux pourrait entraîner le développement des placements financiers libellés en euros.

4.1.2 *Les coûts de la monnaie unique*

Il est vrai que le passage à une monnaie unique dans une zone plurimonétaire comporte des coûts non négligeables. Ses adversaires font valoir que les politiques économiques nationales (diminution du déficit budgétaire et de la dette publique notamment) qu'impliquent les critères de convergence exercent une pression insupportable sur la croissance et l'emploi dans une conjoncture dépressive.

M. Friedman estimait par exemple, avant la création d'une monnaie unique en Europe, que sa mise en œuvre relevait d'un « comportement suicidaire », enfermant les économies européennes dans la stagnation : la politique de réduction des dépenses publiques destinée à limiter le déficit budgétaire pèsera sur la croissance et donc sur les rentrées fiscales, impliquant à son tour de nouvelles réductions de dépenses publiques ; l'activité économique se trouvera ainsi entraînée dans une sorte de spirale dépressive.

M. Felstein pensait quant à lui que la monnaie unique était contraire aux intérêts de l'Union européenne et que l'opinion publique s'opposerait à sa création. Pour lui, le marché unique n'exigeait pas nécessairement une monnaie unique, dans la mesure où l'Europe ne constituait pas une zone monétaire optimale, les avantages de la monnaie unique, qui risquait par ailleurs de relancer l'inflation, étant inférieurs à ses inconvénients. La monnaie unique ne pouvait pas non plus concurrencer le dollar qui existait depuis 200 ans. Bref, la monnaie unique serait lancée « sans crédibilité » par une Banque centrale européenne « sans expérience ».

D'autres insistent sur le coût économique (la perte de la souveraineté monétaire prive les États d'un instrument important de politique économique), social (la monnaie unique accroître les inégalités en termes de niveau de vie ou d'emploi en l'absence d'une politique sociale européenne) ou politique (l'Europe monétaire ne serait que le « cheval de Troie » du fédéralisme politique européen) de la création d'une monnaie unique en Europe.

Restaient enfin les coûts microéconomiques de la transition pour les banques et les entreprises qui devaient modifier leurs systèmes comptables et informatiques et gérer au plan comptable, financier et fiscal la transition vers une monnaie unique nouvelle.

4.2 LES PREMIERS PAS VERS L'UNION MONÉTAIRE EUROPÉENNE

L'effondrement du système de Bretton Woods et le recours progressif aux changes flottants après 1971, non seulement ne permirent pas la réalisation du plan Werner, mais en outre pénalisèrent les échanges intra-européens qui représentaient plus de la moitié du commerce extérieur des pays membres de la Communauté économique européenne.

Les accords de Bâle de 1972 représentèrent un compromis entre, d'une part, la nécessité de réduire les marges de fluctuation entre les monnaies européennes pour soutenir les échanges communautaires et, d'autre part, le flottement quasi généralisé des monnaies au plan international.

4.2.1 *Le « serpent » communautaire*

Les pays de la CEE décidèrent de relier entre elles les monnaies européennes en fixant des marges de fluctuation relativement étroites (2,25 %) et en laissant flotter l'ensemble des monnaies européennes par rapport au dollar dans les limites (4,5 %) autorisées par les accords de Washington (cf. encadré 48).

Pour faire respecter leurs engagements, les Banques centrales européennes pouvaient intervenir sur le marché des changes, soit avec des dollars, soit avec des monnaies européennes, ce qui impliquait qu'elles puissent s'accorder des crédits réciproques ; c'est ainsi que furent créées des « possibilités de financement à très court terme », sortes de droits de tirage d'une durée de 45 jours de chaque Banque centrale (confrontée à des difficultés sur le marché des changes) sur les autres Banques centrales.

En 1973 fut créé le Fonds européen de coopération monétaire (FECOM) chargé d'assurer la compensation entre les Banques centrales européennes qui avaient dû intervenir dans le cadre précédent.

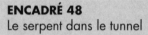

ENCADRÉ 48
Le serpent dans le tunnel

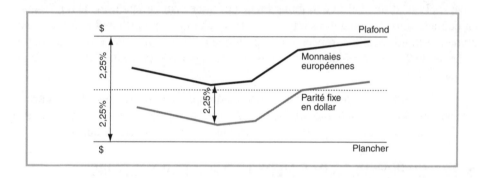

Le « serpent dans le tunnel » et la solidarité communautaire ne résistèrent cependant pas au premier choc pétrolier de la fin de l'année 1973 et aux désordres monétaires internationaux ; la Grande-Bretagne, l'Irlande et l'Italie quittèrent le serpent et les autres pays renoncèrent à intervenir pour faire respecter les marges de fluctuation par rapport au dollar (le « serpent hors du tunnel »).

L'année suivante, la France quitta à son tour le serpent, pour le réintégrer en 1975 et l'abandonner à nouveau en 1976. Dès 1975, le rapport Tindemans constatait l'échec du système européen et l'impossibilité de passer à l'étape suivante du plan Werner.

4.2.2 La création de l'écu

Il faudra attendre 1979 pour que le système monétaire européen renaisse autour de l'écu (*European Currency Unit*), panier de monnaies constitué de montants fixes (révisables tous les cinq ans) de chaque monnaie européenne, calculés en fonction du produit intérieur brut et du commerce extérieur des pays membres.

Les monnaies composant l'écu devaient définir chacune un « cours pivot » en écu ; elles étaient donc liées entre elles grâce à l'écu par des parités fixes autour desquelles étaient calculées les marges de fluctuation autorisées (de 2,25 ou de 6 % pour la lire et la peseta et ultérieurement pour la livre et l'escudo), et au-delà desquelles les Banques centrales concernées devaient intervenir (lors de la crise monétaire de 1993, les marges de fluctuation furent élargies à plus ou moins 15 % pour casser la spéculation contre certaines monnaies européennes).

Les cours pivots pouvaient être réajustés en accord avec les partenaires européens lorsque le seuil de divergence acceptable (écart maximal d'une monnaie par rapport à l'ensemble des autres monnaies) était dépassé.

Le système prévoyait en outre une réorganisation des mécanismes de crédit entre Banques centrales et/ou États membres :

- facilités de crédit à très court terme entre Banques centrales ;
- soutiens monétaires à court terme entre Banques centrales ;
- concours financiers à moyen terme entre États ;
- prêts communautaires aux États en cas de difficultés de balance commerciale.

Ainsi, l'écu allait devenir un instrument de réserve et de règlement, d'abord au niveau des Banques centrales, ensuite au niveau privé, et constituer la première ébauche de monnaie européenne, même s'il n'avait pas tous les attributs d'une véritable monnaie (absence de monnaie fiduciaire, de cours légal, de base territoriale ou de prêteur en dernier ressort notamment).

TABLEAU 37
La composition du panier de l'écu

Monnaies (en %)	1990	1998
Franc français	19,32	20,28
Livre sterling	12,60	10,99
Lire italienne	9,87	7,49
Mark allemand	30,36	33,07
Florin néerlandais	9,49	10,39
Franc belge	7,78	8,49
Peseta espagnole	5,15	4,20
Couronne danoise	2,52	2,60
Livre irlandaise	1,11	1,10
Escudo portugais	0,78	0,70
Drachme grecque	0,70	0,40
Franc luxembourgeois	0,31	0,30

Sources : Commission européenne

TABLEAU 38
La participation au SME

Pays	Participation SME	Variations taux pivot *	Sortie SME
Allemagne	1978	± 2,25 %	non
Belgique	1978	± 2,25 %	non
Pays-Bas	1978	± 2,25 %	non
Luxembourg	1978	± 2,25 %	non
Italie	1978	± 6 %	1992-1996
France	1978	± 2,25 %	non
Irlande	1978	± 2,25 %	non
Danemark	1978	± 2,25 %	non
Royaume-Uni	1990	± 6 %	1992
Espagne	1989	± 6 %	non
Portugal	1992	± 6 %	non
Grèce	1998	± 15 %	non
Autriche	1995	± 15 %	non
Finlande	1995	± 15 %	non
Suède	non		

* ± 15 % pour tous les pays membres depuis 1993
Source : Commission européenne

4.2.3 *Le rapport Delors*

Pour J. Delors, l'Union monétaire, considérée comme le prolongement naturel et souhaitable de l'Union économique, supposait la fixation irrévocable des parités, l'élimination des marges de fluctuation, la garantie d'une convertibilité totale des monnaies européennes entre elles, la libération des mouvements de capitaux et l'intégration des marchés bancaires et financiers. La politique monétaire devait être assurée au niveau communautaire par le « Système européen de banques centrales » (SEBC) indépendant des Banques centrales nationales.

Par ailleurs, le rapport Delors de 1989 définissait trois étapes devant aboutir à la monnaie européenne :

– 1990-1993 : libération des mouvements de capitaux dans le cadre de l'Acte unique européen, la surveillance étant assurée par le Conseil des ministres des Finances (ECOFIN) ;

– 1994-1997 : coordination étroite des politiques nationales, prohibition des déficits budgétaires, indépendance des Banques centrales nationales, création du SEBC et réforme des institutions de l'Union ;

– 1998-1999 : création de la Banque centrale européenne, fixation irrévocable des parités et entrée en vigueur de l'Union monétaire (si sept pays sur douze en remplissent les conditions).

Le rapport Delors a suscité de vives discussions sur le choix d'une monnaie européenne « unique » : les Britanniques lui opposaient une approche reposant sur la coexistence et la concurrence entre les monnaies nationales et une monnaie européenne « commune » (*Hard Ecu*) émise par un Fonds monétaire européen (et non par une Banque centrale européenne) et circulant parallèlement aux monnaies nationales. Ils estimaient en effet que le marché se chargerait de marginaliser les monnaies nationales les plus faibles et que la monnaie commune pourrait à terme supplanter les monnaies nationales et s'imposer éventuellement comme monnaie unique.

Les instances européennes ont cependant décidé de rejeter l'idée d'une monnaie commune parallèle, dans la mesure où elle risquait de poser deux problèmes majeurs : celui de la modification de la valeur de la monnaie commune à chaque modification de la valeur d'une monnaie nationale et celui de l'indépendance de la Banque centrale européenne.

Il était donc prévisible qu'après le rejet de la proposition britannique de monnaie commune et sous la pression politique des « eurosceptiques » en Grande-Bretagne, cette dernière demandât à Maastricht le bénéfice d'une clause l'autorisant à ne pas faire partie de l'Union monétaire si elle le jugeait utile (« *opting out* »).

4.3 LA MISE EN ŒUVRE DE L'UNION MONÉTAIRE

Le traité de Maastricht adopté en 1991 reprendra pratiquement le rapport Delors de 1989 quant aux modalités de la création d'une monnaie unique européenne et quant au calendrier de sa mise en œuvre.

4.3.1 *Le traité de Maastricht*

Le traité de Maastricht a défini les critères de convergence des économies nationales, le passage à l'Union monétaire n'étant décidé que si les résultats apparaissaient suffisants dans chacun des domaines concernés :

– un taux d'inflation ne dépassant pas de plus de 1,5 % le taux moyen des trois États membres obtenant les meilleurs résultats dans ce domaine ;

– un déficit budgétaire inférieur à 3 % et une dette publique inférieure à 60 % du PIB ;

– un taux d'intérêt à long terme ne dépassant pas de plus de 2 % celui des États les plus performants en termes de stabilité des prix ;

– l'absence de modification de la monnaie nationale par rapport à celle d'un autre État membre depuis au moins deux ans.

Ces critères devaient permettre de mesurer la convergence nominale des pays européens. Il est possible de s'interroger sur la rigueur des critères monétaires et financiers et sur l'absence de critères de convergence réelle (en termes de croissance, d'emploi ou de structures) alors que cette dernière n'est pas évidente en Europe.

Il est probable que la rigueur des critères nominaux résulte, d'une part, de la crainte des Allemands que certains pays ne laissent filer l'inflation pour alléger la charge de leur dette publique et, d'autre part, de la nécessité d'éviter des politiques budgétaires nationales trop laxistes (cf. encadré 49).

ENCADRÉ 49
Déficit budgétaire et dette publique

1. L'augmentation de la dette publique d'un pays oblige les autres à des politiques budgétaires restrictives. En effet, l'excès d'endettement d'un pays entraîne un recours aux marchés financiers susceptible de faire augmenter le taux d'intérêt ; la charge de la dette augmente donc pour tous les autres pays qui doivent alors pratiquer une politique budgétaire plus restrictive.
2. Dans l'hypothèse d'un taux de croissance du PIB de 5 % par an, si l'on veut stabiliser la dette publique à 60 % du PIB (ce qui correspond à la moyenne des dettes publiques des pays de l'Union européenne), le déficit budgétaire ne doit pas dépasser 3 % du PIB.
3. En effet, en supposant que l'accroissement de la dette publique est destiné à financer le déficit budgétaire (**d**), ce dernier est égal au produit de la dette publique/PIB (**b**) et du taux de croissance du PIB (**y**) : **d = b x y**.

La convergence des taux d'intérêt s'avère quant à elle nécessaire pour éviter que les capitaux ne quittent les pays dont les taux d'intérêt sont les plus bas pour se diriger vers ceux où les taux sont les plus élevés lorsque les parités entre les monnaies seront devenues fixes et que les risques de change auront disparu. Quant au critère relatif à l'absence de dévaluation de la monnaie nationale, il a pour objet d'éviter qu'un pays ne manipule la valeur de sa monnaie pour entrer dans la zone monétaire avec un taux de change déprécié qui lui donnerait un avantage de compétitivité sur les autres (dévaluations compétitives).

Par ailleurs, les signataires du traité de Maastricht ont peut-être estimé que les pays qui pourraient satisfaire des critères de convergence réelle pour entrer dans l'UEM seraient pratiquement les mêmes que ceux qui seraient éligibles au vu des critères monétaires et financiers dans la mesure où ces derniers peuvent prendre en compte de façon indirecte les résultats réels. À moins que des critères de convergence réelle se soient révélés encore plus contraignants et encore plus coûteux que les critères monétaires au demeurant déjà passablement rigoureux.

Quant aux étapes prévues pour le passage à la monnaie unique, elles correspondaient pratiquement à celles que prévoyait le rapport Delors, dont le Livre vert de la Commission européenne avait étudié en mai 1995 la faisabilité technique :

– 1990-1993 : liberté de circulation des capitaux dans le cadre de l'Acte unique ;
– 1994-1997 : coordination des politiques nationales, indépendance des Banques centrales nationales, recherche de la convergence dans le cadre des objectifs définis par le traité de Maastricht, création de l'Institut monétaire européen (qui préfigure la future BCE) et réforme des Institutions européennes ;
– 1998-1999 : décision concernant les pays susceptibles d'adhérer à l'euro, gel des parités, constitution du Système européen de banques centrales et transformation de l'Institut monétaire en Banque centrale européenne qui, indépendante des Gouvernements nationaux et des Institutions communautaires, aura en charge la définition d'une politique monétaire unique et la fixation des taux d'intérêt.

Le contenu de la dernière étape sera précisé ultérieurement à l'occasion de divers sommets :

– mars 1998 : publication de rapports de la Commission européenne et de l'Institut monétaire européen sur le respect des critères de convergence des pays candidats à la monnaie unique et les progrès qu'ils ont réalisés dans la convergence ;
– avril 1998 : avis du Parlement européen ;
– mai 1998 : décision du Conseil européen (à la majorité qualifiée) concernant les pays qualifiés, transformation de l'IME en Banque centrale européenne et nomination de son président, fixation irrévocable des parités entre les monnaies européennes ;
– 1er janvier 1999 : fixation irrévocable des parités exprimées en euros pour les pays de la zone euro, entrée en vigueur de la monnaie unique pour ce qui concerne les relations interbancaires et les émissions d'obligation publiques, les particuliers et les entreprises pouvant aussi utiliser la monnaie unique s'ils le désirent (« ni obligation ni interdiction »), mise en place du système de règlement des paiements en temps réel (TARGET) ;
– 1er janvier – 1er mars 2002 : remplacement des pièces et des billets nationaux par la monnaie européenne (double circulation de l'euro et des monnaies nationales). En France, le franc perdra son cours légal le 17 février 2002 ;
– 1er mars 2002 : initialement prévue au 1er juillet 2002, la monnaie européenne pour tous entrera en vigueur dès le 1er mars 2002 afin de limiter la période de double circulation. Les instances européennes s'étaient longtemps opposées à cette accélération du calendrier, pour des raisons politiques (respecter le calendrier prévu et permettre l'adhésion des « pré-in »), psychologiques (habituer les populations à l'utilisation de l'euro) et techniques (produire 70 milliards de pièces et 13 milliards de billets nouveaux).

4.3.2 *La crise de 1992 et 1993*

Cependant, les difficultés politiques rencontrées dans le processus de ratification du traité de Maastricht et les conséquences monétaires de la réunification de l'Allemagne suscitèrent en 1992 et 1993 une vague de spéculation contre les monnaies européennes, et en particulier contre le franc.

Alors que le projet de marché unique européen avait correspondu à une période de prospérité économique, celui de la monnaie unique était lancé au cours d'une phase de ralentissement de la croissance qui rendait plus difficile pour les Gouvernements le respect des critères de Maastricht, notamment celui concernant le déficit budgétaire.

En outre, la lutte contre l'inflation en Allemagne à la suite de sa réunification avait amené la Banque centrale allemande à relever ses taux d'intérêt, obligeant les autres banques centrales européennes à suivre, alors que les États-Unis baissaient les leurs pour relancer leur croissance économique.

C'est dans ce climat qu'interviendra en septembre 1992 la première attaque spéculative contre le SME, suivie d'une seconde en janvier 1993. Le mark subit de fortes pressions à la hausse, entraînant la dévaluation de la peseta, et la sortie du SME de la lire et de la livre sterling. Quant au franc, il ne résistera que grâce à son ancrage au mark et à l'aide allemande. Les États membres décidèrent alors en juillet 1993 d'élargir temporairement les marges de fluctuation à plus ou moins 15 % pour lutter contre la spéculation.

Le passage éventuel à la monnaie unique suscitait alors en Europe bien des scepticismes, d'autant qu'aucun des pays de l'Union européenne ne respectait l'ensemble des critères de convergence. Dès lors, diverses possibilités pouvaient être envisagées :

– renégocier le traité et les critères de convergence (trop contraignants) sous la pression d'une conjoncture défavorable et des anti-Maastricht, ce qui aurait probablement conduit à remettre en cause la monnaie unique ; il est vrai qu'en matière de finances publiques, les chiffres posés de façon empirique en mettant la barre assez haut résultaient beaucoup plus d'un compromis politique que d'une évaluation technique ;

– reculer les échéances, dans la mesure où l'on estimait, à l'instar du groupe des « cinq sages » allemands en novembre 1995, qu'à l'exception du Luxembourg aucun pays ne pourrait respecter les critères de Maastricht à la date prévue ; mais cela entraînerait une perte de crédibilité de la monnaie unique européenne et aggraverait le climat d'incertitude sur les marchés financiers sans régler les problèmes de fond ;

– accélérer le calendrier en décidant rapidement de parités fixes entre le mark et le franc pour créer une dynamique susceptible d'entraîner quelques autres pays à rejoindre le couple franco-allemand, ce qui signifierait en fait l'alignement définitif de la politique monétaire de la France sur les critères de gestion de la Bundesbank ;

– maintenir le calendrier et les critères de convergence envers et contre tout, sachant que le traité de Maastricht offrait une certaine souplesse dans l'appréciation des critères (un déficit budgétaire qui se rapproche « de façon substantielle et constante » de l'objectif, ou une dette qui « diminue suffisamment ») et que la décision concernant les pays admis à constituer la monnaie unique serait plus politique que technique, puisque prise au niveau des chefs d'État ou de Gouvernement.

4.3.3 *Les sommets de Madrid, Dublin et Amsterdam*

Le sommet de Madrid en novembre 1995 a confirmé le dernier scénario en fixant le calendrier du passage à la monnaie unique, l'écu étant remplacé par l'euro. La décision concernant le passage à l'euro devra être prise au cours du premier semestre 1998 par le Conseil européen, statuant à la majorité qualifiée, sur la base des rapports de la Commission et de l'IME mesurant les progrès réalisés « dans l'accomplissement des obligations pour la réalisation de l'UEM », examinant dans quelle mesure les statuts des Banques centrales sont compatibles avec les exigences de l'UEM et mesurant les efforts de convergence accomplis.

Les Gouvernements européens, pour la plupart d'entre eux, n'ont pas cessé depuis d'afficher leur détermination et leur volonté de respecter leurs engagements en ce domaine. Les Gouvernements allemand et français ont en outre insisté en février 1996 sur le fait que les deux pays ne seraient pas les seuls au rendez-vous de 1999, ce qui revenait à rejeter l'idée de créer sans plus attendre une union monétaire franc-mark.

Les engagements de Madrid ont été réitérés au sommet de Dublin en septembre 1996, rendant de fait inéluctable le passage à la monnaie unique. L'euro devra être introduit sur le marché interbancaire et celui des obligations publiques le 1er janvier 1999, les parités étant fixées de façon irréversible. C'est entre janvier et juin 2002 que les monnaies nationales des pays de la zone euro devront être supprimées pour être remplacées par l'euro.

Les sommets de Dublin de septembre et décembre 1996 lèvent aussi deux difficultés majeures concernant, d'une part, les relations monétaires au sein de la zone euro (Pacte de stabilité budgétaire) et, d'autre part, les relations monétaires entre la zone euro et les pays qui ne pourront (ou ne voudront) y adhérer en 1999 (Pacte de stabilité monétaire), précisant ainsi les indications déjà données lors de la réunion de Vérone en avril 1996.

Le Pacte de stabilité budgétaire et de croissance, qui fut officiellement adopté lors du sommet d'Amsterdam en juin 1997, résultait de la méfiance que suscitait dans l'opinion publique allemande l'abandon du mark au profit de l'euro. L'Allemagne avait en effet fortement insisté pour que le Pacte de stabilité budgétaire soit contraignant et s'applique de façon automatique, afin que certains pays membres ne soient pas tentés de se conduire en « passagers clandestins » de la discipline des autres en conduisant une politique budgétaire laxiste.

Le Pacte oblige ainsi les pays de la zone euro à respecter une discipline budgétaire stricte : le déficit de chaque pays ne devra pas dépasser 3 % de son PIB, sauf circonstances exceptionnelles et temporaires (récessions), sous peine de sanctions si le déficit n'est pas corrigé dans un délai d'un an. Ces sanctions seront constituées par un dépôt obligatoire non rémunéré à la BCE, converti deux ans plus tard, si le déficit persiste, en une amende égale à 0,2 % du PIB, majorée de 0,01 % par tranche de dépassement de 0,1 % du PIB (avec un plafond de 0,5 % du PIB). Le produit des amendes sera réparti entre les pays membres respectueux du Pacte, au prorata de leur PIB. Par ailleurs, les pays membres devront poursuivre la réduction de leur déficit de façon à parvenir à l'équilibre à l'horizon 2004 (porté ultérieurement à 2006, puis 2010).

L'automaticité des amendes et l'appréciation des circonstances exceptionnelles ont fait l'objet d'âpres discussions entre l'Allemagne, partisane d'une discipline contraignante, et la France, qui souhaitait une certaine souplesse dans l'appréciation au cas par cas des circonstances exceptionnelles et dans l'application des sanctions. Le compromis adopté à Dublin en décembre 1996 précise qu'un pays dépassant la barre des 3 % de déficit budgétaire sera automatiquement sanctionné s'il subit une récession inférieure à 0,75 % de son PIB, qu'il pourra arguer auprès du Conseil des ministres des Finances de la zone euro et de la Commission européenne de circonstances exceptionnelles si la récession est comprise entre 0,75 et 2 % du PIB pour échapper éventuellement à la sanction, et qu'il ne subira pas de sanction si la récession est supérieure à 2 % du PIB. Cependant, le Conseil des ministres des Finances pourra annuler tout ou partie des sanctions, s'il juge suffisants les progrès réalisés par le pays membre dans la résorption de son déficit.

L'application du Pacte résultera de la mise en œuvre de deux procédures, une procédure de « surveillance multilatérale des positions budgétaires » et une procédure d'avertissements et de sanctions lors de déficits excessifs (cf. encadré 50).

La première implique que chaque pays membre présente à l'instance de surveillance un programme de stabilité à moyen terme, comportant, d'une part, les objectifs de ses comptes publics (actualisés chaque année en fonction des perspectives de croissance) pour atteindre l'équilibre budgétaire à un certain horizon et, d'autre part, les mesures à mettre en œuvre pour atteindre ces objectifs. Le non-respect des engagements précédents pourra donner lieu à une « recommandation », éventuellement rendue publique.

La procédure des déficits excessifs sera quant à elle appliquée lorsque le déficit budgétaire d'un pays membre dépassera les 3 % du PIB et ne sera pas corrigé dans les douze mois qui suivent. Elle conduira, le cas échéant, aux sanctions financières prévues par le Pacte.

Par ailleurs, les Gouvernements français et allemand, qui s'opposaient sur le point de savoir s'il convenait ou non de créer une institution parallèle à la BCE pour apprécier la situation d'un point de vue plus politique que technique, sont finalement convenus en 1997 à Amsterdam de mettre en place un « pôle économique européen » (version édulcorée d'un Gouvernement économique européen) comme contrepoids au pouvoir de la BCE (sans que cette structure informelle puisse remettre en cause l'indépendance de la BCE). Créé dans son principe à Luxembourg la même année, et présidé actuellement par le Luxembourgeois Junker, l'« Eurogroupe » sera composé des ministres des Finances des pays de la zone euro (à la demande du Royaume-Uni, les ministres des pays non membres pourront y participer si les sujets abordés l'exigent) et sera chargé de coordonner les politiques économiques des pays membres (sans que la coordination n'exige de nouveaux moyens financiers au niveau communautaire). Il faudra attendre le traité de Lisbonne de 2007 pour que l'Eurogroupe dispose d'une compétence institutionnelle.

Il a par ailleurs été décidé au sommet d'Amsterdam de juin 1997 que le Pacte de stabilité budgétaire, définitivement adopté, serait complété par une « Résolution sur

ENCADRÉ 50
La procédure de surveillance des déficits excessifs du Pacte de stabilité budgétaire

La Commission européenne est chargée de surveiller la mise en œuvre du Pacte. Si un État membre ne respecte pas les objectifs budgétaires à moyen terme qu'il a déclarés et si son déficit budgétaire se rapproche des 3 % du PIB, le Conseil des ministres des Finances lui adresse, sur proposition de la Commission, une **recommandation** spécifique, avec un délai de 4 mois pour rectifier sa position budgétaire (**procédure d'alerte précoce**).

Toutefois, le dépassement des 3 % est considéré comme exceptionnel et temporaire s'il résulte d'une circonstance exceptionnelle indépendante de la volonté du pays membre ou s'il est consécutif à une récession économique égale ou supérieure à – 2 % du PIB.

Si, dans les quatre mois qui suivent la recommandation du Conseil des ministres, aucune décision suivie d'effets n'a été prise par le pays concerné, le Conseil **rend publiques ses recommandations** et peut mettre le pays en question en demeure de réduire le déficit.

Si, dans les deux mois qui suivent la mise en demeure, le pays concerné ne s'est pas conformé aux décisions du Conseil des ministres, ce dernier lance la **procédure de sanctions**. Ces dernières prennent la forme d'un dépôt obligatoire et non rémunéré auprès de la BCE, dépôt susceptible d'être augmenté chaque année et d'être converti en amende si le déficit n'a pas été corrigé dans les deux années qui suivent.

La procédure est suspendue si le pays concerné prend des mesures de résorption du déficit budgétaire, en réponse aux recommandations ou à la mise en demeure émanant du Conseil. Ce dernier assure alors une surveillance de la réalité et de la pertinence des mesures prises.

la croissance et l'emploi » de statut équivalent, afin de coordonner au niveau européen les politiques de lutte contre le chômage.

Le Pacte de stabilité monétaire, dont les modalités de fonctionnement ont été précisées au sommet d'Amsterdam, vise quant à lui les risques de dévaluation compétitive des monnaies européennes qui n'auront pas adhéré à la zone euro en 1999. Ces monnaies du « premier cercle » autour de la zone euro pourront être reliées à l'euro dans le cadre d'un système monétaire comparable au SME (le « SME-*bis* », ou « Mécanisme de taux de change MTC2 » a été mis en place le 1er janvier 1999), avec des marges de fluctuation plus ou moins larges, négociées selon les performances des pays candidats à l'adhésion, dans le cadre de contrats de convergence destinés à guider leurs efforts.

Le SME-*bis* reposera sur la fixation de cours pivots déterminés par rapport à l'euro avec une marge de fluctuation maximale de plus ou moins 15 %. Les décisions relatives aux cours pivots seront prises par la BCE, l'Eurogroupe et les ministres des Finances des pays concernés. En contrepartie du respect des marges de fluctuation et des critères de Maastricht, la BCE soutiendra les monnaies du SME-*bis* en cas d'attaques spéculatives contre elles.

La réunion des ministres des Finances de septembre 1997 à Luxembourg a confirmé une fois encore le calendrier du passage à l'euro, malgré quelques divergences qui séparaient encore les partenaires européens. Ils ont par exemple décidé, pour éviter toute spéculation, que les parités entre les monnaies européennes seraient fixées en mai 1998, en même temps que serait dressée la liste des pays qui feraient partie de l'euro. Ils ont aussi admis la nécessité de coordonner mieux et davantage les politiques économiques, notamment en matière fiscale, pour éviter les distorsions de concurrence et les fuites de capitaux.

4.4   LE PASSAGE À LA MONNAIE UNIQUE

Les onze premiers pays censés participer à la monnaie unique sont connus depuis fin mars 1998, date de la publication des rapports de la Commission européenne et de l'Institut monétaire européen établis sur la base des résultats des critères de convergence de 1997.

La décision définitive, prise au niveau du Conseil européen début mai 1998, a gelé les parités entre les monnaies européennes et a confirmé les vœux de la Commission et de l'IME, approuvés par le Parlement européen, donnant ainsi naissance à la zone euro.

4.4.1 *Les participants à la monnaie unique*

Au vu de la décision précédente, tous les pays membres de l'Union européenne ont fait partie de la zone euro dès le 1er janvier 1999, à l'exception de la Grèce (trop éloignée

TABLEAU 39
Les parités au sein de Euro-11

Devises	Parité en franc français
1 mark allemand	3,35386
1 florin néerlandais	2,97661
100 francs belges	16,2608
1000 lires italiennes	3,38773
100 pesetas espagnoles	3,94237
100 escudos portugais	3,27188
100 schillings autrichiens	47,6706
1 mark finlandais	1,10324
1 punt irlandais	8,32896

Source : Commission européenne

des critères de Maastricht) ainsi que de la Suède, du Danemark et du Royaume-Uni qui ne souhaitaient pas y participer dès 1999.

Tous les pays retenus ont réduit de façon significative leur déficit public (grâce à la reprise économique et parfois à quelques artifices comptables). Si trois d'entre eux seulement respectaient le critère de la dette publique (Luxembourg, Finlande et France), les autres ont considérablement réduit leur endettement, même si celui de l'Italie et de la Belgique restait encore très élevé. Tous ont aussi réussi à juguler l'inflation et à maintenir la stabilité de leur monnaie.

L'appréciation des performances des pays européens a donc été effectuée « en tendance » et non pas « *stricto sensu* » comme le souhaitaient, en dépit de la lettre et de l'esprit du traité de Maastricht, les plus orthodoxes partisans des critères de convergence.

Ces résultats ne semblaient pourtant pas évidents en 1996. En effet, une dizaine de pays européens remplissaient les critères relatifs à l'inflation (tous sauf l'Espagne, la Grèce, l'Italie et le Portugal), au taux d'intérêt à long terme (tous sauf l'Espagne, la Grèce, l'Italie et les Pays-Bas) et à la stabilité des changes (tous sauf l'Italie, la Suède et le Royaume-Uni). Mais aucun d'entre eux ne respectait les deux critères relatifs aux finances publiques, à l'exception du Luxembourg, seul pays respectant l'ensemble des critères de convergence.

Ainsi, malgré les prévisions optimistes de la Commission européenne publiées au printemps et en automne 1997, il semblait probable que la majorité des pays européens ne pourraient être éligibles à l'UEM si l'on s'en tenait à une interprétation stricte des critères de convergence. L'UEM ne semblait donc pas pouvoir être réalisable au

TABLEAU 40
Les critères de convergence en Europe

	Inflation		Déficit public		Dette publique		Taux long terme
	1996	1997	1996	1997	1996	1997	1996
Allemagne	1,8	2,2	**3,6**	**3,2**	**61,5**	**61,6**	6,5
Autriche	2,0	2,2	**4,7**	**3,8**	**71,0**	**71,7**	6,6
Belgique	2,2	2,1	**3,5**	**3,2**	**132,2**	**129,5**	6,8
Danemark	2,2	2,4	1,4	1,0	**71,2**	**69,4**	7,6
Espagne	**3,5**	**3,3**	**4,8**	**3,7**	**65,5**	**65,2**	9,9
Finlande	1,3	1,5	**3,4**	2,2	**62,3**	**61,7**	7,7
France	1,9	2,2	**4,4**	**3,7**	54,7	56,4	6,7
Grèce	**7,7**	**6,4**	**9,0**	**7,7**	**111,4**	**109,6**	**13,3**
Irlande	2,4	2,8	3,0	2,8	**82,2**	**78,9**	8,0
Italie	**4,0**	**3,4**	**6,7**	**5,5**	**121,7**	**119,5**	**10,4**
Luxembourg	2,0	2,2	−1,0	−1,5	6,3	4,5	6,8
Pays-Bas	2,1	2,2	3,0	2,6	**78,3**	**77,4**	6,5
Portugal	**3,0**	**3,3**	**4,7**	**3,9**	**71,8**	**71,6**	**9,1**
Royaume-Uni	**3,1**	2,8	**3,1**	2,6	53,8	54,7	8,1
Suède	1,9	2,4	**5,0**	**3,5**	**82,7**	**82,5**	**8,8**
Normes	2,9		3,0		60,0		8,5

Source : Commission européenne

1er janvier 1999 et ce constat ne manqua pas alors d'alimenter de multiples rumeurs sur le report éventuel du calendrier ou sur une renégociation du traité de Maastricht.

Pourtant, rien n'obligeait le Conseil européen à prendre ses décisions sur la base d'une interprétation stricte des critères de convergence ; les experts de l'IME disaient eux-mêmes dans leur Rapport 1996 que la barre des 3 % du déficit budgétaire n'était qu'une « valeur de référence » et certains dirigeants de la Bundesbank le rappelaient, eux aussi, en mars 1997.

Si la constitution d'une zone euro était effectivement inéluctable, si cette dernière ne pouvait être réalisée sans l'Allemagne et la France, et s'il était hors de question de rediscuter ou d'assouplir les critères de convergence, cela signifiait que l'appréciation des performances serait essentiellement politique. Il était donc probable, à la fin de

1997, qu'une dizaine de pays constitueraient en 1999 la zone euro, dans la mesure où ils s'étaient rapprochés significativement des objectifs de convergence prévus par le traité de Maastricht.

On pouvait donc penser qu'au premier groupe constitué par le Luxembourg, l'Allemagne et la France, pourraient se joindre des pays qui respectaient au moins l'un des deux critères relatifs aux finances publiques ou qui étaient assez proches des deux (Autriche, Finlande, Pays-Bas, Irlande et Belgique). Par ailleurs, il semblait politiquement difficile que la zone euro puisse se faire sans les pays d'Europe du Sud, surtout s'ils avaient fait des efforts méritoires pour se rapprocher des seuils de convergence (Espagne, Portugal et Italie).

La participation de l'Italie restait pourtant plus hypothétique, compte tenu de l'importance de sa dette publique, de son taux d'inflation et de son déficit budgétaire. Pourtant, le Gouvernement italien avait négocié fin novembre 1996 la réintégration de la lire dans le SME de façon à pouvoir adhérer à l'euro en 1999. Cette réintégration s'effectua en effet, à l'issue d'âpres marchandages, au taux pivot de 990 lires pour 1 mark avec des marges de fluctuation de plus ou moins 15 % (compromis entre le souhait italien de 1 025 lires pour 1 mark et le niveau réel de la lire de 950 lires pour 1 mark). Même si ce retour de la lire dans le SME apparaissait un peu tardif (il aurait fallu que la lire réintègre le SME au début de l'année pour respecter le critère de stabilité monétaire de Maastricht), il rendit possible l'adhésion de l'Italie à l'euro.

Par contre, il semblait très peu probable à la fin de l'année 1997 que la Grèce, qui ne participait pas au SME, puisse faire partie de la zone euro dès 1999 compte tenu de ses mauvaises performances dans tous les domaines. Le Gouvernement grec présenta cependant en 1998 un « Plan de convergence » couvrant la période 1998-2001 qui devait permettre à la Grèce de respecter les critères de Maastricht et d'adhérer à la zone euro dès 2001. De fait, la drachme a réintégré le SME en mars 1998, a participé au SME-*bis* à partir du 1er janvier 1999 (avec une marge de fluctuation de plus ou moins 15 % par rapport à l'euro), a été réévaluée de 3,5 % par rapport à l'euro au début de l'année 2000 et a finalement intégré la zone euro en janvier 2001.

La Suède, quant à elle, refusa d'adhérer à la zone euro dès 1999 et souhaita conserver son autonomie monétaire. Le référendum de septembre 2003 confirma ce refus (56,1 % de non contre 41,8 % de oui).

Le Royaume-Uni et le Danemark, qui avaient obtenu à Maastricht le bénéfice d'une clause d'exemption (« *opting out* ») concernant la monnaie unique, refusèrent aussi d'adhérer à la zone euro, le Danemark acceptant cependant d'intégrer le SME-*bis*.

Comme la monnaie suédoise, la livre anglaise flotte librement par rapport à l'euro. Pourtant, trois banquiers ou hommes d'affaires britanniques sur quatre estimaient en 1996 que l'euro serait créé comme prévu et que la Grande-Bretagne finirait un jour par y adhérer. De fait, le Gouvernement britannique travailliste a toujours manifesté de l'intérêt pour l'euro, mais, conscient des obstacles internes à l'adhésion (impopularité de l'euro, presse majoritairement hostile, considérations électoralistes…), il a adopté une position prudente, retenant en 1997 quatre conditions à respecter pour que la proposition d'adhésion du Royaume-Uni à la zone euro soit soumise à référendum :

- la convergence des cycles économiques européens et britanniques ;
- une flexibilité suffisante de l'économie britannique pour répondre à des chocs asymétriques éventuels ;
- l'intérêt manifesté par les services financiers ;
- la stimulation des investissements à long terme, de la croissance et de l'emploi.

Le Gouvernement britannique a en outre engagé en novembre 1998 un Plan national de transition vers l'euro qui détaille, étape par étape, les mesures qui permettront au Royaume-Uni d'adhérer à la zone euro après référendum.

Cependant, l'opinion publique britannique reste toujours très méfiante, tant vis-à-vis des « Eurocrates » de Bruxelles que vis-à-vis de l'euro. La consultation populaire sur l'adhésion à la zone euro, qui devait être organisée en 2003 après examen des critères précédents, a dû être reportée dans l'attente d'un contexte économique et politique plus favorable.

Quant aux Danois, ils se sont prononcés négativement sur leur adhésion à la monnaie unique lors d'un référendum organisé à la fin de septembre 2000. Le respect des critères de convergence et l'appartenance de la couronne danoise au SME-*bis* avec des marges de fluctuation étroites (plus ou moins 2,5 %) devraient pourtant faciliter ultérieurement l'adhésion du Danemark.

Ainsi, la monnaie unique européenne a donc pu naître comme prévu le 1er janvier 1999, sous la forme de monnaie scripturale, l'euro fiduciaire ne devant apparaître qu'en 2002.

TABLEAU 41
Les parités en euro au 1er janvier 1999

Franc	6,55957
Mark allemand	1,95583
Lire (1 000)	1,93627
Peseta (100)	1,66386
Escudo (100)	2,00482
Schilling (10)	1,37603
Livre irlandaise	0,78756
Florin	2,20371
Franc belge (10)	4,03399
Mark finlandais	5,94573

Source : BCE

4.4.2 *La mise en place du Système européen de banques centrales*

Conformément au traité de Maastricht, le passage à la monnaie unique s'est accompagné de la transformation de l'Institut monétaire européen en Banque centrale européenne, indépendante des pouvoirs exécutifs nationaux ou européens, et de la mise en place du Système européen de banques centrales (cf. encadré 51).

ENCADRÉ 51
Le Système européen de banques centrales

Organisme	Composition	Missions
Eurosystème	Conseil des gouverneurs : gouverneurs des Banques centrales de la zone euro et Directoire de la BCE	Définir la politique monétaire de l'Union et fixer les taux d'intérêt.
BCE	Directoire de 6 membres nommés (en fonction de leurs compétences professionnelles et de façon irrévocable) par le Conseil européen pour un mandat de cinq ans (président) ou huit ans (autres membres), non renouvelable.	Mettre en œuvre la politique monétaire européenne, appliquer la politique de change, gérer les réserves de change, assurer l'émission de monnaie.
Conseil Général	Gouverneurs des Banques centrales des pays membres de l'Union européenne, président et vice-président du Directoire.	Préparer l'adhésion des futurs membres et gérer le SME-*bis*.

L'Eurosystème est chargé de définir la politique monétaire commune et, en particulier, de fixer les taux d'intérêt. Sa politique doit être mise en œuvre par la BCE et les Banques centrales nationales, chacune en ce qui les concerne, selon le principe de subsidiarité. L'objectif assigné est le maintien de la stabilité des prix à moyen terme, la hausse annuelle de l'indice harmonisé des prix à la consommation ne devant pas dépasser 2 % (cf. encadré 52).

C'est ainsi que l'Eurosystème a décidé, à quelques semaines de l'entrée en vigueur de l'euro, de ramener à 3 % les taux d'intérêt de tous les pays de la zone euro (à l'exception de l'Italie qui a diminué son taux de 4 à 3,5 %). Inspirée, selon le gouverneur de la Banque de France, par les principes de cohésion de la zone, de convergence vers les taux les plus bas et du choix du meilleur taux d'entrée dans le système euro, la décision de l'Eurosystème avait trois objectifs : montrer que la BCE restait insensible aux pressions des Gouvernements, des marchés financiers ou de l'opinion publique, stimuler la croissance et renforcer la crédibilité de l'euro.

Cependant, au-delà du passage à l'euro, demeure toujours la crainte que des taux d'intérêt trop élevés, dictés par une politique monétaire européenne trop orthodoxe destinée à prévenir l'inflation, ne freine la croissance économique dans les pays dont la

TABLEAU 42
L'indice harmonisé des prix à la consommation

Prix	Pondération
Produits alimentaires non transformés	7,6
Produits alimentaires transformés	11,7
Produits manufacturés hors énergie	31,6
Énergie	8,2
Logement	10,4
Transports	6,3
Communication	2,9
Loisirs	14,9
Services divers	6,4
Total	100

Source : Commission européenne

ENCADRÉ 52
Le choix du taux d'inflation cible

1. Lorsque fut décidé en 1999 un **taux d'inflation cible de 2 %**, le taux d'inflation moyen en Europe était relativement faible. Fixer un taux plus important aurait peut-être remis en cause la crédibilité de la nouvelle Banque centrale européenne.

2. Le taux d'inflation moyen en Europe a dépassé 3,7 % en juin 2008 (du fait de la flambée des prix de l'énergie et des produits alimentaires). Certains analystes (Wyplosz et Artus notamment) estiment que le taux cible est trop bas et qu'il devrait être fixé à 3 % pour plusieurs raisons :

   – les indices de prix à la consommation surestiment l'inflation réelle dans la mesure où ils ne tiennent pas compte de l'amélioration de la qualité des biens ou des services (en fait, l'inflation réelle serait inférieure de 1 % environ à l'inflation observée) ;

   – un taux cible de 2 % ne laisse aucune marge de manœuvre en cas de chocs exogènes susceptibles de remettre en cause la croissance, comme le choc de 2007 lié à la hausse du prix du pétrole et à la crise financière américaine ;

   – ce taux cible ne tient pas compte du nécessaire rattrapage des prix des pays moins avancés qui ont rejoint la zone euro.

3. Le taux d'inflation cible aux États-Unis est aussi de 2 %, mais il s'agit **d'un taux d'inflation sous-jacente**, l'indice américain ne prenant pas en compte les produits alimentaires et l'énergie.

politique budgétaire est limitée par des déficits budgétaires chroniques et un endettement public élevé (« on se prive d'un instrument pour créer de la croissance et de l'emploi, uniquement pour des raisons idéologiques », disait M. Sarkozy au cours de la campagne présidentielle française de 2007). La Banque fédérale des États-Unis tolère par exemple un taux d'inflation plus élévé car le chiffre de 2 % auquel elle se réfère aussi est celui de l'inflation sous-jacente (prix de l'énergie et des produits alimentaires exlus).

Pourtant, alors que le taux d'inflation dépassait depuis plusieurs mois les 3 % (il a atteint 3,7 % en juin 2008), la BCE n'a pas modifié son taux directeur (un taux de 4 % inchangé depuis un an) pour ne pas pénaliser une croissance européenne atone. La BCE adoptait ainsi une position médiane entre sa politique de lutte contre l'inflation et sa volonté de ne pas pénaliser la croissance. Si en juillet 2008 la BCE dût augmenter son taux directeur de 4 à 4,25 % alors que l'inflation approchait 4 % (du fait de la hausse des prix du pétrole et des produits de base), elle décida quelques mois plus tard de diminuer progressivement son taux jusqu'à 2 % en janvier 2009. En effet, la hausse des prix s'était ralentie (chute des cours du pétrole et des produits de base) et il fallait favoriser le crédit pour lutter contre les conséquences de la crise financière des « *subprimes* ».

La BCE a par ailleurs pour mission d'appliquer la politique de change décidée par le Conseil des ministres des Finances (« Eurogroupe »). Elle peut ainsi intervenir sur les marchés des changes pour soutenir le cours de l'euro (la BCE fut amenée à intervenir pour la première fois en septembre 2000, en concertation avec les banques centrales du G7, pour soutenir la valeur de l'euro qui tendait à devenir inférieure à 0,85 $). Dans cette perspective, les Banques centrales nationales ont transféré à la BCE des réserves de change d'un montant proche de 40 milliards (85 % en devises étrangères et 15 % en or) qui représentent 15 % environ des réserves de change mondiales.

Si le traité de Maastricht a bien confié la définition de la politique des changes à l'Eurogroupe, dans les faits, la difficulté pour ce dernier de parler d'une seule voix a laissé à la BCE une autonomie relativement large dans la gestion des taux de change (« l'euro, c'est moi ! » a pu dire un jour le président de la BCE, Jean-Claude Trichet).

La BCE a été dotée lors de sa constitution d'un capital de 5 milliards d'euros souscrit par les Banques centrales nationales. La part de chacune d'entre elles dépend pour moitié de l'importance de la population et pour moitié de l'importance du PIB de l'État membre qu'elle représente.

Les instruments de politique monétaire dont dispose la BCE comprennent :

- des opérations d'*open-market* (apports de liquidités effectués à échéances régulières sous la forme d'opérations de refinancement, d'opérations de réglage fin et d'opérations structurelles) ;
- des facilités permanentes (fournitures et retraits de liquidités au jour le jour, sous la forme de facilités de prêt marginal ou de facilités de dépôts) ;
- un système de réserves obligatoires (montant des avoirs en compte dans les Banques centrales nationales imposés aux établissements de crédit).

Enfin, le règlement des transactions en euros liées à la politique monétaire du SEBC s'effectue grâce à un « système de transfert express automatisé transeuropéen à règlement brut en temps réel » (TARGET).

TABLEAU 43
Répartition du capital de la BCE (en 1999, % arrondi au 1/100)

Allemagne	24,49
Autriche	2,36
Belgique	2,87
Danemark	1,67
Espagne	8,89
Finlande	1,40
France	16,83
Grèce	2,06
Irlande	0,85
Italie	14,89
Luxembourg	0,15
Pays-Bas	4,28
Portugal	1,92
Royaume-Uni	14,68
Suède	2,65

Source : BCE

Le système ainsi mis en place a assuré comme prévu le passage à la monnaie unique le 1er janvier 1999. Pourtant, à la veille du passage à la monnaie unique, de nombreuses questions se posaient. Si certaines reflétaient des inquiétudes qui se sont finalement révélées vaines, d'autres, au-delà du passage à l'euro, constituent toujours des problèmes en suspens.

4.4.3 L'opinion publique et l'euro

La position et l'évolution de l'opinion publique européenne quant à l'euro ont constitué, avant même la création de la monnaie unique, un premier sujet d'inquiétude. Touchée par la crise économique, l'opinion publique européenne était restée très sceptique à l'égard de la monnaie unique, pour ne pas dire défavorable, jusqu'à la création effective de l'euro au 1er janvier 1999. Déjà, la ratification du traité de Maastricht par les

populations appelées à voter n'avait pas été facile. Or il n'était pas possible de construire l'Europe monétaire contre l'opinion publique.

TABLEAU 44
L'opinion publique européenne et l'euro en 1997

Opinions favorables	En %
Italie	78
Irlande	67
Luxembourg	62
Espagne	61
Grèce	59
France	58
Belgique	57
Pays-Bas	57
Finlande	51
Portugal	45
Autriche	44
Allemagne	40
Suède	33
Danemark	32
Royaume-Uni	29

Source : Eurobaromètre 1997

L'opinion publique française, par exemple, ne voyait dans la perspective de la
monnaie unique que des sacrifices à consentir encore. Quant aux Allemands, qui
avaient connu au cours du XXe siècle trois expériences monétaires désastreuses, ils
redoutaient de devoir abandonner le mark, une des devises les plus fortes du système
monétaire international et symbole de leurs succès économiques d'après-guerre, pour
une monnaie affaiblie par la présence des pays de l'Europe du Sud.

Les coûts de création de la monnaie unique apparaissaient en effet devoir être
supportés à court terme, alors que ses avantages, à plus long terme, restaient hypothé-
tiques. Les restrictions d'emplois publics, le gel des salaires, l'augmentation des impôts
qu'exigeaient les critères de convergence pesaient d'autant plus lourd que la conjoncture était morose et le chômage élevé.

Mais, paradoxalement, plus on se rapprochait du 1er janvier 1999, plus l'opinion publique européenne, rassurée par une importante campagne d'information lancée à la fin de l'année 1998 et par une meilleure conjoncture économique, se révélait favorable à l'euro.

TABLEAU 45
L'évolution de l'opinion publique européenne en 1998 (en %)

Opinions favorables	Mai 1998	Septembre 1998	Décembre 1998
France	62	63	69
Italie	66	71	67
Espagne	31	65	66
Allemagne	43	51	56

Source : Eurobaromètre 1998

L'opinion publique européenne restait malgré tout assez fluctuante. Deux ans plus tard, les opinions favorables chutaient sensiblement, surtout en Allemagne.

TABLEAU 46
L'opinion publique européenne et l'euro en 2001 (en %)

Opinions favorables à l'euro	Janvier 2001
France	50
Italie	46
Espagne	41
Allemagne	29

Source : *Le Monde*, 16 janvier 2001 (sondage Institut Louis Harris)

En fait, la population européenne ne s'était pas encore approprié l'euro, qui devait rester jusqu'en 2002 une monnaie « abstraite » réservée aux banquiers et aux financiers. L'euro ne regagnera la confiance de la majorité des Européens qu'à partir de 2003 (sauf au Royaume-Uni, au Danemark et en Suède).

Cependant, l'opinion publique restait et reste toujours soumise aux aléas de la conjoncture économique ou politique en Europe. En 2006, l'euro était ainsi accusé d'être à l'origine du coût élevé de la vie, de plomber les exportations européennes et d'étouffer la croissance (61 % des Français avaient alors une perception négative de l'euro et 56 % des Allemands souhaitaient le retour du mark).

TABLEAU 47

L'opinion publique européenne et l'euro en 2003

Opinions favorables	En %
Italie	83
Luxembourg	79
Espagne	72
Pays-Bas	72
Irlande	68
Belgique	68
France	68
Grèce	67
Autriche	56
Finlande	53
Portugal	52
Allemagne	51

Source : Eurostat

Quant à la hausse des prix, l'opinion publique européenne était déjà persuadée que les prix avaient augmenté lors de la conversion en euros des prix libellés en monnaie nationale.

TABLEAU 48

L'impact de l'euro sur les prix dans l'opinion publique en France

Impact en %	Juin 1999	Juin 2000	Juin 2001
Aucun effet	44	43	28
Baisse des prix	5	2	2
Hausse des prix	38	40	60
Sans opinion	13	15	10

Source : INSEE

Il est vrai que de nombreux commerces de proximité assurant la distribution de biens de consommation courante, notamment alimentaires, ont arrondi en leur faveur le montant des prix à l'occasion de la conversion en euros. Certains ont même profité de cette conversion pour augmenter les prix. Or les ménages sont sensibles à l'évolution du prix des biens ou des services qu'ils achètent fréquemment (inflation perçue). Ils ont donc eu le sentiment que le niveau général des prix avait augmenté, alors que ces biens ou services n'avaient qu'un poids relatif dans le calcul de l'indice des prix.

De fait, l'INSEE a montré qu'en France, l'impact de la conversion des prix en euros n'avait pas dépassé + 0,12 % en 2001.

Toujours selon l'INSEE, l'impact de l'euro sur les prix en France fut légèrement plus élevé en 2002 (+ 0,14 %). Il semblait être dû à la recherche de prix « psychologiques » exprimés en euros dans le secteur des services (+ 0,8 %) et dans le secteur des biens durables (+ 0,9 %). Quant aux hausses de prix dans le secteur alimentaire, elles s'expliquaient certes en partie par le passage à l'euro, mais elles avaient aussi des causes conjoncturelles (aléas climatiques pour les fruits et légumes) et structurelles (restructurations dans la grande distribution).

Au total, tous secteurs confondus, l'INSEE estimait que l'impact du passage à l'euro sur l'augmentation des prix en France avait été relativement modéré (+ 0,26 % pour la période 2001-2002).

Au-delà de cette période, le taux d'inflation est resté contenu aux alentours de 2 % par an. Il ne s'est accéléré qu'en 2007, à la suite de la flambée des prix de l'énergie, des matières premières et des produits alimentaires. Mais, même si à l'heure actuelle les Européens sont toujours persuadés que l'inflation est due à l'euro (une critique relayée par certains hommes politiques qui cherchent un bouc émissaire à leurs erreurs ou à leurs insuffisances), l'euro n'en est en rien responsable.

L'incidence de la valeur de l'euro sur le commerce extérieur européen est plus difficile à cerner. En effet, la surévaluation actuelle de l'euro par rapport au dollar pénalise les exportations. Mais comment expliquer que le déficit commercial français ne cesse de s'amplifier alors que l'essentiel du commerce extérieur se fait avec la zone euro et qu'avec la même monnaie l'Allemagne dégage des excédents ?

En fait, l'euro n'est pas la seule monnaie à s'être appréciée par rapport au dollar depuis la création de la monnaie unique européenne. Si l'on compare l'évolution de l'euro à celle d'un panier de devises des principaux partenaires commerciaux de l'Union européenne, pondérées en fonction de l'importance des échanges (taux de change effectif), l'euro n'apparaît surévalué que de 10 % seulement depuis sa création. En outre, le coût des importations européennes libellées en dollars, notamment le pétrole et les produits de base dont le prix ne cesse d'augmenter, est considérablement allégé.

Il en va de même pour la croissance et l'emploi. Avec la même monnaie, l'Espagne, l'Italie ou l'Irlande ont connu une forte croissance et une diminution du chômage, alors que la France est restée à la traîne. Ici non plus, l'euro n'explique pas la situation de la France dans ces domaines.

Il n'en reste pas moins qu'après la naissance de l'euro, il reste des problèmes en suspens, susceptibles de remettre en cause l'avenir de l'Union européenne et qui constituent pour cette dernière autant de défis à relever.

4.5 LES DÉFIS DE L'EURO

Le premier défi concerne le rôle que l'euro peut jouer sur la scène internationale. Pourra-t-il un jour y concurrencer le dollar ?

4.5.1 *L'euro et le dollar*

Dès avant le 1ᵉʳ janvier 1999, la valeur de l'euro par rapport aux monnaies européennes et par rapport au dollar suscitait quelques interrogations. On savait certes que la valeur réelle de l'euro résulterait de l'appréciation des marchés (et en particulier des décisions des investisseurs institutionnels et des Banques centrales) et de la politique monétaire de la BCE, mais certains analystes estimaient que l'euro serait plus faible que le mark actuel, dans la mesure où il liait le mark à des monnaies européennes fragiles ; d'autres pensaient au contraire que l'euro serait plus fort que le mark actuel du fait de l'indépendance de la BCE et du Pacte de stabilité budgétaire.

En fait, l'euro a été favorablement accueilli par les marchés. Lancé à 1,1665 $, l'euro valait 1,1810 $ à la fin de la première journée de cotation, le 4 janvier à Sydney. Mais sa valeur n'a cessé de diminuer progressivement face au dollar au cours des année 1999 et 2000 (malgré le relèvement des taux d'intérêt européens à 3 % le 4 novembre 1999 et l'intervention concertée des banques centrales du G7 en septembre 2000), atteignant le 26 octobre 2000 son cours le plus bas à 0,8230 $.

L'euro s'est ensuite stabilisé autour de 0,87 $ en 2001 et, au début 2002 (date de l'introduction de la monnaie fiduciaire), l'euro commença à remonter, malgré la faiblesse de la croissance européenne, pour retrouver la parité avec le dollar en décembre 2002 et la dépasser ensuite, atteignant 1,3425 $ au début de l'année 2005. Cependant, au cours de cette année, l'euro fléchit à nouveau pour ne plus coter que 1,1701 $ en novembre.

La perte de valeur de l'euro au cours de la première phase (1999-2000) semblait être liée à la bonne santé de l'économie américaine (le taux de croissance du PIB américain était deux fois supérieur à celui de la zone euro qui, par ailleurs, connaissait des différences de conjoncture). D'autres facteurs pouvaient aussi expliquer la faiblesse de l'euro :

- un différentiel de taux d'intérêt favorable aux États-Unis ;
- l'attractivité des marchés financiers américains ;
- le fait que le dollar constituait « le véhicule traditionnel de financement du commerce international » (P. Artus) ;
- l'absence de monnaie fiduciaire concernant l'euro ;

– la faiblesse de l'unité politique de la zone euro (« une monnaie sans État peut-elle inspirer confiance ? »).

La majorité des observateurs estimait toutefois que la faiblesse de l'euro était passagère et que les exportations européennes stimulées par la dépréciation de l'euro permettraient à la croissance européenne de rattraper celle des États-Unis et de doper la valeur de l'euro par rapport au dollar.

Les mêmes analystes s'interrogeaient cependant au début de l'année 2000 sur les risques que la perte de valeur de l'euro faisait courir à l'Europe en matière d'inflation, du fait du renchérissement de ses importations payables en dollars (pétrole et matières premières notamment).

L'intervention concertée des banques centrales du G7 sur le marché des changes à la fin du mois de septembre 2000 et le relèvement des taux d'intérêt européens à 4,75 % le 5 octobre 2001 permirent, dans le contexte favorable du ralentissement de la croissance américaine, marquée par les attentats du 11 septembre 2001, d'enrayer la tendance à la baisse de l'euro et de stabiliser sa valeur face au dollar au cours de l'année 2001.

La faiblesse du dollar, qui caractérise la phase 2002-2008 au cours de laquelle l'euro n'a cessé de s'apprécier pour atteindre plus de 1,6 dollar en avril 2008, résulte de plusieurs facteurs :

– la baisse de régime de l'activité économique américaine, marquée par l'essoufflement de la consommation, la dégradation de l'emploi et le creusement du déficit commercial ;
– l'instabilité du marché boursier aux États-Unis, marqué par des inquiétudes relatives à la fiabilité des comptes des entreprises (scandale Enron notamment) ;
– la guerre en Irak, dont le coût financier est essentiellement supporté par les États-Unis, creusant un déficit budgétaire déjà important et financé par l'émission de dollars ;
– un différentiel de taux d'intérêt favorable à la zone euro (4 % en Europe contre 2,25 % aux États-Unis fin 2007.

Certains analystes estimaient en outre que les pouvoirs publics américains avaient abandonné de fait la politique du dollar fort et laissé ce dernier se dévaloriser sur le marché des changes pour relancer leurs exportations et réduire leur déficit commercial (dépréciation compétitive).

À partir du mois d'août 2008 la valeur de l'euro face au dollar va progressivement se réduire, passant du record de 1,6 $ en juillet à 1,27 $ fin novembre 2008.

Trois raisons principales expliquent cette baisse :

– La spéculation à la diminution du taux directeur de la BCE contrainte de devoir lutter contre la propagation de la crise financière américaine en Europe.

– Le report de la spéculation, jusque là orientée vers la hausse du prix du pétrole et des produits de base, sur le dollar supposé constituer une valeur refuge.

Quoiqu'il en soit, même lorsque l'euro atteignait 1,6 $, il n'était pas pour autant prêt à remplacer le dollar comme monnaie internationale.

Certes, l'introduction de l'euro sur la scène internationale a été une réussite technique et la monnaie européenne dispose d'atouts indéniables, comme le poids économique et commercial de la zone euro ou son statut de deuxième monnaie la plus utilisée au niveau mondial, mais le dollar reste solidement installé dans ses fonctions traditionnelles de monnaie internationale.

L'euro fait jeu égal avec le dollar en ce qui concerne les actifs internationaux des banques et le dépasse dans les émissions de titres internationaux depuis 2003. Mais le dollar occupe une position dominante dans tous les autres domaines représentant l'importance d'une monnaie sur la scène internationale.

Le dollar est en effet majoritaire en ce qui concerne les réserves de change (65 % des réserves de change mondiales en 2007 contre 56 % en 1999), même si l'euro a pu s'imposer comme deuxième monnaie avec 26 % des réserves (contre 14 % pour le mark en 1998), certains pays émergents ayant souhaité diversifier leurs avoirs.

TABLEAU 49
Le rôle international de l'euro

(En 2007, en %)	dollar	euro	autres
Réserves de change mondiales	65	26	8
Monnaie de facturation	52	25	23
Transactions de change (sur 200 %)	86	37	77
Actifs internationaux des banques	38	39	23
Emprunts obligataires internationaux	37	46,5	16,5
Marché des dettes	44	31,5	24,5
Dépôts bancaires internationaux	48	28	24

Source : BRI

En tant que monnaie de facturation, l'euro est essentiellement utilisé dans les échanges intra-européens, le reste du monde préférant encore largement le dollar à l'euro (en France par exemple, 60 % des importations sont libellées en dollars, contre 33 % en euros). Le dollar demeure irremplaçable dans les échanges de pétrole et des matières premières et a même augmenté sa position relative par rapport à 1998, où il représentait 48 % des transactions contre 15 % pour le mark et 37 % pour les autres monnaies.

Le dollar reste aussi majoritaire dans les transactions de change, sur le marché des dettes ou dans les dépôts bancaires internationaux. Il constitue toujours la principale monnaie d'ancrage, seuls 30 % des pays dont la monnaie est rattachée à une autre monnaie se servant de l'euro comme monnaie d'ancrage.

En fait, l'euro est encore une monnaie très jeune, trop jeune, par rapport aux 200 ans du dollar, pour concurrencer sérieusement ce dernier en tant que monnaie internationale. En outre, si l'on en croit P. Artus, l'euro souffrirait aussi des lenteurs de la construction européenne dans les domaines financiers, institutionnels et politiques.

4.5.2 *L'application du Pacte de stabilité budgétaire*

Un autre défi concerne l'application du Pacte de stabilité budgétaire. Les programmes de stabilité relatifs à la période 2000-2004, négociés dans le cadre du Pacte en 1999 à partir de prévisions de croissance extrapolées de la situation économique de la période 1998-2000, imposaient l'équilibre budgétaire pour chaque pays membre à l'horizon 2004 (reporté ensuite à l'horizon 2006, puis 2010). Quant à la France le retour à l'équilibre budgétaire a été fixé en 2014...

Mais, après la discipline consentie pour atteindre les objectifs de Maastricht à la fin des années 1990, certains pays de la zone euro ont relâché leurs efforts. Le ralentissement de la croissance à partir de 2002 les a conduits à laisser filer leur déficit budgétaire pour tenter de relancer la croissance, d'autant que ces pays n'avaient pas profité de la croissance de la fin des années 1990 pour se réserver des marges de manœuvre budgétaires en cas de mauvaise conjoncture.

C'est ainsi que, dès 2002, l'Allemagne, la France et le Portugal ont dépassé les 3 % de déficit et ont fait l'objet d'avertissements (recommandations et mises en demeure de rectifier leur budget) dans le cadre de la procédure de surveillance des déficits excessifs.

En 2004, l'Allemagne et la France affichaient un déficit de 3,7 %. Le déficit de 3 % annoncé par l'Italie était contesté par Bruxelles qui soupçonnait l'Italie de manipulations statistiques. Quant à la Grèce, son déficit dépassait les 6 %.

Par ailleurs, la dette publique de sept pays dépassait aussi en 2004 la limite supérieure exigée par le traité de Maastricht (60 % du PIB). La dette publique de la Grèce était de 110,5 %, celle de l'Italie de 105,8 % et celle de l'Allemagne de 66 %. En France, la dette publique atteignait en 2004 et 2005 un chiffre proche de 66 % du PIB (1 066 milliards d'euros). Le rapport Pébereau de décembre 2005 montrait en outre que les emprunts publics français avaient été utilisés pour financer des dépenses courantes, et non pour relancer une croissance durable, et qu'il était nécessaire, au-delà des engagements à l'égard des institutions européennes, de mettre en œuvre une politique sévère de réduction de l'endettement.

TABLEAU 50
Les déficits publics dans l'Union monétaire en 2002 et 2004

(% PIB)	Déficit public 2002	Déficit public 2004
Allemagne	− 3,8	− 3,7
Portugal	− 3,4	− 3,4
France	− 3,1	− 3,7
Italie	− 2,4	>> 3,0
Autriche	− 1,8	− 1,1
Grèce	− 1,3	− 6,1
Irlande	− 1,0	+ 1,3
Pays-Bas	− 0,8	− 3,5
Belgique	− 0,1	+ 0,1
Espagne	0	+ 0,4
Luxembourg	+ 0,5	− 2,0
Finlande	+ 3,6	+ 2,1
Moyenne de la zone euro	− 2,3	− 2,7

Source : Commission européenne

Non seulement il semblait peu probable que les pays en déficit puissent atteindre l'équilibre budgétaire prévu pour 2006, mais encore les pays concernés étaient exposés aux procédures de sanctions prévues par le Pacte.

Afin de permettre à la France et à l'Allemagne d'échapper aux sanctions prévues, l'Eurogroupe a décidé, en novembre 2003, à la majorité qualifiée, de « mettre entre parenthèses » le Pacte de stabilité budgétaire, malgré les protestations de la Commission européenne (dont le président avait pourtant qualifié le Pacte de « stupide »…), de la Banque centrale et de quelques pays membres (Autriche, Espagne, Finlande et Pays-Bas).

Certes, la Cour européenne de justice a annulé en 2004 la décision de l'Eurogroupe, tout en admettant que ce dernier n'était pas tenu de suivre mécaniquement le calendrier des procédures d'avertissements et de sanctions imposé par la Commission européenne. Cette dernière a cependant suspendu en décembre 2004 la procédure pour déficit excessif entamée à l'encontre des pays contrevenants et engagé une réforme du Pacte visant à assouplir les règles budgétaires, mais aussi à renforcer le contrôle de l'endettement public.

TABLEAU 51
La dette publique dans la zone euro en 2005 (en % du PIB)

Italie	108,6
Grèce	107,9
Belgique	94,9
Allemagne	68,6
France	66,5
Portugal	65,9
Autriche	64,3
Pays-Bas	54,0
Espagne	44,2
Finlande	42,8
Irlande	29,0
Luxembourg	6,8

Source : Eurostat

Dans cette perspective, et malgré les réserves exprimées par la BCE, le Conseil européen de Bruxelles a décidé en mars 2005 d'assouplir le Pacte de stabilité budgétaire pour tenir compte des effets de chocs conjoncturels ou d'une stagnation économique prolongée nécessitant une relance budgétaire forte de la croissance économique.

En premier lieu, les délais accordés aux pays contrevenants pour corriger leur déficit ont été allongés (délai de 6 mois pour proposer des mesures de correction et délai pouvant aller jusqu'à 3 ans pour revenir sous la barre des 3 %, dans la mesure où le déficit sera réduit d'au moins 0,5 % par an).

Par ailleurs, l'évaluation du déficit tiendra compte de certains « facteurs pertinents » susceptibles d'être invoqués au titre de « circonstances exceptionnelles » dans le cadre d'une croissance économique inférieure à 0,3 % (au lieu d'une récession supérieure à – 2 %), lorsque le déficit apparaît temporairement « légèrement supérieur à 3 % » :

– les politiques d'investissement public et d'encouragement à la recherche et à l'innovation (qui conditionnent la croissance à long terme) ;

– les dépenses liées à des réformes structurelles majeures (retraite, sécurité sociale par exemple) ;

– les efforts dans la réalisation d'objectifs européens (réunification allemande, contributions au budget communautaire notamment) ou l'aide au développement.

L'évaluation du déficit public devra tenir compte aussi du niveau de l'endette-ment public, dans la mesure où le dépassement du critère budgétaire représente une situation plus préoccupante pour les pays dont le niveau d'endettement est élevé que pour ceux qui respectent le critère d'endettement de 60 % du PIB.

En fait, l'assouplissement du Pacte constituait un compromis entre deux objec-tifs contradictoires :
- le refus de toute politique budgétaire laxiste d'un pays membre dont les consé-quences pourraient être négatives pour les autres ;
- la nécessité d'une certaine flexibilité des politiques budgétaires nationales en l'absence d'une politique monétaire autonome et en l'absence d'un véritable budget communautaire.

L'insuffisance de flexibilité avait entraîné certaines tensions entre les gouver-nements nationaux et les institutions communautaires, tensions qui se traduisaient par une certaine défiance de l'opinion publique à l'égard des institutions européennes et par des pressions de certains gouvernements sur la politique menée par la Banque centrale européenne. Il apparaissait donc nécessaire d'assouplir le Pacte de stabilité budgétaire.

Toutefois, les pays qui étaient en déficit excessif en 2004 ayant ramené en 2006 leur déficit public en dessous de la barre des 3 %, les procédures lancées à leur encontre avaient pu être levées. Mais la situation en France reste toujours préoccupante à l'heure actuelle. Le retour à l'équilibre prévu pour 2010 a été unilatéralement reporté par le Gouvernement français à 2012, puis 2014.

La Commission Européenne avait déjà jugé insuffisant l'effort de redressement des finances publiques françaises en mai 2008 et avait alors fait parvenir à la France une « recommandation politique » (qui depuis la réforme du Pacte de stabilité budgétaire précède les « procédures d'alerte » et « les procédures de déficit excessif », et qui n'exige pas comme ces dernières l'aval de l'Eurogroupe). Mais depuis, le Pacte a à nou-veau été mis entre parenthèses en octobre 2008 du fait de la récession qui frappe l'Europe à la suite de la crise financière américaine.

Cependant, la question du caractère contraignant du Pacte de stabilité budgé-taire, même assoupli, se pose toujours. En effet, en dépit du gel en 2004, et de l'assou-plissement en 2005 du Pacte de stabilité budgétaire, les marchés financiers internationaux n'avaient pas remis en cause la crédibilité de l'euro, puisque l'euro avait continué à progresser face au dollar. En fait, le déficit budgétaire moyen de la zone euro était inférieur à 3 % du PIB, alors que celui des États-Unis avoisinait les 5 % du PIB américain. Les déficits publics européens ne représentaient pas plus de menaces sur la valeur et la stabilité de l'euro que le déficit américain n'en représentait pour le dollar.

Il n'en reste pas moins que le Pacte de stabilité budgétaire a certainement joué un rôle de dissuasion et que les dérives déficitaires auraient peut-être été plus importantes sans son existence. Il impose au moins aux pays membres une obligation de moyens, s'il ne parvient pas à imposer une obligation de résultat.

Prévu à l'origine pour éviter des politiques budgétaires trop laxistes, domma-geables pour les autres pays, le Pacte de stabilité budgétaire sous-estimait les difficultés des gouvernements à conduire une politique budgétaire restrictive en période de ralen-tissement de la croissance et en l'absence de politique monétaire nationale et de budget communautaire.

Les péripéties qui ont affecté le Pacte de stabilité budgétaire posent ainsi le pro-blème du rôle respectif de la Banque centrale européenne, de la Commission et des Gouvernements nationaux quant à la gestion de chocs asymétriques et quant à l'harmo-nisation des politiques économiques budgétaires (qui demeurent nationales) et moné-taires (devenue commune), en l'absence de budget communautaire (1,2 % du PIB des Quinze, contre 20 % du PIB des États-Unis).

Le dispositif actuel sous-estime en effet les conflits potentiels, liés à des objec-tifs différents (voire à un diagnostic économique différent), entre la Banque centrale européenne, que sa mission anti-inflationniste risque de conduire vers une politique monétaire restrictive, et les Gouvernements, plus favorables à une politique budgétaire expansionniste destinée à relancer la croissance et à lutter contre le chômage.

Résoudre ces problèmes impliquerait une coopération budgétaire et fiscale plus étroite de la part des pays européens membres de l'Union monétaire et un renforcement du budget communautaire.

4.5.3 *L'élargissement de la zone euro*

La zone euro compte à l'heure actuelle seize pays, puisque la Slovénie a adhéré le 1er janvier 2007, Malte et Chypre le 1er janvier 2008 et la Slovaquie le 1er janvier 2009. Restent onze pays de l'Union européenne qui disposent encore d'une monnaie nationale :

- les trois pays qui avaient refusé d'adhérer lors de la création de l'euro en 1999 (Danemark, Royaume-Uni et Suède) ;
- six des dix pays qui ont adhéré à l'Union européenne en 2004 (Estonie, Hon-grie, Lettonie, Lituanie, Pologne, République tchèque) et les deux pays qui ont adhéré en 2007 (Bulgarie et Roumanie).

Pourront se rajouter ultérieurement à cette liste les pays qui négocient leur adhésion à l'Union européenne (Turquie, Croatie, Macédoine), ainsi que ceux qui négo-cient actuellement avec l'Union européenne un Accord de stabilisation et d'association, préalable à toute demande d'adhésion (Albanie, Bosnie, Serbie et Monténégro).

L'adhésion à la zone euro du Royaume-Uni et de la Suède, dont les monnaies flottent librement par rapport à l'euro, reste encore hypothétique, compte tenu de l'état de leur opinion publique et des avatars du Traité constitutionnel européen (la Suède a refusé d'adhérer lors du référendum de 2003 et le débat n'a pas été réouvert depuis). Le

Danemark, dont la monnaie est rattachée à l'euro dans le cadre du SME-*bis*, avait aussi refusé lors du référendum de 2000, mais l'opinion publique semble aujourd'hui plus favorable et le gouvernement envisage un nouveau référendum.

Quant aux autres pays, leur participation à la zone euro reste encore imprécise, même si leur appartenance future est quasiment certaine (lorsqu'ils respecteront les critères de convergence de Maastricht), dans la mesure où l'Union monétaire constitue l'un des acquis communautaires auquel ils ont dû souscrire.

Les premières perspectives d'élargissement de l'Union européenne sont en effet intervenues alors que les membres de l'Union européenne avaient déjà signé le traité de Maastricht et programmé la création de la monnaie unique. Le sommet de Copenhague de juin 1993 avait défini trois types de critères à respecter pour que des pays candidats puissent adhérer à l'Union européenne :

- des institutions politiques stables garantissant la démocratie, le respect des Droits de l'homme et la protection des minorités ;

- une économie de marché viable et capable de supporter la concurrence européenne ;

- l'adhésion aux objectifs et aux acquis communautaires et la capacité d'en assumer les obligations.

Sur cette base, le sommet de Luxembourg de décembre 1997 avait décidé d'engager en mars 1998 des négociations avec les pays candidats, ces derniers étant tenus de réaliser, en contrepartie d'une aide financière européenne (cf. encadré 53), certaines réformes politiques et économiques. Le sommet d'Helsinki de décembre 1999 avait ouvert une deuxième vague de négociations avec la Bulgarie et la Roumanie. Le sommet de Bruxelles de décembre 2004 a quant à lui décidé d'ouvrir des négociations d'adhésion avec la Croatie en mars 2005 (elles ont dû être reportées à une date ultérieure, faute d'une coopération insuffisante de la Croatie avec le Tribunal pénal international) et avec la Turquie en octobre 2005. Enfin, le statut de pays candidat a été accordé à la Macédoine en novembre 2005.

Au terme des premières négociations, qui se sont déroulées de 1998 à 2002, le sommet de Copenhague de décembre 2002 a accepté l'adhésion à l'Union européenne de la Pologne, de la Hongrie, de la Tchéquie, de la Slovaquie, de la Slovénie, de la Lettonie, de la Lituanie, de l'Estonie, ainsi que de Chypre et de Malte, à compter du 1er mai 2004. L'Union européenne est donc passée de 15 à 25 membres, après la signature du traité d'adhésion à Athènes en avril 2003 et sa ratification par les pays concernés. La Bulgarie et la Roumanie ont adhéré quant à elles le 1er janvier 2007.

Tous ces pays, dont certains utilisent déjà l'euro comme monnaie parallèle depuis que ce dernier a remplacé le mark, ont donc vocation à rejoindre l'Union monétaire, considérée comme l'un des acquis communautaires auxquels ils ont souscrit, sans

---

ENCADRÉ 53
Les programmes européens d'aide à l'adhésion

1. L'aide européenne aux pays candidats était justifiée par le fait que l'adhésion entraînait chez ces derniers un certain nombre de coûts liés à l'adoption de l'acquis communautaire dans les domaines institutionnels, économiques ou sociaux (application des normes communautaires en matière de protection de l'environnement ou de protection sociale, de modernisation des administrations, des infrastructures ou de l'agriculture).

2. Le **programme PHARE**, créé en 1999, était au départ destiné à la Pologne et la Hongrie ; il fut ensuite étendu aux autres pays d'Europe centrale et orientale candidats à l'adhésion. Il a pour objet le financement du renforcement de la cohésion économique et sociale et de la capacité administrative et institutionnelle des pays candidats (dotation budgétaire de 1,6 milliard d'euros par an pour la période 2000-2006).

3. Le **programme ISPA** a pour but d'aider les pays candidats à satisfaire aux exigences communautaires dans le domaine des infrastructures (notamment en matière de transport) et de l'environnement (dotation budgétaire de 1,04 milliard d'euros par an pour 2000-2006).

4. Le **programme SAPARD** concerne l'aide à la modernisation de l'agriculture et au développement rural (520 millions d'euros par an jusqu'en 2006).

---

clause d'exemption comme autrefois le Royaume-Uni ou le Danemark. Mais les conditions de leur adhésion à la zone euro restent encore incertaines.

Ils ont déjà adopté la libre circulation des capitaux et ont rendu leur Banque centrale indépendante des pouvoirs publics au cours de la phase de préadhésion à l'Union européenne.

Ils doivent par ailleurs, lorsqu'ils le décideront eux-mêmes, relier leur monnaie à l'euro en adhérant au SME-*bis*, avec des marges de fluctuation plus ou moins étroites. C'est ainsi que la Pologne, la Hongrie et la Tchéquie ne participaient pas encore au SME-*bis* en 2005 ; l'Estonie et la Lituanie sont entrées dans le SME-*bis* en 2004, la Lettonie et la Slovaquie en 2005. Leur présence dans le SME-*bis* doit durer au moins deux ans sans manipulation de la valeur de leur monnaie par rapport à l'euro, pour respecter l'un des critères de convergence de Maastricht.

Ils doivent enfin respecter les autres critères de convergence du traité de Maastricht.

C'est dire que leur intégration à la zone euro s'effectuera au cas par cas, comme l'a d'ailleurs déjà montré l'adhésion de la Slovaquie, de Malte, de Chypre et de la Slovénie.

Certains souhaiteraient que cette période transitoire soit la plus brève possible, comme les pays baltes qui voulaient adhérer en 2007 ou 2008, mais qui doivent faire face à un taux d'inflation élevé et ont dû reporter leur adhésion à une date toujours indéterminée. La Hongrie, dont le déficit budgétaire est encore trop important, et la Tchéquie ont dit vouloir adhérer en 2010 et la Pologne en 2011. La Bulgarie et la Roumanie ne peuvent encore avancer de date..

En effet, au-delà des critères de Maastricht, les écarts de niveau de vie par rapport aux pays les plus riches de l'Union européenne restent encore très importants. Le PIB moyen de certains pays représente moins du tiers de la moyenne de l'Union européenne.

Il est donc probable que la période de transition sera assez longue pour les pays les plus pauvres, l'Union monétaire existante ayant intérêt à intégrer progressivement des monnaies relativement faibles, d'autant plus que la discipline monétaire qui serait imposée ensuite aux nouveaux adhérents pèserait trop lourdement sur leur nécessaire rattrapage économique.

La période de transition elle-même suscite certaines questions, mises notamment en évidence par P. Artus et C. Wyplosz. L'objectif d'une inflation moyenne de 2 % maximum sur lequel repose la politique monétaire de la Banque centrale européenne leur paraît en effet trop rigide, dans la mesure où le niveau des prix des pays d'Europe centrale doit monter substantiellement pour se rapprocher celui des pays de l'Union monétaire.

TABLEAU 52
Les écarts de richesse dans l'Union européenne

Pays	PIB/h, base 100, Union européenne à 27 en 2008
Luxembourg	322
Irlande	175
Danemark	170
Suède	146
Pays-Bas	138
Finlande	137
Autriche	132
Royaume-Uni	132
Belgique	127
Allemagne	118
France	117
Zone euro	112
Italie	105
Union européenne	100

Pays	PIB/h, base 100, Union européenne à 27 en 2008
Espagne	95
Grèce	85
Chypre	79
Slovénie	69
Portugal	62
Malte	53
Estonie	52
Tchéquie	51
Slovaquie	43
Hongrie	42
Lettonie	41
Lituanie	37
Pologne	34
Roumanie	24
Bulgarie	17

Source : *Alternatives économiques*

Par ailleurs, quelques incertitudes demeurent quant au fonctionnement du SEBC : le Conseil général de la Banque centrale européenne, qui regroupe autour de son président et de son vice-président les gouverneurs de toutes les Banques centrales nationales, n'est-il pas trop pléthorique pour gérer de façon efficace le SME-*bis* ?

Concernant l'Eurosystème, il a déjà été décidé de limiter le nombre des gouverneurs à 15 (en plus du Directoire de la BCE), pour éviter les difficultés liées à un nombre trop important de membres pour décider de la politique monétaire commune. Les pays de la zone euro ont été répartis en trois groupes : le premier concerne les cinq pays économiquement les plus importants et disposera de quatre droits de vote ; le second comprend la moitié des pays membres (d'importance économique moyenne) et disposera de huit droits de vote ; quant au troisième groupe, il disposera de trois droits de vote.

Cette organisation implique une rotation des pays membres dans chacun des trois groupes lorsque la zone euro aura dépassé 15 pays, ce qui signifie que certains pays seront exclus périodiquement de la définition de la politique monétaire.

L'Union européenne fait face à l'heure actuelle à des difficultés de fonctionnement du fait du rejet du projet de Constitution européenne par les référendums français et néerlandais en 2005 et du rejet du traité de Lisbonne qui devait remplacer le Traité constitutionnel par la population irlandaise. Ces difficultés, jointes au ralentissement de l'activité économique, traduisent une crise de confiance de l'opinion publique européenne à l'égard des institutions communes.

En fait, il était difficile d'approfondir et d'élargir en même temps l'Union économique et monétaire européenne qui, à l'heure actuelle, court le risque de devenir une Europe à plusieurs vitesses dont le fonctionnement sera d'autant plus difficile que les intérêts des uns et des autres seront différents et que la réforme des institutions communautaires et la marche vers l'union politique seront lentes.

Les succès du marché et de la monnaie uniques en Europe ne sauraient en effet cacher les faiblesses de l'Europe politique et de l'Europe sociale. La marche forcée vers l'intégration économique et monétaire a creusé l'écart entre l'Europe des marchands ou des financiers et l'Europe des citoyens ou des travailleurs. Le déséquilibre existant entre, d'une part, une Europe économique et monétaire très avancée qui disposera de structures supranationales véritablement décisionnelles, mais technocratiques puisque n'émanant pas du vote populaire et, d'autre part, une Europe sociale et politique beaucoup plus en retard à laquelle les citoyens n'ont pas le sentiment de participer vraiment constitue un facteur de risque important pour l'avenir de l'euro et de l'Europe elle-même.

L'échec de la réforme institutionnelle d'Amsterdam en 1997, les avatars de l'Union européenne dans le règlement des conflits au sein de l'ex-Yougoslavie, les dissensions européennes relatives à l'éventuelle intervention militaire américaine en Irak, les difficultés dans les négociations sur la réforme des institutions européennes et le refus de certains peuples de ratifier le Traité constitutionnel européen ou le traité de Lisbonne montrent que la construction de l'Europe politique ne sera pas facile. Elle est pourtant urgente si l'on veut éviter que l'élargissement de l'Union européenne ne la remette durablement en cause.

RÉSUMÉ DU CHAPITRE

Les pays de l'Union européenne ont décidé de fixer, pour leurs relations entre eux, leurs propres règles dans le domaine monétaire et financier. Après plusieurs expériences de rapprochement de leurs monnaies nationales (notamment le SME), ils sont parvenus à créer une monnaie unique (l'euro) dans le prolongement de leur marché unique. Demeurent cependant quelques interrogations quant à l'avenir de l'euro et quant au rôle que la monnaie unique européenne peut jouer sur la scène internationale.

MOTS-CLÉS

Banque centrale européenne – Cours pivot • Critères de convergence • Critères de Copenhague • Ecofin • Écu • Euro • Eurogroupe • Eurosystème • Mécanisme de taux de change MTC2 • Pacte de stabilité budgétaire • Pacte de stabilité monétaire • Politique monétaire • Serpent communautaire • Système européen de banques centrales • Système monétaire européen • TARGET • Triangle des incompatibilités • Traité de Maastricht • Traité de Rome • Union économique et monétaire • Zone monétaire optimale.

POUR TESTER VOS CONNAISSANCES

- Quels sont les avantages d'une monnaie commune en Europe ?
- Qu'implique le triangle des incompatibilités ?
- Quels furent les coûts de la création d'une monnaie unique en Europe ?
- Quelles étaient les modalités de fonctionnement du « serpent communautaire » ?
- Comment l'écu était-il défini et comment fonctionnait le SME ?
- Quelles furent les causes et les conséquences de la crise monétaire de 1992 et 1993 en Europe ?
- Quel était le contenu du rapport Delors ?
- Quels sont les critères de convergence définis par le traité de Maastricht ?
- Quelles ont été les étapes du passage à la monnaie unique européenne ?
- Comment est organisé le Système européen de banques centrales ?
- Quelles sont les missions de l'Eurosystème et de la Banque centrale européenne ?
- Quels sont les instruments de la politique monétaire dont dispose la BCE ?
- Quel a été l'impact du passage à l'euro sur les prix ?
- Quels sont les pays de l'Union européenne qui n'ont pas fait partie de la zone euro lors de sa création et pourquoi ?
- Quelles sont les conditions mises par le Gouvernement britannique pour participer à la zone euro ?
- Quel est l'objet du Pacte de stabilité budgétaire et comment fonctionne-t-il ?
- Quel est le rôle du Pacte de stabilité monétaire ?
- Quelle est la procédure de surveillance des déficits excessifs dans le cadre du Pacte de stabilité budgétaire ?
- Que pensent les Européens de l'euro ?
- Quelle a été l'évolution de la valeur de l'euro par rapport au dollar ?
- Quels sont les critères à respecter pour adhérer à l'Union européenne ?
- Quel était l'objet des programmes européens d'aide à l'adhésion des pays candidats ?
- Quels sont les pays qui participent aujourd'hui à l'Union monétaire ?
- Les pays d'Europe centrale et orientale sont-ils prêts à intégrer la zone euro ?

POUR ALLER PLUS LOIN DANS LA RÉFLEXION

- Pourquoi l'Union européenne a-t-elle décidé de se doter d'une monnaie unique ?
- L'Union européenne constitue-t-elle une zone monétaire optimale ?
- Pourquoi l'Union européenne a-t-elle préféré une monnaie unique à une monnaie commune ?
- Pourquoi le traité de Maastricht n'a-t-il retenu que des critères de convergence nominaux et non réels ?
- Quel est le lien entre déficit public et endettement public ?
- Quelle est la différence entre l'écu et l'euro ?
- Comment concilier une politique monétaire européenne centralisée et des politiques budgétaires nationales décentralisées ?
- Un gouvernement économique de la zone euro est-il nécessaire pour faire contrepoids au pouvoir de la BCE ?
- Le choix d'un taux d'inflation cible de 2 % par la BCE est-il pertinent ?
- Fallait-il assouplir le Pacte de stabilité budgétaire ?
- Le Pacte de stabilité budgétaire est-il utile ?
- Faudrait-il augmenter le budget commun de l'Union européenne ?
- Une politique budgétaire européenne centralisée est-elle nécessaire dans l'UEM ?
- Quels sont les risques du cloisonnement des politiques fiscales au sein de l'UEM ?
- La coordination des politiques économiques en Europe paraît-elle suffisante au regard de l'existence d'une politique monétaire unique ?
- Existe-t-il des risques de conflit entre la Banque centrale européenne et les Gouvernements nationaux des pays membres de l'UEM ?
- Les disparités réelles au sein de l'UEM peuvent-elles conduire au naufrage de l'euro ?
- Comment expliquer le niveau actuel de la valeur de l'euro par rapport au dollar ?
- L'euro peut-il concurrencer le dollar en tant que monnaie internationale ?
- Quels sont les risques pour l'Union européenne et pour l'euro de l'adhésion éventuelle des pays d'Europe centrale et orientale ?
- Quelles peuvent être les incidences sur l'euro du refus du Traité constitutionnel européen ou du traité de Lisbonne ?
- Comment expliquer la crise de confiance actuelle de l'opinion publique à l'égard des institutions européennes ?

RÉFÉRENCES BIBLIOGRAPHIQUES

AGLIETTA M. *et al.*, *Coordination européenne des politiques économiques*, Paris, La Documentation française 1998.

ALLERON M. *et al.*, *Les Enjeux de l'euro*, Paris, Économica, 1999.

ARTUS P., *L'Euro et la Banque centrale européenne, un premier bilan*, Paris, Économica, 2001.

ARTUS P. et WYPLOSZ C., *La Banque centrale européenne*, Rapport du Conseil d'analyse économique, Paris, 2002.

BOILLOT J.J., *L'Union européenne élargie : un défi économique pour tous*, Paris, La Documentation française, 2003.

BOISSIEU C. DE, « Avantages de l'UEM », *Revue d'économie politique* n° 1, 1991.

BOISSIEU C. DE, « La politique monétaire dans la zone euro », *Cahiers français* n° 282, 1997.

BOURGUINAT H., *L'Euro au défi du dollar*, Paris, Économica, 2001.

DE GRAUWE P., *Économie de l'intégration européenne*, Bruxelles, De Boeck, 1999.

DELORS J., *Rapport sur l'Union économique et monétaire dans la Communauté européenne*, Comité pour l'étude de l'UEM, juin 1989.

FARVAQUE F. et LAGADEC G., *Intégration économique européenne, problèmes et analyses*, Bruxelles, De Boeck Université, 2002

FITOUSSI J.-P. et LE CACHEUX J., *Rapport sur l'état de l'Union européenne*, Paris, Fayard, 2002.

FRIEDMAN M., « Un entêtement suicidaire », *Géopolitique*, mars 1996.

HERSCHTEL M.L., *L'Europe élargie : enjeux économiques*, Paris, Presses de Sciences Po, 2004.

KENEN P., « The theory of optimum currency areas, an eclectic view », in MUNDELL R. et KINDELBERGER A. C., « International public goods without international government », *American Economic Review*, 1986.

LUCAS Y., « Le système Target », *Bulletin de la Banque de France*, novembre 1996.

Mc KINNON R., « Optimum currencies areas », *American Economic Review*, Sept. 1963.

MUNDELL R., « A theory of optimum currency areas », *American Economic Review*, septembre 1961.

NARASSIGUIN P., *Monnaie : banques et banques centrales dans la zone euro*, Bruxelles, De Boeck, 2004.

NGUYEN K., « La phase de passage à la monnaie unique et les risques d'instabilité », *Problèmes économiques*, n° 2454, janvier 1996.

NGUYEN K. et RICARTE P., « Les places financières de Paris et de Londres dans la perspective de l'UEM », *Problèmes Économiques*, n° 2504, janvier 1997.

OCDE, *UEM : faits, défis et politiques*, OCDE 1999

TROTIGNON J. et YVARS B., *Économie monétaire européenne : chocs et politique économique*, Paris, Hachette Supérieur, 2002.

WERNER P., « Rapport concernant la réalisation par étapes de l'Union économique et monétaire (8 octobre 1970) », *Bulletin des Communautés européennes*, 1970, n° supplément 11/70, p. 5-31.

CONCLUSION

Le rôle joué par le G7 sur la scène internationale illustre parfaitement l'idée selon laquelle les règles du jeu économique mondial, qu'elles soient commerciales ou monétaires, ont jusqu'à présent été fixées par le « club » très fermé des quelques pays les plus riches de la planète, et que ces règles servent d'abord leurs propres intérêts, avant de servir ceux de l'ensemble des partenaires économiques sur la scène mondiale. Les pays de la « Triade » se sont ainsi entendus pour que s'ouvrent des marchés qu'ils se sont ensuite partagés et pour contrôler les flux de marchandises et de services, à défaut de pouvoir contrôler les flux de capitaux.

Cependant, l'ordre économique international actuel, façonné et contrôlé par les pays riches, n'est certainement pas immuable. Les règles du jeu commercial et monétaire sont contestées et peuvent être remises en cause par les bouleversements auxquels on peut s'attendre dans les prochaines décennies avec l'entrée de la Chine, du Brésil et de l'Inde dans le concert des grandes puissances.

En effet, de nouvelles nations s'industrialisent et viennent contester l'hégémonie de leurs aînées en les concurrençant directement sur leurs propres terrains. Parmi elles, la Chine, forte de son poids démographique, veut avoir son mot à dire dans la définition des règles du jeu. Auprès d'elle, une deuxième génération de nouveaux pays industrialisés ne cache pas ses ambitions commerciales et financières. Les pays d'Europe centrale et orientale, encore désarçonnés par l'effondrement de leur système économique et la disparition de l'Union Soviétique, tentent eux aussi de pénétrer sur la scène économique internationale de laquelle ils s'étaient eux-mêmes exclus pendant plusieurs décennies.

Par ailleurs, les maîtres du jeu ne pourront pas éternellement faire l'impasse sur les « laissés- pour-compte » du progrès économique que sont les pays en développement les plus pauvres. Les inégalités croissantes entre les pays riches et les pays pauvres multiplient les sources de tension internationale et rendent plus fragile encore l'ordre économique et politique international ; au-delà d'un impératif de solidarité, il faudra bien que les pays riches les entendent un jour et tiennent compte de leurs spécificités dans la définition des nouvelles règles du jeu.

Sur un autre plan, l'explosion devenue incontrôlable des mouvements de capitaux a peut-être contribué au développement de l'économie mondiale grâce à une meilleure allocation internationale des ressources financières disponibles, mais elle a aussi rendu plus fragile le système monétaire et financier international du fait du découplage croissant entre le monde de la finance internationale et celui de l'économie réelle.

Le système monétaire et financier international actuel ne semble fonctionner que grâce à des palliatifs successifs apportés aux crises qui se présentent ; le recours à un étalon monétaire international serait certainement souhaitable, mais il semble impossible à l'heure actuelle de concilier les positions des différents partenaires. Nombreux pourtant sont ceux qui pensent qu'il faudra bien un jour mettre en place un système monétaire et financier international mieux adapté aux problèmes contemporains et dans lequel tous les pays puissent être intégrés, y compris les pays en développement et les anciens pays socialistes.

INDEX DES NOTIONS

INDEX DES ENCADRÉS

INDEX DES TABLEAUX

LEXIQUE DES MOTS-CLÉS

Accords de Bretton Woods

Accords signés en 1944 dans la ville de Bretton Woods aux États-Unis, établissant les règles de fonctionnement du *système monétaire international* d'après-guerre, sur la base de *taux de change fixes* et de la *convertibilité-or* du *dollar (étalon de change-or)*, et créant le *Fonds monétaire international*. Les accords de Bretton Woods seront abandonnés de fait après 1973.

Accord sur les droits de la propriété intellectuelle relative au commerce (ADPIC)

Cet accord oblige les partenaires du commerce international à une harmonisation minimale des normes et des procédures judiciaires nationales en matière de propriété intellectuelle. Il protège par ailleurs les brevets relatifs aux produits et aux procédés de fabrication pendant une durée de vingt ans. Enfin, il interdit, sous peine de sanctions, les contrefaçons des marques de fabrique et les diverses formes de piratage de la propriété intellectuelle.

Accords généraux d'emprunt (AGE)

Créés en 1962, les AGE permettent au *Fonds monétaire international* de bénéficier en cas d'urgence de prêts émanant des pays riches pour compléter ses ressources.

Accords internationaux par produit de base

Entre 1949 et 1976, sept Accords concernant sept produits de base (blé, sucre, étain, huile d'olive, café, cacao et caoutchouc, dans l'ordre chronologique de leur signature) furent adoptés, en vue de limiter les fluctuations excessives des cours à l'intérieur d'une fourchette (prix plancher et prix plafond). Ils utilisaient deux types de techniques, le stock régulateur et le contingentement des exportations. La première devait freiner la baisse du prix par le retrait du marché et le stockage de l'offre excédentaire (que l'on déstockait lorsque le prix tendait à dépasser le prix plafond). La seconde tentait d'adapter l'offre à la demande existante en limitant les quantités offertes par l'attribution d'un quota à chaque producteur.

Accord multifibres (AMF)

Conclu pendant le *Tokyo Round* de 1974, l'AMF avait pour objet de limiter par un système de quotas l'entrée dans les pays industrialisés de produits textiles à bas prix venus de certains pays sous-développés. Les négociations de l'*Uruguay Round* ont ultérieurement abouti à une augmentation progressive des quotas jusqu'à la disparition de l'AMF.

Accord sanitaire et phytosanitaire (ASP)

L'accord SPS prévoit que chaque État peut déterminer le niveau de protection qu'il juge approprié pour protéger la santé des consommateurs ou l'environnement, mais à condition que celui-ci soit fondé sur des « principes scientifiques », qu'il n'établisse pas de « discrimination arbitraire et injustifiée » entre les pays et ne constitue pas « une restriction déguisée au commerce international ». « Dans le cas où les preuves scientifiques pertinentes sont insuffisantes », la protection devra être temporaire et le pays concerné devra « procéder à une analyse plus objective du risque […] dans un délai raisonnable ».

Ajustement

Les mécanismes d'ajustement permettent de corriger un déséquilibre de la *balance extérieure* (*balance des paiements* dont sont exclus les mouvements de capitaux à court terme du secteur public et du secteur bancaire). La résorption du déséquilibre peut résulter d'une variation du *taux de change*, d'une variation des prix internes (le taux de change restant fixe), d'une variation du revenu national (*approche keynésienne*) ou d'une variation du *patrimoine* constitué de monnaie (*approche monétariste*) et de titres (*approche du portefeuille*) (cf. encadré 37).

Altermondialisme

Critique de la mondialisation provenant d'*Organisations non gouvernementales* qui estiment que la mondialisation, emmenée essentiellement par les *firmes multinationales*, accroît les *inégalités de développement* entre les pays bien insérés dans les courants d'échanges mondiaux et les pays les plus pauvres qui restent « laissés-pour-compte », génère des *crises financières* répétées dommageables pour tous les pays, accentue les inégalités internes de revenus et, sur un plan plus général, conduit à une « *occidentalisation* » des cultures du monde (cf. encadrés 2 et 22).

Balance des paiements

La balance des paiements, constituée de la *balance des opérations courantes* et de la *balance des capitaux*, retrace l'ensemble des transactions commerciales, monétaires et financières effectuées entre les résidents d'un pays et le reste du monde. La balance des opérations courantes est composée de la *balance commerciale* (exportations et importations de marchandises, évaluées lors de leur passage à la frontière, incluant donc les coûts d'assurance et de fret – *CAF* – pour les importations, alors que les exportations sont évaluées « *franco à bord* » ou « *Free On Board* »), de la *balance des invisibles* (exportations et importations de *services* ainsi que les *transferts unilatéraux* publics et privés effectués sans contrepartie). La balance des capitaux se divise quant à elle en *mouvements de capitaux à long terme* (investissements, prêts et placements financiers à plus d'un an) et *mouvements de capitaux à court terme* (flux de créances et de dettes à moins d'un an). Dans la mesure où chaque opération est enregistrée avec sa contrepartie *(comptabilité en partie double)*, et grâce à l'existence de postes d'ajustement comptable, la balance des paiements est toujours équilibrée.

Banque centrale européenne (BCE)

Créée en 1999, la BCE succède à l'*Institut monétaire européen* qui était chargé de la préparation du passage à la monnaie unique européenne. Indépendante des pouvoirs politiques, la BCE est chargée d'appliquer la politique monétaire européenne, telle qu'elle a été définie par le *Système européen de banques centrales* (cf. encadré 51).

Capitaux flottants

Capitaux à très court terme naviguant d'une place financière à une autre à la recherche d'une rentabilité immédiate.

Cartel

Regroupement de producteurs constitué pour permettre une action collective de ces derniers, concernant notamment le prix de leur produit (cf. encadré 33).

Choc pétrolier

Augmentation brutale du prix du pétrole. Le premier choc pétrolier (dernier trimestre de l'année 1973) résulte d'une décision unilatérale de l'OPEP qui, à l'occasion de la guerre du Kippour, prit des mesures d'embargo sélectif et augmenta le prix du pétrole dans des proportions considérables.

Toujours décidé unilatéralement par l'OPEP, le second choc pétrolier intervint en 1979 à l'occasion de la Révolution islamiste iranienne. Il fut suivi en 1986 d'une baisse tout aussi brutale du prix du pétrole, à la suite de dissensions à l'intérieur de l'OPEP (*contrechoc*).De 2005 à juillet 2008, le prix du pétrole a augmenté à nouveau dans le cadre d'un nouveau choc pétrolier moins brutal et plus progressif que les chocs précédents.

Clause de la nation la plus favorisée

La clause de la nation la plus favorisée implique l'extension automatique et inconditionnelle à tous les partenaires des avantages ou des préférences qu'une nation peut accorder à l'un d'entre eux.

CNUCED

Créée en 1964, la *Conférence des Nations unies sur le commerce et le développement* se réunit périodiquement pour discuter des problèmes relatifs au développement des pays pauvres et de leur insertion dans le commerce international.

Consensus de Washington

Ensemble des mesures de politique économique imposées par les institutions monétaires internationales (FMI et Banque mondiale notamment), avec l'aval de l'Administration des États-Unis, aux pays d'Amérique latine (et ultérieurement aux autres pays en développement) qui faisaient appel à leur aide financière : équilibre budgétaire, équilibre du commerce extérieur, vérité des prix, libéralisation des flux d'investissements directs étrangers, privatisation des entreprises publiques et lutte contre l'endettement public excessif.

Contingentement

Restrictions quantitatives ayant pour objet de limiter, voire d'interdire totalement dans le cas de prohibitions, la circulation de certains biens ou services. Elles se présentent concrètement sous la forme d'un plafonnement autoritaire, en volume ou en valeur, de l'entrée de certaines marchandises ou de certains services et constituent une forme de *protectionnisme (barrière contingentaire)* (cf. encadré 11).

Contrôle des changes

Limitation des sorties de monnaie nationale ou de devises étrangères hors d'un territoire national, afin de lutter contre la spéculation.

Conventions de Lomé et Convention de Cotonou

La Convention de Lomé encadre les relations économiques entre l'Union européenne et 70 pays d'Afrique, des Caraïbes et du Pacifique (*ACP*). La première Convention, qui se substituait aux accords précédents (*Accords de Yaoundé*), fut signée en 1975 (Lomé 1) pour une durée de cinq ans, et renouvelée par la suite en 1980 (Lomé 2), 1985 (Lomé 3) et 1990 (Lomé 4), cette dernière devant prendre fin en 2000. La Convention de Cotonou succède à la dernière Convention de Lomé jusqu'en 2010 (cf. encadré 9).

Convertibilité

Possibilité de changer une devise contre une autre devise. La *convertibilité-or* d'une devise permet d'échanger cette dernière contre de l'or, au plan *interne* (en l'absence de *cours forcé* de la monnaie nationale) et/ou au plan *externe*. C'est ainsi que, dans le cadre des accords de Bretton Woods, le dollar américain était convertible en or au plan externe.

Cours pivot

Dans le cadre du *Système monétaire européen*, chaque monnaie nationale des pays membres possédait un cours pivot (parité fixe) exprimé en *écus* et défini par le Conseil des ministres des Finances.

L'ensemble des cours pivots permettait donc de déterminer une grille de parités fixes entre les monnaies européennes concernées.

Critères de convergence

Définis par le *traité de Maastricht*, les critères de convergence doivent permettre de déterminer la capacité des pays de l'Union européenne à faire partie de la *zone euro*. Ils comprennent :

– un *taux d'inflation* ne dépassant pas de plus de 1,5 % le taux moyen des trois États membres obtenant les meilleurs résultats dans ce domaine ;

– un *déficit budgétaire* inférieur à 3 % et une *dette publique* inférieure à 60 % du PIB ;

– un *taux d'intérêt à long terme* ne dépassant pas de plus de 2 % celui des États les plus performants en termes de stabilité des prix ;

– l'absence de *dévaluation* de la monnaie nationale par rapport à celle d'un autre État membre depuis au moins deux ans.

Critères de Copenhague

Pour adhérer à l'Union européenne, les pays candidats doivent remplir trois critères : en premier lieu des institutions politiques stables garantissant la démocratie, les Droits de l'Homme et la protection des minorités, en second lieu une économie de marché viable et capable de supporter la concurrence européenne et en troisième lieu l'adhésion aux objectifs et aux acquis communautaires et la capacité d'en assumer les obligations.

Dévaluation

Décision des autorités monétaires d'un pays consistant à diminuer la valeur de la monnaie nationale par rapport à un étalon de référence (or, devise étrangère ou panier de devises) dans le cadre d'un système de changes fixes (la *réévaluation* est constituée par la décision d'augmenter la valeur de la monnaie nationale). Lorsque les changes sont flottants, la perte de valeur de la monnaie nationale (subie sur le marché des changes) correspond à une *dépréciation* (dans le cas d'une augmentation de la valeur, on parle d'*appréciation*) (cf. encadré 37).

Dollar

Convertible en or au plan externe jusqu'en 1971 et appuyée sur la puissance économique et politique des États-Unis, la devise américaine est devenue progressivement l'*étalon de fait* du système monétaire international.

Droit de douane

Fixe ou variable, le droit de douane est une taxe prélevée sur un produit importé. Les *droits spécifiques* représentent une somme fixe par unité de marchandise importée, alors que les droits *ad valorem* correspondent à un pourcentage du prix CAF du produit importé. Le prix CAF (coût, assurance, fret) à l'importation comprend le coût de débarquement, l'assurance et le fret, mais non les frais consécutifs au débarquement, comme la manutention, les coûts portuaires, le stockage… ; quant au prix FOB (Franco à Bord ou *free on board*), il concerne les produits exportés une fois embarqués, non compris l'assurance et le fret (cf. encadré 3).

Droits de tirage spéciaux (DTS)

Les *droits de tirage* représentent la possibilité pour un pays membre du FMI d'emprunter à ce dernier des devises d'un montant maximum de 125 % de sa *quote-part* (par tranches de 25 %) ; certains États membres peuvent disposer depuis 1969 de droits de tirage spéciaux, au-delà des 125 % précédents. Les DTS, dont la valeur est calculée quotidiennement à partir d'un panier de devises, constituent un nouvel *instrument de réserve*, à côté de l'or et des devises convertibles (cf. encadré 39).

Dumping

Pratique commerciale (*discrimination spatiale* par les prix) consistant à vendre un produit sur les marchés étrangers à un prix inférieur à sa valeur normale ou à un prix inférieur au prix pratiqué sur le marché national. Cette pratique, dont l'objectif est le plus souvent d'écouler des excédents de production que la demande domestique ne parvient pas à absorber, est considérée comme une forme de concurrence déloyale dans le commerce international (cf. encadré 12).

Échange inégal

Théorie marxiste développée dans les années 1970 caractérisant l'échange entre pays en développement et pays industrialisés comme une forme d'exploitation des premiers par les seconds. En d'autres termes, la division internationale du travail entraînerait des situations d'inégalité dans l'échange international, voire une dépendance accrue des pays en développement à l'égard des pays industrialisés (cf. encadré 25).

Ecofin

Réunion des ministres des Finances de l'ensemble des pays de l'Union européenne.

Écu

Unité de compte et instrument de règlement et de réserve au sein de l'Union européenne, l'écu (*European Currency Unit*) créé en 1979 était défini à partir d'un panier constitué de montants fixes (révisables tous les cinq ans) de chaque monnaie européenne membre du SME ; ces montants étaient calculés en fonction du PIB et du commerce extérieur des pays membres. L'écu, qui n'était pas une véritable monnaie, a disparu lors de la création effective de l'euro, le 1er janvier 1999.

Euro

Monnaie unique, commune à 16 pays membres de l'Union européenne qui ont satisfait aux critères de convergence définis à Maastricht. Lors de la création de l'euro, le 1er janvier 1999, les monnaies des pays concernés sont devenues de simples subdivisions de l'euro ; elles disparaîtront totalement en 2002.

Eurogroupe

Nom donné au groupe des ministres des Finances des pays membres de la *zone euro*.

Euro-marchés

Les euro-marchés, qui échappaient aux réglementations fiscales ou monétaires nationales, se sont superposés à partir des années 1970 aux marchés nationaux des capitaux et permirent à des banques nationales (groupées en « *syndicats* » pour réduire les risques) de réaliser des opérations de prêts (*euro-crédits*) ou d'emprunts (*euro-obligations*) en devises étrangères, et en particulier en dollars. Le développement des euro-marchés a eu pour point de départ l'existence en Europe de liquidités disponibles en dollars, résultant de dépôts effectués par l'URSS et surtout de paiements liés au déficit croissant de la balance commerciale américaine, alors que les banques et le marché des capitaux aux États-Unis étaient bridés par des réglementations contraignantes. Par la suite, le rôle des euro-marchés fut amplifié par la possibilité de recycler les excédents en dollars des pays producteurs de pétrole.

Eurosystème

Composé des gouverneurs des Banques centrales de la zone euro et du Directoire de la BCE, l'Euro-système est chargé de définir la politique monétaire européenne (cf. encadré 51).

Exception culturelle

Dérogation aux règles du GATS obtenue par l'Europe lors des négociations de l'Uruguay Round sur la libéralisation du commerce international des services. L'exception culturelle a été invoquée par l'Europe à propos de l'audiovisuel (télévision, radio, cinéma, vidéo), pour lequel les États-Unis exigeaient l'application des règles du GATS, considérant que la création culturelle audiovisuelle n'était en fait qu'une activité économique destinée au « divertissement » des consommateurs et qu'elle devait être soumise aux lois du marché.

Facilités d'ajustement structurel (FAS)

Prêts du *Fonds monétaire international* destinés à financer depuis 1986 des *programmes de redressement pluriannuels* de pays sous-développés surendettés. Ces prêts sont caractérisés par le « *principe de conditionnalité* », les aides du FMI étant assorties de l'obligation pour le pays bénéficiaire (« *lettre d'intention* ») d'appliquer une politique économique susceptible de permettre le rétablissement des grands équilibres macroéconomiques fondamentaux et d'assurer les conditions d'une croissance durable. À partir de 1987, des « *facilités d'ajustement structurel renforcées* » sont venues compléter le dispositif précédent (cf. encadré 42).

Facilités de financement compensatoire (FFC)

Le financement compensatoire a été mis en place en 1963 par le *Fonds monétaire international* pour pallier la baisse des recettes d'exportation résultant de l'instabilité des prix des produits de base. Limitée à un certain pourcentage de la quote-part du pays membre concerné, cette aide (remboursable) représente la différence entre la valeur tendancielle à moyen terme des recettes d'exportation et la valeur des recettes de l'année considérée. Ce mécanisme a été complété en 1988 par des « facilités de financement compensatoires » visant à compenser des baisses de recettes d'exportation ou des hausses de coût d'importation de céréales.

Firme multinationale

Firme (*société mère*) réalisant une partie de son chiffre d'affaires dans des pays différents où, grâce à des *investissements directs à l'étranger (IDE),* elle a pu, soit créer des *filiales,* soit racheter une entreprise étrangère (ou y prendre une participation qui lui permette d'exercer le pouvoir de décision) (cf. encadrés 2 et 29).

Fonds alternatifs

Ces fonds sont composés des « Fonds spéculatifs » (*hedge funds*), dont l'objectif est de spéculer sur les marchés en utilisant tous les instruments disponibles et en prenant des risques considérables de façon à maximiser les rendements, et des *private equity funds,* qui s'intéressent essentiellement au lancement ou au rachat d'entreprises.

Fonds monétaire international (FMI)

Créé lors des *accords de Bretton Woods* en 1944, le Fonds monétaire international était chargé de l'arbitrage des règles du jeu monétaire international. Par ailleurs, le FMI pouvait apporter, grâce aux ressources en devises que lui procuraient les contributions des États membres (payables en or et en devise nationale selon un système de *quotes-parts*), une aide financière (*droits de tirage*) aux pays dont la balance extérieure était en déficit. Après l'abandon des accords de Bretton Woods et l'adoption des changes flottants, le FMI a perdu son rôle d'instance de régulation monétaire et s'est progressivement transformé en « coopérative de crédit », avec une triple mission : financer des déséquilibres temporaires de balance extérieure, accompagner des programmes de redressement liés à des difficultés structurelles et répondre à des situations particulières, notamment dans les pays sous-développés (cf. encadré 38).

Fonds souverains

Les fonds souverains proviennent des réserves de devises de pays pétroliers ou de pays émergents qui autrefois étaient placés sous forme de bons du Trésor américain et qui maintenant se placent sous forme d'actions de grands groupes industriels ou bancaires.

GATS

Intégration des services au GATT (cf. encadré 17).

GATT

L'*Accord général sur les tarifs douaniers et le commerce*, plus connu sous son sigle en langue anglaise GATT (*General Agreement on Tariffs and Trade*), a été conclu en 1947 entre 23 pays fondateurs, afin de favoriser le développement du commerce international et lutter contre les barrières protectionnistes. L'Accord initial sera complété et précisé au fil des négociations internationales successives (*Rounds*), la plupart des nations commerçantes de la planète rejoignant le GATT. Le dernier Round (Uruguay Round) consacrera la disparition du GATT au profit d'une nouvelle institution internationale, l'*Organisation mondiale du commerce.*

Groupe des 77

Le Groupe des 77, né à Genève en 1964 à l'occasion de la première *CNUCED*, compte plus de 130 pays et est devenu au fil des ans la principale force politique du tiers-monde. Ses objectifs étaient au départ essentiellement économiques : constituer un groupe de pression au sein de la CNUCED pour transformer l'ordre économique international (redistribution des richesses mondiales) et mener une action solidaire au sein des organisations internationales (participation à la définition des règles du jeu commercial et monétaire international). Le relatif échec du dialogue Nord-Sud conduisit le Groupe des 77 à modifier ses objectifs dans le sens du développement de la coopération économique entre pays sous-développés (constitution d'unions régionales, développement des échanges Sud-Sud, recherche technologique…) (cf. encadré 26).

G7

Le G7 réunit périodiquement et de façon informelle les chefs d'État et de Gouvernement des pays les plus riches de la planète (Allemagne, Canada, États-Unis, France, Italie, Japon et Royaume-Uni). Sa mission initiale consistait à surveiller le fonctionnement du système des changes flottants pour en prévenir les excès éventuels (*gestion concertée des taux de change*). La Russie ayant rejoint le groupe après l'explosion du système soviétique (transformant le G7 en G8), le groupe a débordé du cadre monétaire pour tenter de s'instituer en gouvernement de fait de l'économie mondiale.

G22

Lors de la cinquième conférence ministérielle de Cancún (en septembre 2003) qui devait faire le point sur les négociations lancées à Doha, un groupe de pays en développement, réunis dans le cadre du G22 et emmenés par l'Inde, la Chine et le Brésil, ont exigé l'élimination totale des subventions agricoles dans les pays riches, sans proposer de contreparties, entraînant ainsi le blocage des négociations agricoles.

Investisseurs institutionnels

Ils concernent les fonds de pension, qui gèrent l'épargne des systèmes de retraite par capitalisation (américains et britanniques essentiellement), les fonds des compagnies d'assurance et les fonds des sociétés de placement.

Investissement direct à l'étranger (IDE)

Selon l'OMC, un investissement direct à l'étranger consiste à « acquérir un actif à l'étranger avec l'intention de le gérer » (cf. encadré 29).

Intégration économique

Ententes économiques régionales dont la nature (*zone de libre-échange, union douanière, marché commun, union économique, union économique et monétaire*) et le fonctionnement dépendent des objectifs poursuivis (cf. encadrés 6, 7 et 8).

Libéralisme économique

Doctrine postulant que l'intérêt collectif est constitué par la somme des intérêts particuliers. Elle repose sur le caractère fondamental de la liberté et de l'initiative privées dans le domaine économique et sur le rôle joué par le marché en tant que mécanisme de régulation automatique de l'activité économique.

Marchés financiers

Lieu de rencontre des agents en excédent de ressources financières, des agents en besoin de financement et des intermédiaires financiers (cf. encadré 47).

Marges de fluctuation

Les marges de fluctuation sont constituées par la définition d'un *cours plafond* et d'un *cours plancher* autour d'un prix. Dans le cas d'un taux de change fixe, ces marges de fluctuation indiquent les limites au-delà desquelles les autorités monétaires nationales concernées devront intervenir sur le marché des changes pour faire respecter la parité choisie.

Mécanisme de taux de change MTC2

Les monnaies des pays de l'Union européenne non membres de la zone euro peuvent être reliées à l'euro avec des marges de fluctuation plus ou moins larges, négociées selon les performances des pays candidats à l'adhésion, dans le cadre d'un système monétaire comparable à l'ancien Système monétaire européen. Le « SME-*bis* », ou « Mécanisme de taux de change MTC2 », a été mis en place le 1er janvier 1999.

Mondialisation

La mondialisation signifie que les frontières économiques nationales tendent à disparaître et que les économies nationales tendent à se fondre dans une économie mondiale. La mondialisation est le résultat de la multiplication des échanges commerciaux et financiers internationaux, du développement des firmes multinationales et, de façon plus générale, de l'internationalisation de l'activité économique.

Multilatéralisme

Il s'agit de l'application de la clause de « la nation la plus favorisée », impliquant l'extension automatique et inconditionnelle à tous les partenaires des avantages ou des préférences qu'une nation peut accorder à l'un d'entre eux, même s'ils résultent de négociations bilatérales.

Nouveaux pays industrialisés (NPI)

La première génération (dragons) des NPI d'Asie, constituée par la Corée du Sud, Taiwan, Singapour et Hong Kong, apparut à la fin des années 1970. Bénéficiant d'un taux de croissance élevé, ces pays se sont rapidement insérés dans les courants d'échanges mondiaux. Ils furent suivis à la fin des années 1980 par une deuxième génération (tigres), avec la Thaïlande, la Malaisie, l'Indonésie et les Philippines, puis, dans les années 1990, par la Chine (cf. encadrés 1 et 23).

Organe de règlement des différends (ORD)

Organe de l'OMC chargé d'arbitrer les conflits entre les partenaires du commerce international, sur la base des règles de l'OMC (cf. encadré 20).

Organisation des pays exportateurs de pétrole (OPEP)

Créée en 1960, l'OPEP regroupe dans le cadre d'un cartel 13 pays d'Amérique latine, du Moyen-Orient, d'Afrique et d'Asie exportateurs de pétrole.

Organisation mondiale du commerce (OMC)

Créée en 1995, l'OMC est une institution internationale chargée de mettre en œuvre les résultats obtenus au cours des Rounds successifs du GATT, de poursuivre les négociations sur les points qui n'ont pas abouti lors de l'Uruguay Round, d'ouvrir de nouvelles négociations si elles s'avèrent nécessaires et d'arbitrer les différends éventuels (*Organe de règlement des différends*) entre les partenaires du commerce international.

Organisations non gouvernementales (ONG)

Porte-parole d'une cause spécialisée, les ONG constituent une nébuleuse de nouveaux acteurs sur la scène internationale, avec des objectifs, des intérêts et des modalités d'action différents. Les plus importantes, du point de vue de leur budget annuel, sont Oxfam International (lutte contre la pauvreté), Médecins sans Frontières (santé), Amnesty International (droits de l'homme), Greenpeace (environnement), Attac (taxations sur la spéculation financière internationale) ou Friends of Earth (environnement) (cf. encadré 2).

Organismes génétiquement modifiés (OGM)

Les OGM sont des organismes vivants dont on a modifié le patrimoine génétique en manipulant leur ADN, afin de les doter de propriétés particulières (cf. encadré 21).

Pacte de stabilité budgétaire

Le *Pacte de stabilité budgétaire et de croissance* fut adopté lors du sommet européen d'Amsterdam en juin 1997. Il oblige les pays de la *zone euro* à respecter une discipline budgétaire : le déficit de chaque pays ne devra pas dépasser 3 % de son PIB, sauf circonstances exceptionnelles et temporaires (récessions). Si le déficit n'est pas corrigé dans un délai d'un an, le pays contrevenant sera sanctionné (cf. encadré 50).

Pacte de stabilité monétaire

Adopté au sommet européen d'Amsterdam en 1997, le *Pacte de stabilité monétaire* concerne les monnaies européennes qui n'auront pas adhéré à la *zone euro* en 1999. Ces monnaies du « premier cercle » autour de la zone euro pourront être reliées à l'euro dans le cadre d'un système monétaire comparable à l'ancien SME, avec des *marges de fluctuation* plus ou moins larges, négociées selon les performances des pays candidats à l'adhésion. Le « *SME-bis* », ou *Mécanisme de Taux de Change MTC2*, reposera sur la fixation de *cours pivots* déterminés par rapport à l'euro avec une marge de fluctuation maximale de plus ou moins 15 %.

Pays en développement (PED)

Les pays en développement constituent un ensemble hétérogène, regroupant la plupart des pays d'Afrique, d'Amérique latine et d'Asie. Très divers quant à leurs caractéristiques géographiques, sociologiques ou économiques, ils répondent cependant à un certain nombre de symptômes communs : un niveau de vie faible et des caractéristiques démographiques et sanitaires différentes de celles des pays industrialisés (cf. encadré 18).

Pays les moins avancés (PMA)

Parmi les pays en développement, les « pays les moins avancés » apparaissent comme les plus pauvres. Si l'on en comptait 25 en 1971, ils sont aujourd'hui une cinquantaine, dont les trois quarts se trouvent en Afrique.

Pétrodollars

Les échanges internationaux de pétrole étant payables en dollars, les pétrodollars sont constitués par les stocks de dollars accumulés par certains pays producteurs de pétrole, notamment après les chocs pétroliers de 1973 et 1979.

Politique agricole commune (PAC)

La Politique agricole commune de l'Union européenne fut mise en œuvre à partir de 1962 pour augmenter la production et la productivité agricoles, de façon à assurer l'approvisionnement du marché européen et un niveau de vie suffisant aux agriculteurs. Elle organise les marchés agricoles européens en garantissant un prix unique pour chaque produit et en protégeant les producteurs des fluctuations des cours mondiaux. Le financement de la PAC est assuré par le *Fonds européen d'orientation et de garanties agricoles* (cf. encadrés 15 et 16).

Politique monétaire

Politique consistant, pour les autorités monétaires d'un pays, à fournir les liquidités nécessaires à l'activité économique dans le cadre d'une stabilité monétaire, à travers le contrôle de la *masse monétaire*, des *taux d'intérêt* et du *taux de change*. Les autorités monétaires disposent pour assurer ces contrôles d'un certain nombre d'instruments : l'*encadrement du crédit*, le *refinancement* des banques auprès de la Banque centrale, les *réserves obligatoires* des banques et les interventions de la Banque centrale sur le marché monétaire et le marché des changes.

Principe de conditionnalité

Principe selon lequel les aides du FMI sont assorties de l'obligation pour le pays bénéficiaire (« *lettre d'intention* ») d'appliquer une politique économique susceptible de permettre le rétablissement des grands équilibres macroéconomiques fondamentaux : équilibre budgétaire, équilibre du commerce extérieur, vérité des prix, lutte contre l'endettement public excessif notamment. Le degré de conditionnalité, qui reflète le souci du FMI de voir le pays emprunteur être un jour en mesure de le rembourser, est fonction de la nature temporaire ou durable des difficultés que connaît le pays emprunteur ; en d'autres termes, le FMI sera d'autant plus exigeant dans la mise en œuvre de politiques d'assainissement par le pays emprunteur que les difficultés de ce dernier seront importantes.

Principe d'inégalité compensatoire

Adopté lors de l'Assemblée générale de l'ONU en 1961, ce principe autorise la mise en place au profit des pays sous-développés d'inégalités artificielles destinées à compenser des inégalités naturelles, notamment dans le cadre des échanges commerciaux entre pays riches et pays pauvres (*échange inégal*). Une application de ce principe est constituée par le *système des préférences généralisées*, adopté lors de la CNUCED de New Delhi en1968.

Principe de précaution

Le principe de précaution (invoqué par exemple par l'Union européenne pour refuser d'importer des États-Unis de la viande bovine aux hormones ou des *Organismes génétiquement modifiés*) permet de s'opposer à l'importation de certains produits si l'on craint un danger pour la santé ou l'environnement, sans avoir à prouver scientifiquement leur nocivité. En France, le principe de précaution a été pour la première fois défini par la loi Barnier de 1995 relative aux risques environnementaux majeurs : « *L'absence de certitudes, compte tenu des connaissances scientifiques et techniques du moment, ne doit pas retarder l'adoption de mesures effectives et proportionnées visant à prévenir un risque de dommages graves et irréversibles sur l'environnement, à un coût économiquement acceptable. »*

Principe du traitement national

Le principe du « traitement national » concerne l'interdiction de toute discrimination entre produits nationaux et produits étrangers concurrents. Dès qu'ils ont pénétré sur un marché national, ces derniers doivent donc être soumis à la même réglementation fiscale, commerciale ou administrative que les produits nationaux, de façon à ce que ces derniers ne soient pas injustement favorisés et que la concurrence entre eux ne soit pas faussée.

Produit de base

Les produits de base étaient définis dans la *Charte de La Havane* comme « des produits de l'agriculture, des forêts, de la pêche et du sous-sol, que ces produits se présentent sous leur forme naturelle ou qu'ils aient subi la transformation qu'exige la vente en quantité importante sur le marché international ». Il s'agit donc des produits agricoles de base (céréales, oléagineux…), des produits tropicaux (café, cacao, fruits…), des matières premières agricoles (coton, laine, caoutchouc…), des minerais métalliques ou non, et des combustibles (pétrole, gaz, charbon) (cf. encadré 28).

Programme intégré

Proposé à la CNUCED de Nairobi de 1976 par les pays en développement, le « programme intégré » de Nairobi avait notamment pour objectif la stabilisation des cours de 18 produits de base. À cause réserves émises par les pays riches et de leurs réticences à fournir les moyens de financement nécessaires, le « programme intégré » n'a pu se mettre en place.

Protectionnisme

Politique économique consistant à protéger les activités nationales de la concurrence étrangère. Elle se traduit par la mise en place aux frontières de *barrières tarifaires, contingentaires ou administratives* qui pénalisent les produits étrangers par rapport aux produits nationaux (cf. encadrés 5, 11, 12 et 13).

Quota à l'exportation

Limitation quantitative de produits destinés à l'exportation, qu'elle résulte d'accords internationaux destinés à adapter l'offre à la demande sur les marchés internationaux et à limiter ainsi les fluctuations excessives des cours (accords internationaux pour certains produits de base), ou qu'elle soit volontaire, dans le but de faire augmenter les cours ou d'éviter leur baisse (stratégie de l'OPEP par exemple).

Round

Cycle de négociation commerciale multilatérale organisée de façon périodique dans le cadre du GATT. Huit Rounds se sont ainsi succédé depuis la signature des Accords du GATT, le plus important étant certainement le dernier (*Uruguay Round*), ouvert en 1986, qui donna naissance à l'*Organisation mondiale du commerce*.

Serpent communautaire

Système créé en 1972 (accords de Bâle), reliant entre elles les monnaies européennes en fixant des marges de fluctuation relativement étroites (2,25 %) et en laissant flotter l'ensemble des monnaies européennes par rapport au dollar dans les limites (4,5 %) autorisées par les accords de Washington de 1971 (cf. encadré 48).

Système européen de banques centrales (SEBC)

Ensemble constitué par l'Eurosystème (zone euro), la Banque centrale européenne et le Conseil général (gouverneurs des Banques centrales de l'Union européenne) (cf. encadré 51).

STABEX

Créé dans le cadre de la *Convention de Lomé 1* (1975-1980), le *Système de stabilisation des recettes d'exportation* concerne, depuis la Convention de Lomé 4 (1990-2000), 48 produits de base exportés par les pays ACP vers l'Union européenne (cf. encadré 9).

Subprimes

Les *subprimes* sont des crédits immobiliers hypothécaires à taux variable, accordés à des ménages de condition modeste, dont les remboursements au cours des premières années sont faibles et dont la charge augmente progressivement au cours des années suivantes, l'idée étant que, dans un marché immobilier où les prix augmentent, les emprunteurs pourront revendre leur bien avec plus-value avant que les échéances ne deviennent trop lourdes.

Stocks régulateurs

Mécanisme mis en place dans le cadre d'accords internationaux relatifs à certains produits de base, consistant à stocker ou déstocker une partie de la production, afin d'adapter l'offre à la demande sur le marché et de prévenir ainsi les fluctuations excessives des cours internationaux.

SYSMIN

Créé dans le cadre de la *Convention de Lomé 2* (1980-1985), le *Système de stabilisation des recettes d'exportation de produits miniers* concerne, depuis la Convention de Lomé 4 (1990-2000), 11 produits miniers exportés vers l'Union européenne par les pays ACP (cf. encadré 9).

Système monétaire européen (SME)

Créé en 1979, le Système monétaire européen consistait à relier entre elles les monnaies européennes composant l'*écu* par des parités fixes (« *cours pivot* ») autour desquelles étaient calculées les *marges de fluctuation* autorisées (de 2,25 ou de 6 % pour la lire et la peseta et ultérieurement pour la livre et l'escudo), et au-delà desquelles les banques centrales concernées devaient intervenir (lors de la crise monétaire de 1993, les marges de fluctuation furent élargies à plus ou moins 15 % pour casser la spéculation).

Système monétaire international (SMI)

Ensemble des mécanismes réglementant les *paiements internationaux*. Un SMI comporte donc des règles (plus ou moins contraignantes) et des institutions qui tendent à organiser et à contrôler les échanges monétaires internationaux.

Système des préférences généralisées (SPG)

Adopté en 1968 par la CNUCED de New Delhi, le système des préférences généralisées (SPG) permet aux pays du Sud d'exporter en franchise vers le Nord et de maintenir leurs propres droits de douane sur les produits venus du Nord (absence de réciprocité).

TARGET

Le règlement des transactions en euro liées à la politique monétaire du SEBC s'effectue grâce au « *système de transfert express automatisé trans-européen à règlement brut en temps réel* ».

Taux de change

Le taux de change est le prix d'une monnaie exprimé en devise étrangère. Il se détermine sur le *marché des changes* où se manifestent des offres et des demandes de devises. Il peut être défini *au cer-*

tain (prix d'une unité de monnaie nationale exprimé en devise étrangère) ou *à l'incertain* (prix d'une unité de devise étrangère exprimé en monnaie nationale. Le change peut être *au comptant* (conditions du change fixées au jour J et transaction effectuée au plus tard au jour J+2) ou *à terme* (conditions du change fixées au jour J et transaction effectuée à une échéance comprise entre un mois à un an). Le taux de change peut être fixé par les pouvoirs publics (*change fixe*), en référence à un étalon (or, devise étrangère ou panier de devises), avec une *marge de fluctuation* plus ou moins étroite (*change flexible*), ce qui implique que la Banque centrale nationale doive pouvoir intervenir sur le marché des changes avec les *réserves de devises* dont elle dispose pour faire respecter la stabilité du taux. Il peut être aussi déterminé librement sur le *marché des changes* en fonction de l'offre et de la demande (*change flottant*). Le taux de change *effectif* est constitué par la moyenne des taux de change entre une devise et celles de ses principaux partenaires commerciaux, pondérée par le poids relatif de chaque partenaire. Le taux de change *réel* prend en compte les éventuels *différentiels d'inflation*.

Taxe Tobin

J. Tobin avait proposé en 1972 de taxer les transactions en devises à court terme sur le marché des changes pour préserver l'économie réelle de l'interférence de la finance internationale. Il proposait en outre que le produit de la taxe soit affecté à l'aide au développement.

Termes de l'échange

Rapport entre l'indice des prix des exportations et l'indice des prix des importations d'un pays multiplié par 100. Inférieur à 100, il traduit une détérioration du commerce extérieur mesuré en termes d'indices de prix (cf. encadré 27).

Traité de Maastricht

Le traité de Maastricht, adopté en 1991, consacre la volonté des pays de l'Union européenne de se doter d'une monnaie commune (et unique). Il fixe les modalités de sa création (en définissant notamment les *critères de convergence* des économies nationales), ainsi que le calendrier de sa mise en œuvre.

Traité de Rome

Après avoir créé en 1951 la *Communauté européenne du charbon et de l'acier* (*union douanière*), l'Allemagne de l'Ouest, la Belgique, la France, l'Italie, le Luxembourg et les Pays-Bas ont conclu en 1957 le traité de Rome qui portait création de la Communauté de l'énergie atomique (*Euratom*) et de la *Communauté économique européenne*. Cette dernière voulait se constituer en *marché commun*, à travers l'élimination progressive des barrières protectionnistes et la mise en place d'un *Tarif extérieur commun*.

Transfert de technologie

Mécanisme permettant de transférer d'une entreprise à une autre des procédés plus ou moins complexes destinés à réaliser un objectif de production, ainsi que l'ensemble des connaissances qui leur sont liées et qui permettent de les mettre en œuvre (cf. encadrés 30, 31 et 32).

Triangle des incompatibilités

Le triangle des incompatibilités symbolise l'impossibilité, en termes de politique économique, de rechercher à la fois la *stabilité des changes*, *la libre circulation des capitaux* et l'exercice d'une *politique monétaire autonome*. Il n'est possible de poursuivre que deux objectifs sur les trois précités (cf. encadré 45).

Union économique et monétaire

Dernière étape de l'intégration économique, une union économique et monétaire se caractérise par un *marché unique* et une *monnaie unique*. En Europe, en application du *traité de Maastricht*, 16 pays de l'Union européenne se sont constitués en *Union économique et monétaire*, avec l'*euro* comme monnaie unique.

Zone franc

La zone franc regroupait autour du franc français sept pays de l'Union monétaire ouest-africaine (Bénin, Burkina, Côte-d'Ivoire, Mali, Niger, Sénégal et Togo, dont la monnaie est le franc de la Communauté financière africaine émis par la Banque centrale des États d'Afrique de l'Ouest, six pays membres de la Banque des États de l'Afrique centrale (Cameroun, Centrafrique, Congo, Gabon, Guinée équatoriale et Tchad, avec pour monnaie commune le franc de la Coopération financière en Afrique), et la République fédérale islamique des Comores (franc comorien, émis par la Banque centrale des Comores). Ses règles de fonctionnement sont constituées par une inter-convertibilité libre et sans limites, des monnaies de la zone à des taux fixes (grâce à un compte d'opérations ouvert par le Trésor français auprès de chaque banque centrale), une unicité de trésorerie (les banques centrales conservant leurs avoirs au Trésor français) et une réglementation de change commune vis-à-vis de l'extérieur. Depuis la création de l'euro et la disparition du franc français, les monnaies de la zone sont rattachées à l'euro selon les mêmes modalités qu'auparavant (cf. encadré 46).

Zone monétaire

Une zone monétaire regroupe un certain nombre de monnaies autour d'une devise forte ; liées à cette dernière de façon plus ou moins étroite, les monnaies concernées bénéficient théoriquement de sa garantie. En contrepartie, l'adhésion à une monnaie suzeraine implique que les réserves de change soient essentiellement constituées par la devise de référence et déposées auprès de la banque centrale qui la gère.

Zone monétaire optimale

Il s'agit d'une zone monétaire caractérisée par une évolution économique convergente de ses membres, capable, en l'absence d'ajustement par variation du change, de corriger les déséquilibres créés entre eux par un choc extérieur (cf. encadrés 43 et 44).

TABLE DES MATIÈRES

PARTIE 2
Les règles du jeu monétaire et financier

CHAPITRE 3
Le système monétaire et financier international

CHAPITRE 4
L'intégration monétaire européenne

Ouvertures Économiques